JN074102

公立高校教師
YouTuber
が書いた

一度読んだら絶対に忘れない

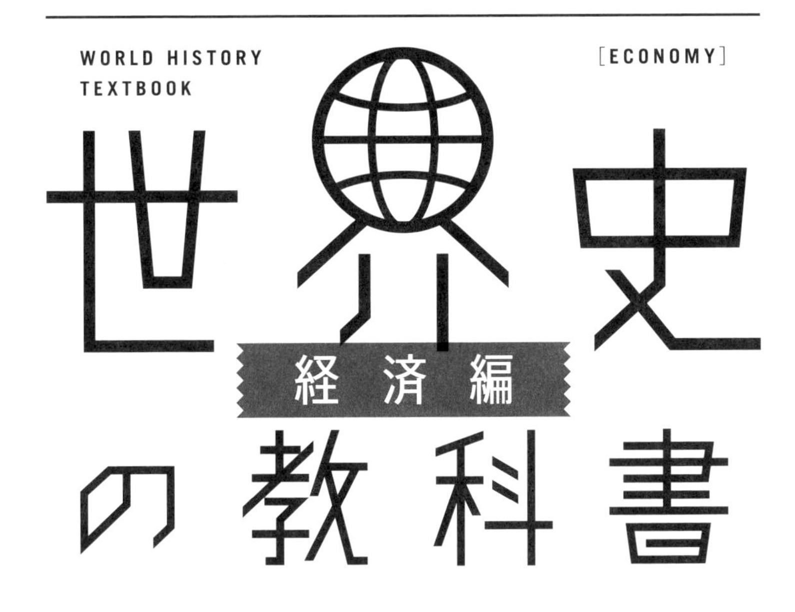

山﨑圭一

お金の流れから読む世界史のストーリー

2018年の春、私はYouTubeチャンネル「Historia Mundi」で配信している動画授業「世界史20話プロジェクト」のエッセンスを詰め込んだ『一度読んだら絶対に忘れない世界史の教科書』を出版しました。

内容は、ヨーロッパ、中東、インド、中国という4つの地域を「主役」にして、年号を用いずに古代から現代までを「1つのストーリー」で読み解いた歴史入門書です。

年代や地域がめまぐるしく変わる一般的な教科書と比べて、「とてもわかりやすい！」という評価をいただき、おかげさまでベストセラーになりました。

そして、今回、『一度読んだら絶対に忘れない世界史の教科書』の続編として、「経済編」を出版することになりました。

文化史、宗教史など、世界史には数多くのテーマがありますが、その中から、なぜ最初に「経済」を取り上げたのかといえば、それは、「お金」や「モノ」の流れを知ることによって、“ヨコ”の視点を持つことができるからです。

世界史は「地域ごとにどのような歴史をたどったのか」という“タテ”のつながりという視点と、「同じ時代の東西に、どのような歴史的なかかわりがあったのか」という“ヨコ”のつながりという視点、その双方の視点で眺めることによって、理解をより深めることができるのです。

“タテ”の視点とは、古代から現代までをできるだけ一直線にして読み解いた第1弾の世界史本のことです。

一方の“ヨコ”の視点とは、「同時代の各地域の“つながり”に着目した世界史」ということになります。

世界全体を人間の身体に置き換えると、「お金」というのは血液にあたります。血液が様々な器官をめぐり、結びつけているように、お金も世界の様々な地域をめぐり、結びつけていきます。また、血液の流れが滞ると病気になるように、お金の流れが滞ることによって、大規模な戦争がおこることもあるのです。

そのため、“血液の循環”である経済活動（お金の流れ）にスポットをあてると、各地域の“つながり”をより鮮明に浮かび上がらせることができます。

本書で解説する「ヨコの世界史」の特徴を具体的に申し上げると、以下の３つになります。

① 古代から現代までを10の時代で区切り、
各地域の同時代の“つながり”をストーリーで読み解く
② ストーリーの「主役」は、「お金の流れ」
③ 年号を使わない

本書は、第１弾を読んでくださった方々にとっては、「ヨコの視点で読む世界史」ですが、この本から読む方にとっても、「お金の流れで読み解く世界史」として、十分楽しんでいただくことができる内容になっています。

第１弾と同じく、「年号を使っていない歴史の本なんて……」と思う方がいるかもしれませんが、本書を一読すると、経済を背景とした事件や国家の「つながり」や「因果関係」が際立ち、より、ストーリーに集中できることがご理解していただけると思います。

本書が、さらに歴史を楽しく学びたい、教養をさらに深めたいという方々の少しでもお役に立てば幸いです。

山﨑 圭一

公立高校教師YouTuberが書いた
一度読んだら絶対に忘れない
世界史の教科書

第1章 貨幣の誕生

古代オリエント・ギリシア・殷王朝(先史〜紀元前4世紀)

第2章 結ばれる古代帝国

ローマ帝国・秦・漢王朝(紀元前3世紀〜3世紀)

経済編 CONTENTS

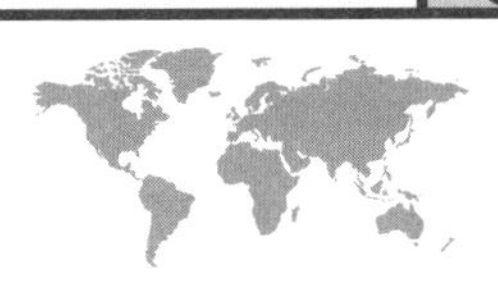

第3章 イスラームとインド洋

イスラームの誕生と隋・唐王朝（4世紀～10世紀）

第4章 進む貨幣経済

商業ルネサンスとモンゴル帝国（11世紀～14世紀）

第5章 世界をかけめぐる銀

大航海時代と明王朝（15世紀～16世紀）

第6章 覇権国家の交代

オランダ・イギリスの繁栄と大西洋革命(17・18世紀)

第7章 拡大する「帝国」

産業の発展と帝国主義（19世紀）

第8章 恐慌から分断へ

2つの大戦と世界恐慌（20世紀の始まり〜第二次世界大戦）

第9章 超大国の綱引き

冷戦下の経済（第二次世界大戦〜1980年代）

第10章 一体化する世界
グローバリゼーションと経済危機（1990年代～現代）

世界史の視点には「タテ」と「ヨコ」がある！

前作で明らかにした「タテ」の世界史

「はじめに」でお話ししたとおり、2018年の夏に出版した『一度読んだら絶対に忘れない世界史の教科書』は、**古代から現代まで、世界史を「タテ」に読み解いています。**

地域や年代が目まぐるしく変わる一般的な教科書と違い、右図のように、「ヨーロッパ」「中東」「インド」「中国」と、世界史の舞台を大きく４つに分け、できるだけ地域別に、視点を動かさずに**世界史を“タテ”に見ていけるようにしたのです。**

ヨーロッパから中東、インド、中国、世界の一体化、近代、現代までを“数珠つなぎ”にし、地域や王朝、国家などの「主役」の変化を最小限にとどめ、主語をできるだけ変えずに「１つのストーリー」で世界史を表現しました。

じつは、世界史には、この「タテ」の他に、「ヨコ」のつながりというのもあります。

「ヨコ」のつながりとは、具体的には、「同時期の東西の国の間で、何が起きていて、そして、どんなかかわりがあったのか」ということです。

世界史は「タテ」のつながりと「ヨコ」のつながりの両方を知ること、つまり、「タテ」・「ヨコ」双方の視点をもつことが大切なのです。

では、「ヨコ」のつながりを知るためには、どうすればよいかというと、「お金の流れ（経済）」を「主役」にしたストーリーを読み解くことが１つの手がかりになるのです。

図 H-1 「ヨーロッパから現代まで」、すべてを数珠つなぎに！

人類の出現

文明の誕生

ヨーロッパ	中東	インド	中国
エーゲ文明 ギリシア ヘレニズム	オリエント文明 古バビロニア アケメネス朝	インダス文明	黄河文明
		仏教の成立 マウリヤ朝	殷 周 秦 前漢
共和政ローマ	パルティア	クシャーナ朝	
帝政ローマ			後漢
ゲルマン人の移動	ササン朝		三国 五胡十六国
		グプタ朝	
フランク王国	イスラームの成立 ウマイヤ朝		隋 唐
カール大帝	アッバース朝	ヴァルダナ朝	
		ガズナ朝	
十字軍	セルジューク朝	ゴール朝	宋 南宋
		デリー＝スルタン朝	元 明
百年戦争	イル＝ハン国	ムガル帝国	
	オスマン朝		清

世界の一体化（大航海時代・ヨーロッパ諸国の海外進出）

欧米	中東・インド	中国
産業革命	オスマン帝国の動揺	アヘン戦争
市民革命	インドの植民地化	列強の中国分割
国民国家の発展		辛亥革命
帝国主義	諸地域の民族運動	満州事変
2つの世界大戦		日中戦争

冷戦構造の形成・現代世界

世界史は「お金の流れ」で学べ！

第2弾は「ヨコ」の歴史

「カネは天下の回り物」というように、お金は世界を回りながら、各地域を結びつけていきます。

シリーズ第１弾の世界史では、ヨーロッパ、中東、インド、中国というように４つの舞台に分けましたが、それぞれが別々に存在している、というわけではなく、地域間には絶えず人々が行き来しており、お金やモノが移動していたのです。

高校の「政治・経済」の教科書には、「経済とは物資の生産から消費までの全過程や、その中で営まれる社会的な様々な関係をさす」とあります。

つまり、モノを含めた人間のすべての活動が「経済活動」というわけですが、その中心にあるのが「お金」であることは間違いありません。お金が誕生して以来、お金を得ること、豊かになりたいということは、人々や国家の最大の関心事でした。時に、より多くの富を得るために戦争を起こしたり、植民地を広げたりすることもありました。

したがって、**「お金の流れ（経済活動）」にスポットライトをあてることで、世界史のヨコの“つながり”が見えやすくなる**のです。

右の図を見てください。本書では「ヨコ」の歴史を説明するために、第１弾の『一度読んだら絶対に忘れない世界史の教科書』でお話ししたタテの流れを10の年代のまとまりで「輪切り」にし、そのまとまりごとに、お金やモノの流れを「主役」にしてストーリー化しています。

そのストーリーを数珠つなぎにつむいでいくことで、それぞれの地域の「ヨコ」の関係が理解できる、というわけです。

図 H-2　タテの歴史を10のブロックで「輪切り」に

人類の出現

文明の誕生

ヨーロッパ	中東	インド	中国
	オリエント文明	インダス文明	黄河文明
エーゲ文明	古バビロニア		
ギリシア	アケメネス朝		殷
ヘレニズム		仏教の成立	周
		マウリヤ朝	秦
			前漢
共和政ローマ			
	パルティア	クシャーナ朝	
帝政ローマ			後漢
	ササン朝		三国
ゲルマン人の移動			五胡十六国
		グプタ朝	
フランク王国			隋
	イスラームの成立		唐
	ウマイヤ朝	ヴァルダナ朝	
カール大帝			
	アッバース朝		
		ガズナ朝	
			宋
十字軍	セルジューク朝	ゴール朝	南宋
		デリー＝スルタン朝	元
百年戦争	イル＝ハン国		明
		ムガル帝国	
	オスマン朝		清

世界の一体化（大航海時代・ヨーロッパ諸国の海外進出）

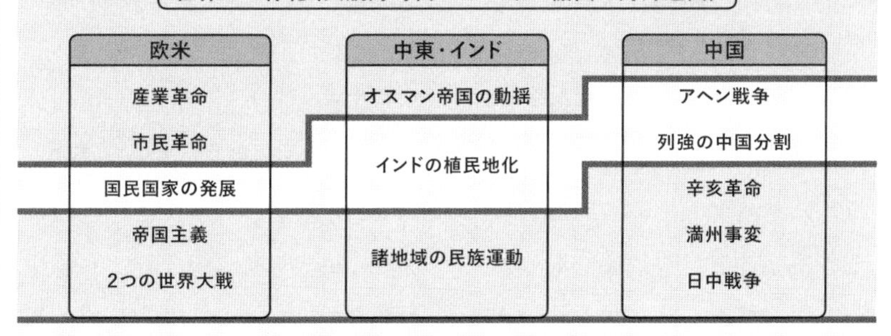

冷戦構造の形成・現代世界

本書の構成について

世界史を「輪切り」にし、西から東へと視点を移動する

本書の構成は、世界史を大きく10のブロックに分け、そのブロックごとに西から東へと視点を動かしながら、ブロック内に位置する歴史的事件の「経済的背景」を説明します。

『一度読んだら絶対に忘れない世界史の教科書』と同じく、ストーリーを頭に残りやすくするために、年号はほとんど使用していませんが、本書では各時代を輪切りにする必要上から、「世紀」ごとに分けています（1つの事件が世紀をまたぐこともあるので、この分け方は厳密というわけではありません)。

第1章から第4章まではヨーロッパ、中東、インド、中国など、地域ごとに発展していく経済の状況と、その間をつなぐ商人のはたらきを中心に見ていきます。

第1章では貨幣経済が各地域で誕生したこと、第2章ではローマ帝国と中国の漢王朝という大国が登場し、ユーラシア大陸の国々の経済的な交流が深まったこと、第3章ではイスラームが誕生し、インド洋でイスラーム商人が活発な経済活動を行ったこと、第4章では中世後半のヨーロッパ世界と中国の宋・元王朝で貨幣経済が進んだことなどを紹介していきます。東南アジアや日本への経済的な影響にも触れています。

『一度読んだら絶対に忘れない世界史の教科書』でも、ヨーロッパ、中東、インド、中国という4つの地域が一体化する大航海時代を迎える第5章がカギになりましたが、本書でも第5章がカギになります。スペインやポルトガルなどの航海者が世界を結びつけ、メキシコやペルーの銀山で採掘さ

図 H-3 「輪切り」にした時代の経済の様子をヨコに見ていく

時代	章
先史〜前4	第1章 古代オリエント・ギリシア・殷王朝
前3〜3	第2章 ローマ帝国・秦・漢王朝
4〜10	第3章 イスラームの誕生と隋・唐王朝
11〜14	第4章 商業ルネサンスとモンゴル帝国
15〜16	第5章 大航海時代と明王朝
17〜18	第6章 オランダ・イギリスの繁栄と大西洋革命
19〜20	第7章 産業の発展と帝国主義
〜1945	第8章 2つの大戦と世界恐慌
1945〜1990	第9章 冷戦下の経済
1990〜	第10章 グローバリゼーションと経済危機

第1章：各地域を西から東へ見ていく（ヨーロッパ → 中東 → 中国）

第5章：ヨーロッパ・中東・インド・中国・日本　世界をかけめぐる銀

れた銀が世界をかけめぐります。銀は世界をまわり、世界の様々な地域の物価や社会構造に大きな影響を与えました。

第6章以降は経済的な「覇権」を握る国家が登場し、世界の経済の中心的な役割を果たすようになります。

第6章では、「覇権」がスペインからオランダ、イギリスと交代していく様子と、アメリカ独立革命やフランス革命などの「大西洋革命」について扱います。この動きの中で株式会社や損害保険の仕組み、財産権の保障など、近代以降の経済の仕組みも次第に形づくられました。第7章は帝国主義の時代です。産業の発展は世界の植民地化を招きました。第8章は2つの世界大戦とその間の世界恐慌の様子を説明します。第9章は第二次世界大戦後からソ連の崩壊までを、アメリカとソ連による超大国間の「綱引き」で揺れる国々の様子がご理解いただけると思います。

そして、最終章の第10章では1990年代から現在までを取り上げ、グローバリゼーションの進行と世界に広がる経済危機の様子を解説します。

この本を通して、物々交換、硬貨から紙幣、キャッシュレスや仮想通貨に至るまで、刻一刻と変わる「お金」そのものの姿の変化ももう1つの「ストーリー」としてお楽しみいただけると思います。

「ヨコ」を知ると「タテの歴史」も楽しめる

本書は、高等学校の「世界史」の授業で学ぶ事件の背景を経済の面から説明した「歴史」の本です。

したがって、政治・経済の授業で学ぶような「経済学説」の説明や「仕組み」そのものの説明を省略した部分が多くあります。

しかし、本書で経済的な背景を知ることにより、政治・経済の授業で学ぶ内容の理解が進むようにもなるでしょうし、皆さんがこれまで学んできた世界史の知識の「背景はこうなっていたのか」という、新たな発見があり、「タテの歴史」の楽しみもより一層増えると思います。

第1章

貨幣の誕生

古代オリエント・ギリシア・殷王朝

（先史〜紀元前４世紀）

第1章 古代オリエント・ギリシア・殷王朝 あらすじ

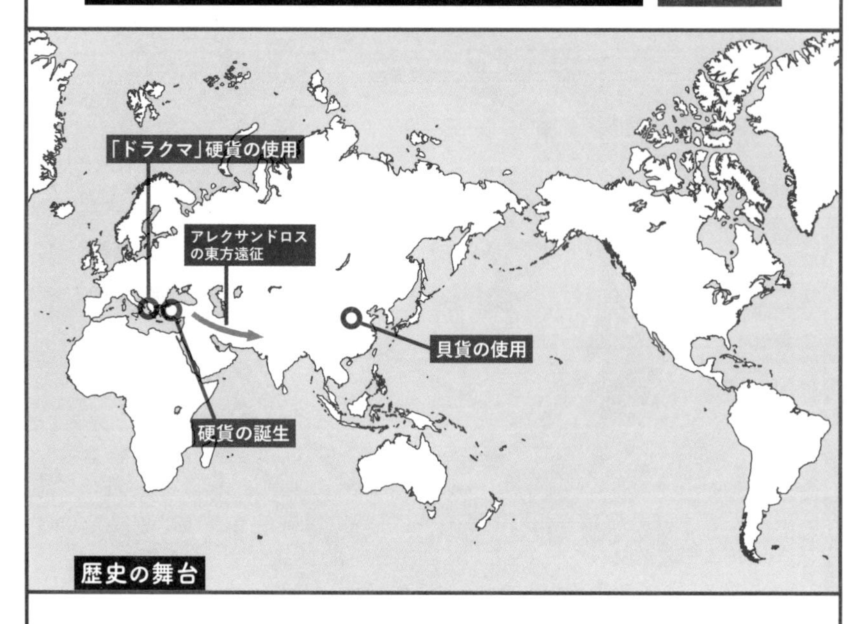

貨幣が誕生し、貨幣をめぐる人々のドラマが生まれる

本章では、おもに農耕・牧畜の始まりから、貨幣の誕生までを扱います。農耕や牧畜によって生み出された生産物を貨幣のように使った時代を経て、古代オリエントで金属の硬貨が誕生します。それがギリシアに伝わり、「ドラクマ」という硬貨が広く使われるようになりました。貨幣は腐ることなく価値を長期間にわたって保てるため、貨幣を蓄積できる富める者は「豊かなまま」、貨幣を貯められない貧しい者は「貧しいまま」固定されることになり、貧富の差の拡大が生じます。

第1章 【古代オリエント・ギリシア・殷王朝】の見取り図

先史

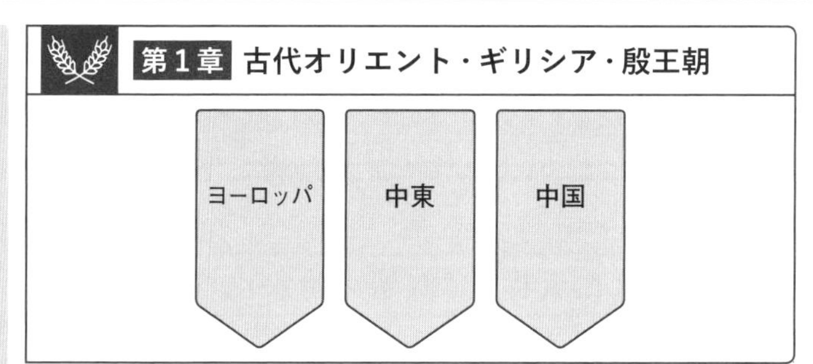

前4

前3

3

第2章 ローマ帝国・秦・漢王朝

4

10

第3章 イスラームの誕生と隋・唐王朝

11

14

第4章 商業ルネサンスとモンゴル帝国

15

16

第5章 大航海時代と明王朝

ヨーロッパ

ギリシアは山が多く土地も狭いため、ギリシア人は地中海の各地に住み着き、「植民市(しょくみんし)」をつくりました。オリエントから硬貨が伝わったギリシアでは古代の代表的な硬貨である「ドラクマ」硬貨がつくられます。

中東

オリエントでは、世界に先がけて農耕や牧畜などの「生産経済」が始まります。物品貨幣から貴金属の使用を経て、硬貨の使用もオリエントで始まります。巨大帝国においては、硬貨が国家の一体化をもたらしました。

中国

中国の殷(いん)王朝は、殷の勢力圏内で手に入らない、南の海で産出される希少なタカラガイの貝殻を貨幣として用いました。希少性があれば、貴金属でなくても「貨幣」としての役割を果たしたのです。

農耕・牧畜が始まり、「経済の歴史」が始まる

「余った生産物」は経済の始まりとなった

本書では、「経済」のお話を農耕や牧畜の開始から始めたいと思います。

農耕や牧畜が始まるまで、人類は食料を求めて移動し、狩猟や採集で食べ物を集める「**獲得経済**」が中心でした。もちろん、狩猟や採集で肉や果実を集めたり、それらを交換・分配したりするのも「経済」ですが、肉や果実はすぐに腐敗してしまうので、長期間にわたる蓄積ができません。

農耕や牧畜の「**生産経済**」によって生み出された穀物や家畜は、肉や果実などよりも長期の保存がきくため、人々は貯蔵地の近くで暮らし、定住が始まりました。**蓄積が可能になったことで、余った生産物（余剰生産物）は分配や交換、交易の対象になり、それを「貸し」たり「借り」たりするという一連の「経済」が本格的に始まったのです**（このように穀物や家畜などを「貨幣」のように使うことを「物品貨幣」といいます）。

さらに、その蓄積ができる者とできない者の「貧富の差」も生み出すこととなりました。

メソポタミアでは銀が「お金」として使われた

世界に先がけて、こうした農耕や牧畜などの「生産経済」が発達したのが、「オリエント」といわれた西アジア周辺の、ティグリス川、ユーフラテス川流域のメソポタミアからシリア・パレスチナ地方、ナイル川流域のエジプトにかけての「**肥沃**（ひよく）**な三日月地帯**」です。

メソポタミアでは、ティグリス川、ユーフラテス川などの大河のほとりで川から水を引き、土地をうるおす**灌漑**（かんがい）が行われ、小麦などの穀物が生産

されました。メソポタミアは平坦で周囲に開けた地形のため、豊かな実りをめぐって周辺の諸民族が侵入し、多くの王朝が興亡しました。

メソポタミアは乾燥地帯なので、川から一定距離以上離れると農耕はできなくなります。これらの周辺地域では乾燥に強い羊やラクダを飼う遊牧民が生活していました。これらの遊牧民が穀物を手に入れるためには、大河の周辺の人々と羊や岩塩などを交換するほかありません。当初、この交換には羊や穀物、岩塩などの「物品貨幣」を用いていましたが、次第に「銀」の重さを量って袋に入れ、交換に使うようになりました。

穀物や家畜は保存がきくといっても数年が限度ですが、銀はさらに保存がきき、何年も蓄積すれば「貯金」もできます。**貴金属として程よい価値と光沢をもち、半永久的な価値をもつ銀は、誰もが価値を認める「通貨」としての地位を得たのです。**銀が「通貨」として認められるようになると、普及がさらに進みます。

メソポタミアの古代王朝の中でも有名な古バビロニア王国では、「目には目を、歯には歯を」という復讐法で知られる「**ハンムラビ法典**」がつくられました。この中には「市長は強盗殺人で殺された人に約500ｇの銀を支払わなければならない」「上層市民が一般市民の目を損なった場合、約500ｇの銀を支払わなければならない」というような、「お金で解決する」条文も意外と多く、貨幣としての銀の使用が一般的だったことがわかります。銀は「通貨にちょうどいい」希少性によって、20世紀に至るまで広く使われ続けます（金はどちらかといえば貯蓄用でした）。

オリエントの「交差点」となった地中海東岸

地中海東岸の**シリア・パレスチナ地方はメソポタミアとエジプトを結ぶ交易路として、また、地中海方面への出入り口として、各地を結ぶ「交差点」としての役割を果たしました。**海と砂漠に囲まれた複雑な地形なので、大きな国はできにくかったのですが、アラム人やフェニキア人などが交易に大きな役割を果たしました。

シリアの**アラム人**は陸上の中継貿易を盛んに行いました。アラム人はメソポタミアからエジプトまで「血管」のように陸路のネットワークを張り巡らせたことで知られます。

フェニキア人は、オリエント世界における地中海の「玄関」となり、地中海での交易活動を行いました。船でモノを運ぶという交易の特徴から、少量でも高価な金属資源や貴重品などが主要な交易品となり、銀・鉄・すず・鉛・こはく・象牙などを地中海からオリエント世界にもたらしました。

ファラオたちの装飾品となった金

エジプトでは南部のヌビア地方を中心に金が産出されました。この「ヌビア」という名称が古代エジプトの言葉で「金」をあらわす「ヌブ」からきたように、エジプトは古代の金の一大産地でした。ところが、金は主に強大な権力をもつファラオたちが装飾品として独占的に使用したため、貨幣としての使用は進まず、民衆は穀物を物品貨幣として用いていました。

図 1-1　古代オリエントの交易活動

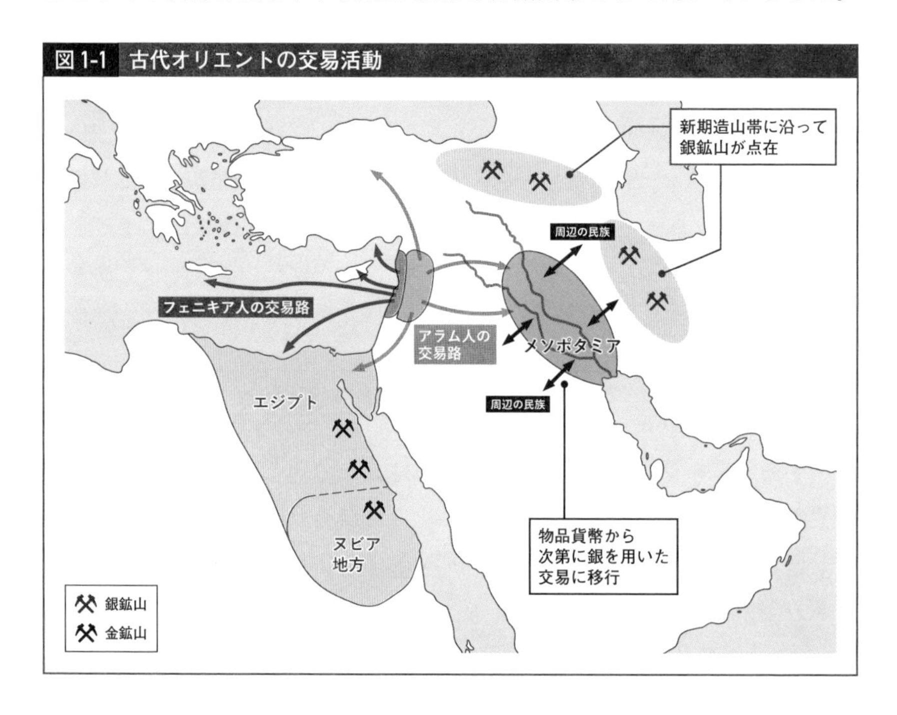

オリエントから始まった「貨幣」の長い歴史

経済史に大きなインパクトを与えた硬貨の誕生

「オリエント」地方の国家が興亡を繰り返すうちに、経済史上に大きなインパクトを与えたひとつの変化が起きます。**それが、小アジア半島の国家、リディア王国における「コイン（硬貨）」の誕生です。**砂金が豊富にとれたリディアでは砂金を袋に入れ、使うたびに重さを量って通貨としていたのですが、リディアの王クロイソスが金の重量をあらかじめ量って小分けにし、溶かして円盤状に固め、刻印をつけて「硬貨」の形にさせたのです。

お金に「信用」という価値が加わった瞬間

はじめは、「重さが一定である」といっても人々にはなかなか信用されず、一枚一枚重さを量って使っていたかもしれませんが、**次第に、「リディアが刻印した硬貨は、どれを量っても同じ重さだ」という共通理解が生まれると、リディアが発行した硬貨の重さを誰も疑うことなく決済に使うようになります。**お金に金属以上の価値、「信用」が加わった瞬間です。

人々は「金属」そのものよりも「コイン」での取引のほうが便利だとわかると、コインを盛んに使うようになりました。取引の時間が短縮され、商業の規模が拡大します。共通の通貨を使用することで、リディアは国民をひとつにまとめやすくなりました。**いつしか、リディアの硬貨は金そのものよりも「信用」という価値のあるものと認められるようになります。**

現在でも、国家が紙や安価な金属片に「信用」という価値を追加して「お金」として流通させているという点においては、このリディアのコインと変わりません。お金の本質が「信用」だといわれるゆえんです。

巨大帝国が利用した「硬貨」の力

リディアがつくったコインを統治の道具として大いに活用したのが「**アケメネス朝ペルシア**」です。アケメネス朝はそれまでの国家にはない広大な領土と多くの民族を抱える国家でした。多くの民族を支配し、反乱なく統治するためには、巧妙な仕組みが必要です。

帝国の維持のため、アケメネス朝は**サトラップ**といわれる知事を派遣したり、それぞれの民族の伝統や慣習を尊重する寛容な統治政策を行ったりしますが、それに加えて大きな役割を果たしたのが金貨や銀貨などの硬貨でした。**統一された貨幣を使って、帝国に一体感を生み出したのです。**

また、アケメネス朝は統一的な税の徴収制度を確立した国家としても知られます。それまでは各民族が王に「貢ぎ物」として納めていたものを、州ごとの経済事情に対応して納税額を設定したのです。「経済」は巨大なアケメネス朝を１つにまとめた大きな要素だったのです。

図 1-2　硬貨の誕生と伝播

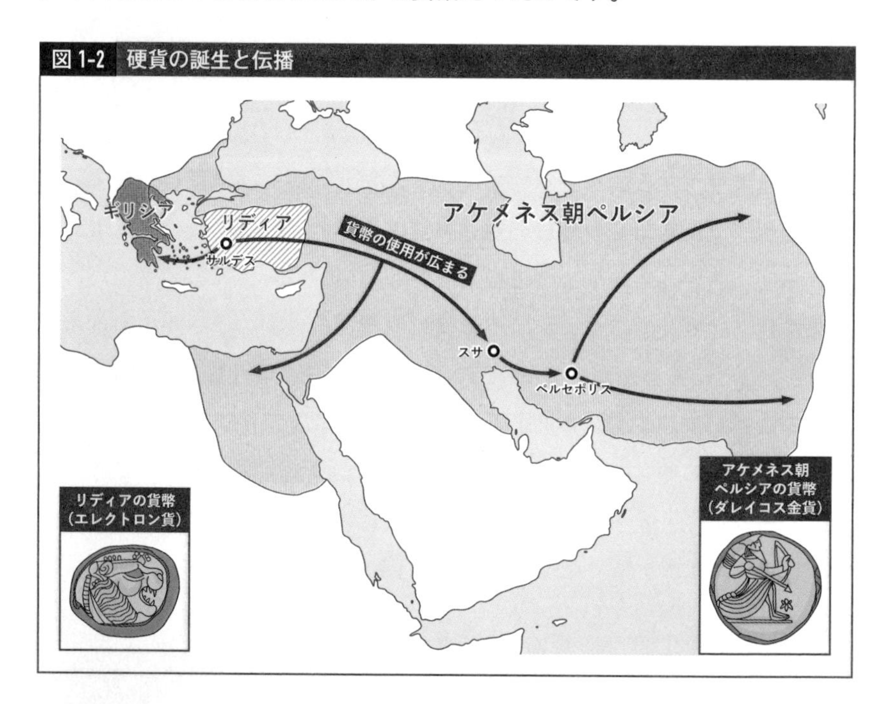

貨幣経済を大きく発展させたギリシア世界

地中海沿岸に「植民市」をつくったギリシア

アケメネス朝が硬貨を用いて帝国の統一感をつくっていたのと同じころ、リディアから見てエーゲ海の「向かい側」にあるギリシアでも硬貨の使用が始まっていました。

ギリシアは山がちで国土が狭く、人口増加に対して土地が不足していました。そこで、ギリシア人たちはギリシアを出て地中海沿岸に都市をつくるという植民活動を盛んに行い、地中海のいたるところに**植民市**(しょくみんし)をつくりました。現在のマルセイユにあたる「マッサリア」、ナポリにあたる「ネアポリス」、イスタンブールにあたる「ビザンティオン」など、植民市のネットワークは地中海に張り巡らされ、ギリシア本土からはオリーブ油やワイン、エジプトや黒海沿岸からは穀物、ヨーロッパからは金属などがもたらされ、商工業活動が盛んに行われました。この商工業活動を裏から支えたのがギリシアの硬貨だったのです。

アテネの国防を支えた「貨幣」と「交易」

ギリシア世界の中できわだった成長を遂げたのが、ギリシアの代表的なポリス（都市国家）である**アテネ**です。この成長中のアテネに、オリエントの巨大帝国、アケメネス朝ペルシアという強大な敵が襲いかかります。アテネはギリシアの中で最も繁栄した都市国家ではあるものの、巨大なアケメネス朝とは比較にならないほどの国力差がありました。**ペルシア戦争**という戦争では、マラトンの戦いやサラミスの海戦などで勝利をおさめたアテネが勝ち抜きましたが、その背景にはアテネの経済発展があったのです。

図1-3 ギリシア人・フェニキア人の交易路

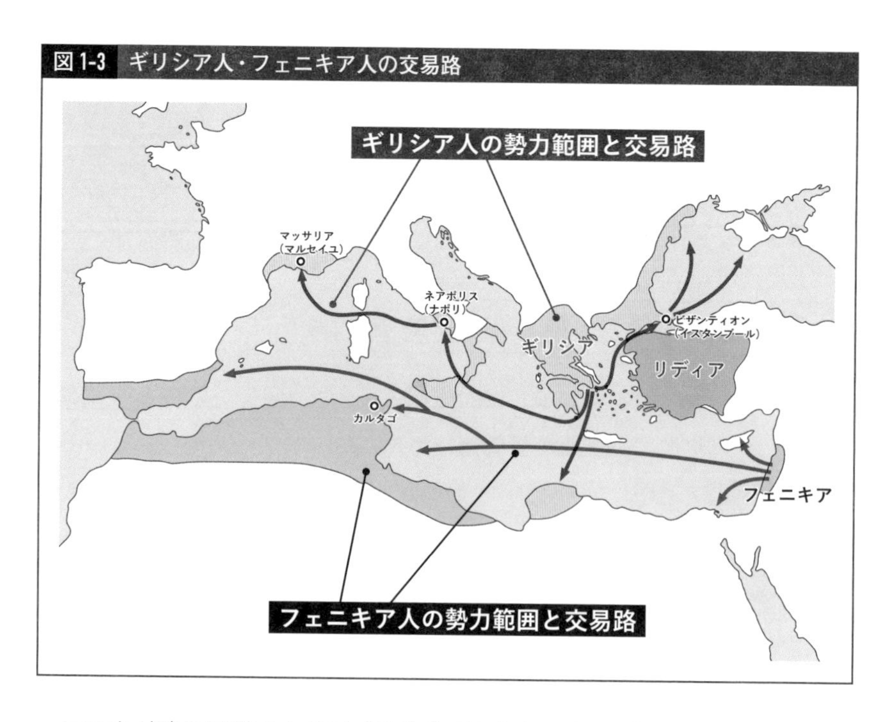

アテネが誇る軍隊の中核は「重装歩兵」たちです。ギリシア世界では、もともと、少数の富裕な貴族が馬に乗って一騎打ちをする戦闘スタイルだったのですが、ここにリディアから伝わった貨幣が普及し、ヨーロッパの北方から銅やすずなどの金属がもたらされます。**市民の中には、余った農作物を貨幣に換えて貯蓄し、安価になった銅とすずからできた青銅器でつくられた武具や防具を買う者が登場し、重装歩兵として戦いに加わったのです。**アテネの国防の基礎は「貨幣」と「交易」によって整えられた、というわけなのです。

また、ペルシアに勝利したサラミスの海戦の直前に、アテネのすぐ南にあるラウレイオン銀山という大規模な銀山が発見されたことも、アテネにとって幸運でした。この銀を資金に、当時の最新鋭の軍船だった三段櫂船を大量に建造できたことが、サラミスの海戦での勝利につながったのです。

この、ラウレイオン銀山の発見を機にアテネがつくった代表的なコインが「**ドラクマ**」といわれた貨幣です。特に、アテネがつくった「4ドラク

図1-4　ペルシア戦争と「ドラクマ」貨幣

マ銀貨」はアレクサンドロスの時代に至るまで、ギリシア世界で最も使われた銀貨となりました。ギリシアにとってこの「ドラクマ」は民族の誇りになっており、近代になってギリシアがオスマン帝国から独立した際のお金の単位も「ドラクマ」が用いられ、ユーロの導入までギリシアの通貨単位として用いられました。そして、現在のギリシアが発行する1ユーロ硬貨のデザインも古代の「4ドラクマ銀貨」のデザインが使われています。

発言力を獲得した市民たち

多くの戦争を通して、アテネの民主政は大いに発展します。**重装歩兵として戦った市民たちや、三段櫂船の漕ぎ手として戦争に参加した下層市民たちが「命がけで戦ったのだから、俺たちにも一言いわせろ！」と、発言力を徐々に高めていったため、成年男子市民全員に参政権が与えられます。**アテネは同盟諸国から莫大な額の貢ぎ物としてのお金を受け取り、「**パルテノン神殿**」の建築などで知られる大規模な公共事業を起こしました。

貨幣経済を拒否したスパルタ

一方、アテネと並ぶ都市国家の**スパルタ**は徹底した軍国主義で知られています。スパルタは質実剛健で厳格な規律を重んじるため、「貯蓄できるカネは富める者と貧しい者とを分断し、市民の結束が乱れてしまう」として貨幣の使用を禁じ、交易も他国とは自由に行わない、一種の「鎖国」のような政策をとりました。そのため、スパルタは戦争に強いものの、その支配をギリシア全土にわたって及ぼすことができなかったのです。

ギリシアの時代の終わりと経済

ペルシア戦争のときには、スパルタもアテネに協力してギリシア世界を守ったのですが、戦争が終わると、ギリシア世界はアテネを盟主とする**デロス同盟**と、スパルタを盟主とする**ペロポネソス同盟**の間で覇権を争うようになり、ギリシア世界全域を巻き込む戦乱に発展しました。

そこに介入したのが、ペルシア戦争で敗北していたアケメネス朝ペルシアです。ギリシア世界を敵とみなすペルシアにとって、アテネとスパルタによるギリシア世界の仲間割れが続くほうが、都合がよかったのです。アテネが優勢なときにはスパルタに、スパルタが優勢なときにはアテネに資金を援助し、ギリシア人たちを互いに争うようにしむけます。

貨幣経済を嫌っていたスパルタにも貨幣経済が流入し、少数のお金持ちに富が集中して貧富の差が拡大しました。その結果、戦士となる市民たちが没落し、かつての強さが失われていきます。

ギリシア世界全体にポリス全体の利益よりも個人の利益を重視する雰囲気が広がり、社会はギスギスしていきました。重装歩兵として国を守っていた市民たちの多くは土地を手放して没落し、お金で雇われて戦場で働く傭兵(ようへい)が使われるようになりました。こうして国防力が低下したギリシア世界は、新興国のマケドニアに飲み込まれてしまったのです。

アレクサンドロスが広めたギリシアの貨幣

お金にも残るアレクサンドロスの痕跡

荒廃するギリシアを飲み込んだのが**マケドニア**です。ギリシア全土を支配下におさめた父の業績を引き継いだ**アレクサンドロス**が**東方遠征**(とうほうえんせい)を行い、アケメネス朝ペルシアを滅亡させ、インドに及ぶ大帝国をつくりました。**アレクサンドロスがギリシアの「ドラクマ」貨幣を帝国内に流通させたことで、ギリシアの貨幣がアジアにも広く分布しました**（のちに、イスラーム世界の通貨には「ドラクマ」を語源とした「ディルハム」という単位が広く用いられ、現在でも2か国で「ディルハム」が使用されています）。

図1-5 アレクサンドロスの東方遠征とギリシア貨幣の伝播

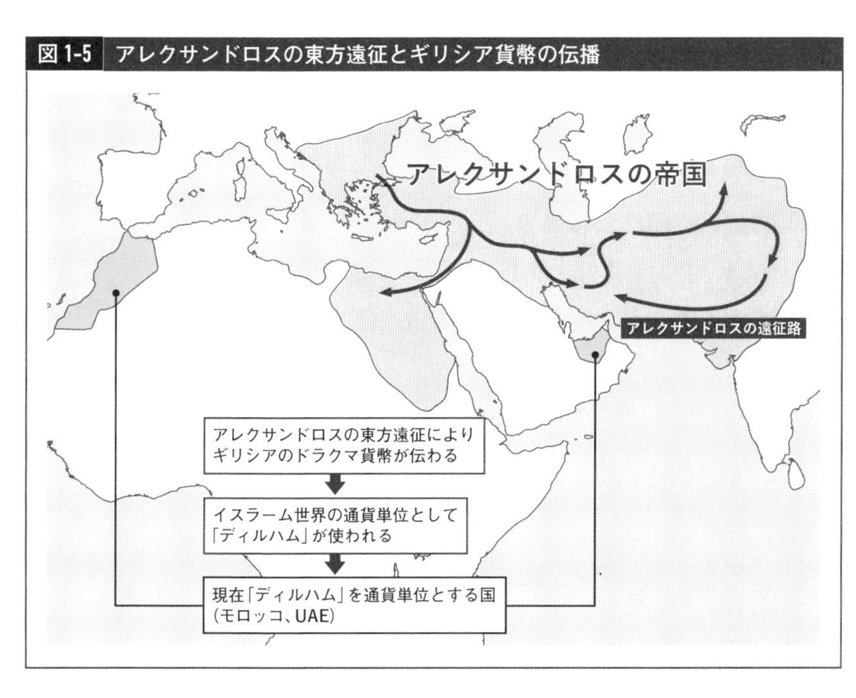

貝をお金として使っていた殷王朝

お金の漢字に「貝」が使われるワケ

「お金の起源」といえば、メソポタミアでの銀の使用やリディアの金貨が有名ですが、古代中国でも「お金の起源」が見られました。中国の古代王朝の殷（いん）では、貝を用いて貨幣にしていたことが知られています。

貨幣として用いられたタカラガイは東南アジアなどの熱帯の海で産出され、中国の黄河流域の殷では産出されないため、十分に希少価値があったのです。現在でもお金に関連した漢字に「財」「買」「貨」などのように「貝」の字が含まれるのは、そうした名残からなのです。

図 1-6 貝の貨幣を使用した殷

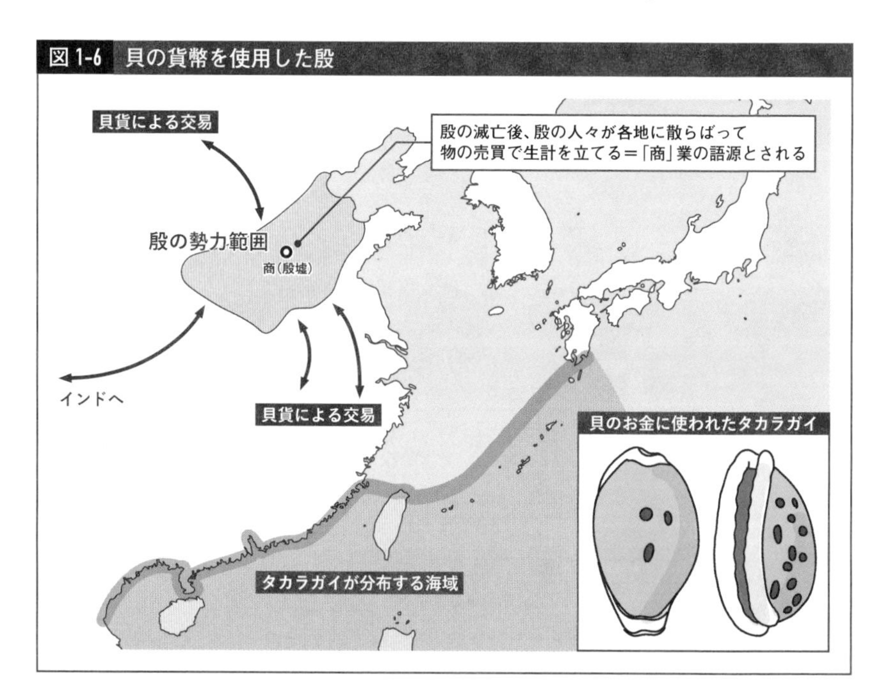

第2章

結ばれる古代帝国

ローマ帝国・秦・漢王朝

(紀元前3世紀～3世紀)

第2章 ローマ帝国・秦・漢王朝 あらすじ

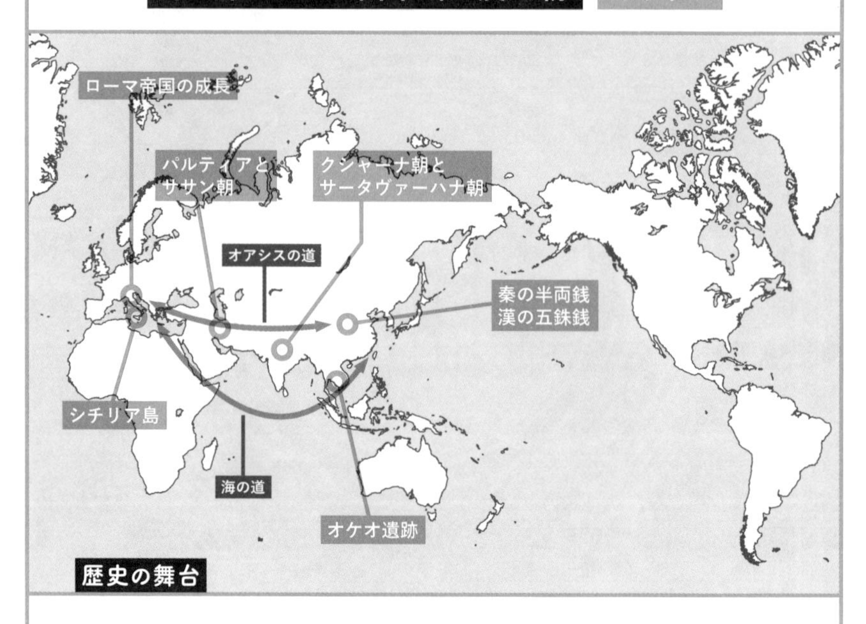

東西の大国が、交易路でつながる

この時代の「西」の主役は、ローマ帝国です。地中海を取り囲む一大帝国となったローマでは、貨幣経済を発展させた一方で、相次ぐ戦争により社会構造の空洞化が起きます。もう一方の「東」の主役は、中国の秦（しん）・漢（かん）王朝です。この2つの王朝は中国の硬貨を統一し、貨幣経済化を推し進めました。東西の両大国の間で交易が活発になり、間に位置する中東やインドの王朝も繁栄しました。東西の盛んな交流は、ローマの硬貨がアジアの様々な場所で見つかっていることからもうかがい知ることができます。

第2章【ローマ帝国・秦・漢王朝】の見取り図

ヨーロッパ　ローマの皇帝たちは肖像を硬貨に刻ませ、統治に利用しました。ローマの拡大が止まると、社会構造の「空洞化」が起こりました。

中東　パルティアやササン朝など、イランの大国が登場します。これらの国家は東西をつなぐ絹の交易路をおさえて繁栄しました。

インド　インドは、陸上交易路の「オアシスの道」と、海上交易路の「海の道」の結び目に位置し、南北それぞれの王朝がローマとの交易で栄えました。

中国　中国を統一した秦王朝や漢王朝が貨幣を統一し、中国を「一体化」していきました。漢の貨幣は、その後700年近くも流通しました。

ギリシアの貨幣経済を取り込み成長するローマ

「面的」に拡大するローマ

アレクサンドロスが東西にわたる大帝国をつくっていたそのころ、イタリア半島で都市国家ローマが成長していました。

ギリシアは国土が狭く、大規模農業に向かないため、商業交易が重視されていましたが、**ローマはどちらかといえば農業に重きを置く国家でした。ローマの成長過程は、支配している土地と接している敵の土地を奪い、支配領域に組み込んで「面的」に徐々に拡大したことが特徴です。**

一方、貨幣経済もその成長過程の中で浸透します。イタリア南部のネアポリス（現在のナポリ。「ネアポリス」を早口で言うと現地の読みに近い「ナポリス」、となります）は、ギリシア人がつくった植民市だったので、ローマに先がけてギリシアのドラクマ貨幣を使用していました。

そこで、ローマはネアポリスを支配領域に組み込んだのち、その貨幣経済を取り込んでいったのです。

初期のローマの貨幣は、ローマの建国にまつわる神話や馬で引く「戦車」など、ローマの拡大や建国、そして戦争にまつわる模様が刻印されたものが多くあります。

ローマにとって、貨幣は国の理念を共有し、国を１つにまとめる「広告」のような役割を果たしていたのです。

ローマの飛躍はシチリア島の領有から

イタリア半島を統一したローマは、強敵と戦うことになります。

それが、地中海に大勢力を築いていたフェニキア人国家、カルタゴです。

カルタゴとローマが3度にわたって激しく戦った戦争が「ポエニ戦争」です。

緒戦にあたる、第1回ポエニ戦争によって、ローマは、シチリア島というイタリア半島の外の領地を初めて獲得しました。

シチリア島は、ローマにとって初の属州（イタリア半島の外の地域）になります。

ローマにとって、シチリア島を手に入れたことは、大きな飛躍の一歩になりました。シチリア島が小麦や柑橘類、オリーブやブドウなどを生産する重要な農業地帯であり、「ローマの穀倉」としてのちの帝国の発展を支えていくのです。

小麦やレモン、オリーブなど、シチリア島の産物はいずれも「イタリア料理」に欠かせない素材となります。

ローマは第2回ポエニ戦争、第3回ポエニ戦争でもカルタゴを撃破し、地中海をぐるりと制覇する国家に成長していきます。

図 2-1 ポエニ戦争とローマの覇権

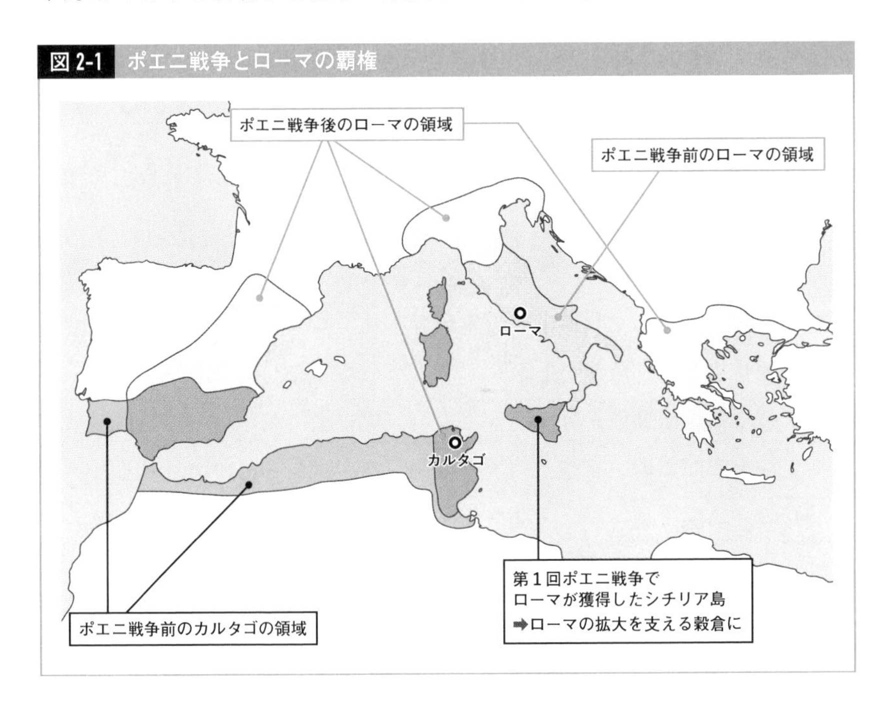

次第に「帝国」へと姿を変えたローマ

拡大とともに「空洞化」するローマのジレンマ

ローマは、ポエニ戦争の後も順調に支配領域を増やします。ところが、そのことが、ローマが内部から弱体化するというジレンマを抱えることにもなりました。

拡大するローマは、シチリア、エジプト、ガリア（現在のフランス）など、生産力の高い地域を次々と属州にしていきます。そして、生産力の高い地域から、安い穀物が大量にローマに流入しました。

イタリア半島内にいた農民たちは、ローマ軍の中核も担っていたため、重装歩兵として戦争にもかり出されました。時には、数年にもわたって耕作地を離れて従軍することもあったでしょう。農地は手入れをしなければ、すぐに荒れてしまいます。戦争から帰ってくるたびに草を抜き、深く耕し直す、という手間が必要で、結果的にイタリア半島の耕作地でとれる作物のコストは上がってしまいました。

そんな中、属州からの安い穀物がどんどんと流入するわけですから、「価格競争」の面でもイタリア半島の農民は不利になります。彼らは、いつしか耕作地を放棄して農業をあきらめるようになってしまったのです。

こうした耕作放棄地を買い取ったのが、富裕層でした。中小農民が放棄した土地を安価に買い取り、戦争で獲得した奴隷たちに耕作させるという奴隷制の大規模農園「ラティフンディア」を経営するようになります。ローマは戦争に次々と勝利し、領域を拡大させているのですから、戦争で獲得した奴隷はどんどん供給されますので、奴隷にかかる費用も安上がりですみます。当然、その生産物も安価で供給されるのです。

属州から安い農作物が流れ込むうえに、奴隷が生産する安い生産物とも「価格競争」をしなければならないイタリア半島の農民たちは、より一層苦しむようになります。結局、それまで、イタリア半島での「基幹産業」であった農民たちは競争に敗れて失業し、「都市に行けばなんとか生活できる」と、生活の糧を求めて都市に流入したのです。

ローマの政権担当者たちは、これら「失業農民」の不満が爆発しないように、食料や娯楽、いわゆる「**パンとサーカス**」を与えて反乱を防ぐという、難しいかじ取りを強いられるようになりました。

また、中小農民は重装歩兵として戦争にも行かねばなりませんが、その中小農民が没落し、土地を手放して都市に行ってしまうということは、従軍させる兵士の絶対数の減少をも意味します。ローマの軍事力は低下し、お金で雇う傭兵の使用が増加しました。傍から見れば、ローマは順調に拡大し、地中海を取り囲む強大国家となっていったのですが、じつは、内側ではこうした「基幹産業の空洞化」が起きていたのです。

図 2-2 「空洞化」するローマ社会

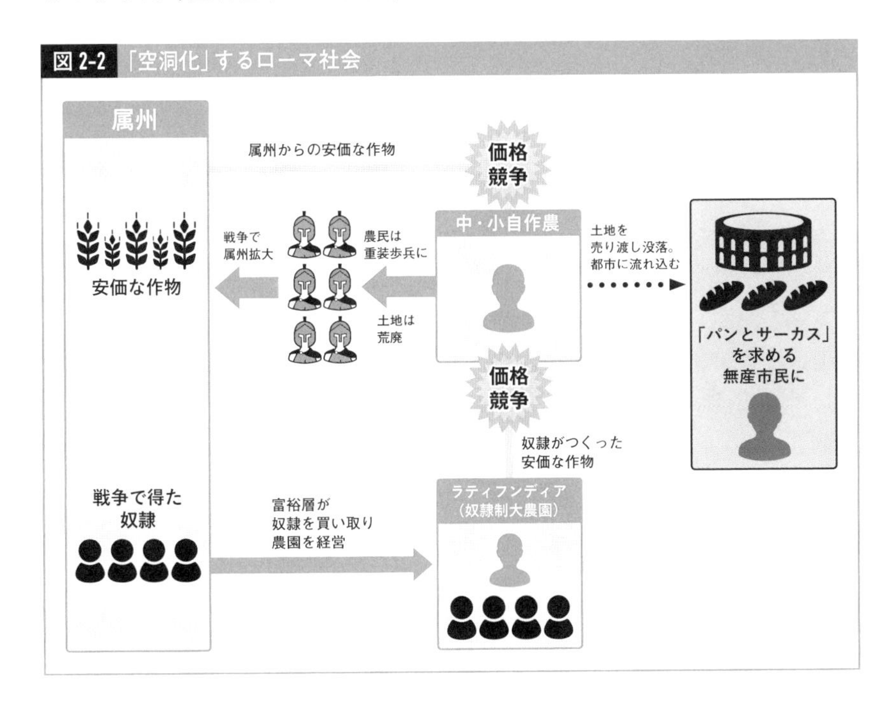

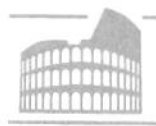

英雄カエサルが肖像入りの硬貨をつくった

ローマは王をもたない「共和政」から、ひとりの「皇帝」が治める「帝政」に移行した国家です。その過程の中で、少数の権力者による「三頭政治（さんとうせいじ）」という仕組みがとられるのですが、この「三頭政治」の中で、ローマの貨幣に画期的な変化が起きます。それが、第一回三頭政治を行った**ポンペイウス**や**カエサル**のはたらきです。

ローマの貨幣には数万種類といわれる絵柄が刻まれていますが、ポンペイウスは自らの名前を、カエサルは自らの肖像を貨幣に刻ませる、ということを始めたのです。

「存命中の人物の名前、そして肖像を貨幣に刻ませる」という出来事は、共和政を建前とするそれまでのローマにはなかったことでした。むしろ、個人に権力を集中させることをこれまでのローマは嫌い、存命中の人物を貨幣にあらわすことを禁じていたくらいです。

カエサルは市民の反感を買わないように、自らを「権力者」の姿としてではなく、ローマの神官の姿として描きましたが、**カエサルが「一線を越えた」ことにより、それ以降のローマの皇帝たちは皇帝としての自らの肖像画を盛んに描くようになります。**

皇帝の中には、先代の皇帝の肖像の裏面に自分の肖像を描かせ、帝位の継承の正統性をアピールしたり、裏面に自らの業績やローマの神々を描いたり、と、ローマの皇帝たちは貨幣に様々な工夫をこらして自分の権力をアピールし、自身の「広告」としたのです。

ローマでもっとも流通したのは銀貨でした。「デナリウス」という約４ｇの重量をもつ銀貨が代表的な貨幣として知られます。金貨もつくられはしたものの、価値が高すぎて一般的には「貯蓄用」となり、流通は盛んとはいえませんでした。しかし、帝政後期の**コンスタンティヌス**帝がつくらせた純度の高い「ソリドゥス」という金貨のように、価値の基準を示すものとして中世でも用いられ、「中世のドル」といわれたものもありました。

ローマの拡大が止まり、衰退が始まる

「奴隷」から「小作人」への変化

ローマ帝国は無限に拡大したわけではなく、帝政の初期には拡大が止まり、「軍人皇帝時代」や「専制君主制」の時代になると、国境を維持するだけで精一杯になります。そして、**帝国の経済にも変化が訪れます。**

戦争によって領土が広がらないため、奴隷が手に入りません。そんな中、奴隷たちが逃げてしまったり、死んでしまったりしては、奴隷制の大農園「ラティフンディア」は維持が不可能となります。ですから、富裕層はもとの没落農民であった都市の下層市民や、それまで厳しい労働にこき使って

図 2-3　ラティフンディアからコロナートゥスへ

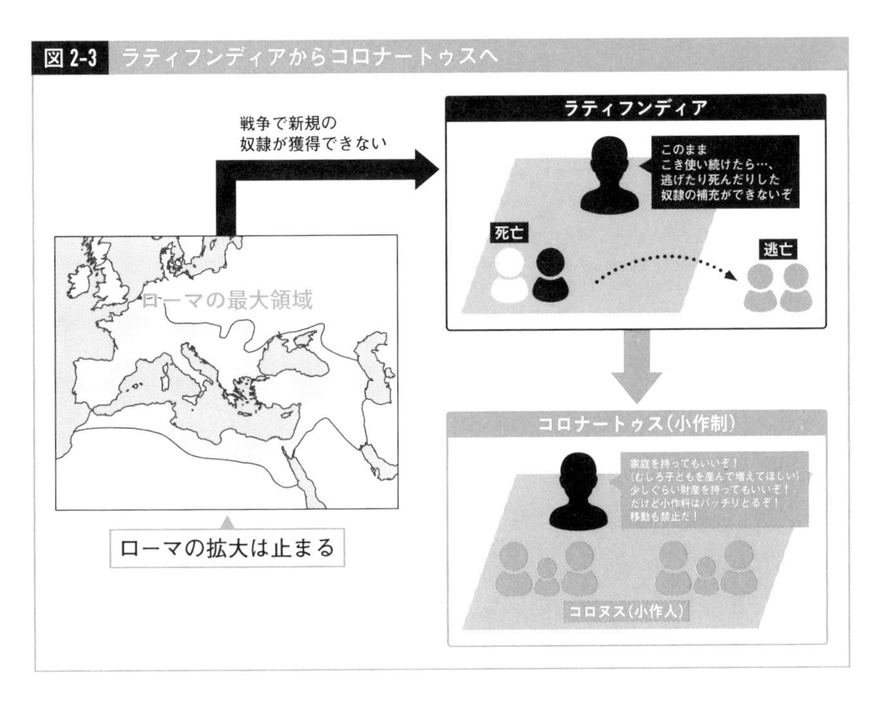

いた奴隷たちを、逃げたり、死んでしまったりしないように待遇をやや改善した「小作人」として使うようにしました。小作人たちは自由人として家庭をもち、子どもをつくることもできましたが（むしろ、小作人が生まれて「増える」ことは富裕層にとってもよいのです）、引っ越しの自由などは許されず、「半奴隷」のような形で所有者のものとなりました。この、「半奴隷のような小作人」のことを「コロヌス」といい、コロヌスを使用する「コロナートゥス」という土地体制がラティフンディアに代わって行われるようになります。**「半奴隷のような小作人」が、のちの中世社会における「農奴」の始まりなのです。**

硬貨を「水増し」して使ったローマ

ローマの拡大の足が止まったことによって、ローマの貨幣経済にも変化が生じました。それまではローマの拡大によって多くの銀山が見つかり、質の高い銀貨をつくることができていたのですが、ローマの拡大が停止すると既存の銀山を掘るしかなく、次第に銀が枯渇するようになります。

しかし、ローマは巨大な国家ですから、その維持費や軍事費はとてつもない額です。**そこでローマは、銀貨を小さくしたり、銀の含有量を減らしたりすることで、銀貨の枚数を「水増し」したのです。**しまいには、銀の含有率が５％という、ほとんど銅でできた「銀貨」なども登場しました。

それまでのローマの銀貨は純銀に近く、金属としての「銀」の価値そのものが貨幣の価値でしたが、銀の含有量の低下により、「金属としての硬貨の価値は下がったが、額面は純銀の銀貨のように流通させる」ということが始まったのです。**言い換えれば、「ローマ帝国の『信用』によって金属の価値以上の『額面』で流通させている」ということになります。**

しかし、こうした質の低い硬貨を長期にわたって発行すると、徐々に「信用」は失われます。同じものなのに、これまでより多くの硬貨を使わないと買えなくなるという物価の上昇（インフレーション）が起き、ローマの経済が混乱したこともローマ衰退の１つの要因となったのです。

交易ルートを押さえたイランの王朝

ローマと中国の間で発展した2つの王朝

目を中東に移すと、このころ、パルティアとササン朝という国家が相次いでイランに成立しています。

パルティアは遊牧民の国で、ローマと抗争を繰り広げながら**ローマと中国の間に「通せんぼ」する格好で、通過する絹の貿易の中継をして利益を得ました。**

のちにこのパルティアは、ササン朝にとって代わられます。ササン朝も東西交易ルートを押さえて一大勢力を築きました。

図 2-4 「大国」たちとオアシスの道

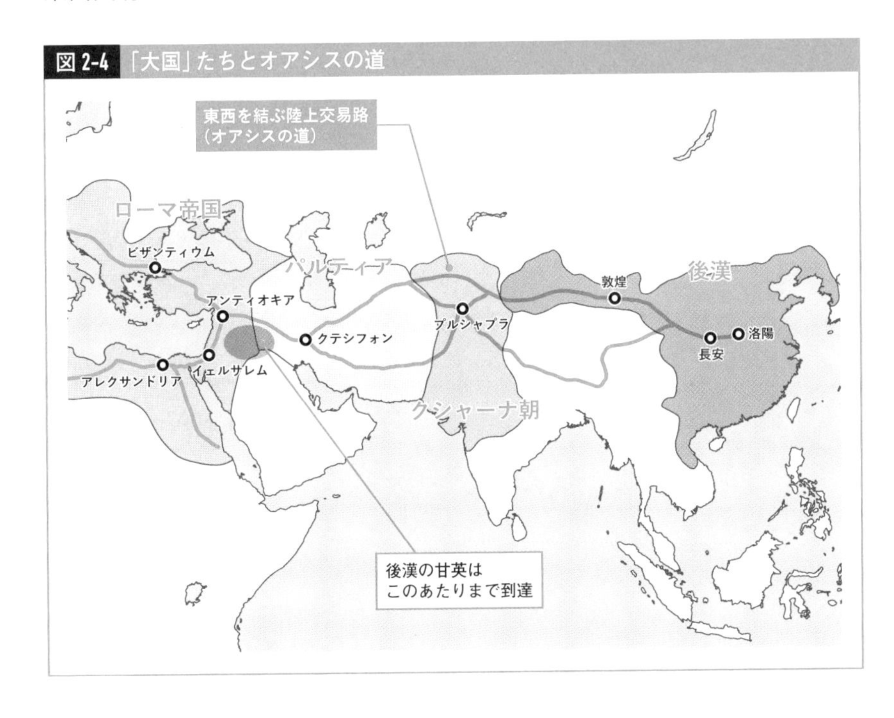

陸上交易・海上交易で栄えた2つの王朝

ローマから金銀が流れ込んだクシャーナ朝

中国とローマの間に横たわるもう1つの大国が、インドのクシャーナ朝です。クシャーナ朝は陸海の交易路を使ってローマと盛んに交易しました。インドの産物であった香辛料や象牙、綿布などはローマで珍重されたため、ローマはクシャーナ朝の産物を輸入するのに多額のお金を使いました。**ローマの貨幣の価値の低下を生んだ金銀不足の原因の1つは、インドとの貿易での貨幣流出にあったのです。**

大量の金銀がもたらされたクシャーナ朝はローマの貨幣を参考に、同じ重量の金貨・銀貨を大量に発行したことで知られています。

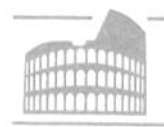

サータヴァーハナ朝とギリシア人の活躍

ローマと中国を結ぶ「大動脈」の1つは、パルティア・クシャーナ朝を経由する「オアシスの道」といわれる陸上交易ルートですが、もう1つの「大動脈」ともいえるのが「海の道」といわれた海上交易ルートでした。

南インドのサータヴァーハナ朝はインド洋に突き出た「インド亜大陸」を東西に横断する領土をもつため、自然と「東西の結び目」という位置づけとなり、北インドのクシャーナ朝と同じく、香辛料・宝石・香料・綿布の貿易で繁栄しました。インド洋の交易路で活躍したのは、ギリシア系の商人たちです。ギリシアはローマの支配下に入りますが、海上交易の伝統と操船技術は残り、ローマの交易路を支えたのです。ギリシア人が書いたといわれる「エリュトゥラー海案内記」という書物には、インド洋沿岸の諸都市や交易品の詳しい記述があり、貴重な史料となっています。

海の道の「交差点」となった東南アジア

東南アジアで見つかったローマの金貨

東南アジアは、古くから海の道の「交差点」としての役割を担っており、ナツメグなどの香辛料をはじめ、白檀（びゃくだん）や沈香（じんこう）などの香料、象牙やサイの角など貴重な産物が多く、中国の皇帝たちはこぞって東南アジアの珍しい産物を求めました。東南アジアでいち早く建国された扶南（ふなん）の外港であったオケオという港の遺跡には、中国の後漢王朝でつくられた鏡やインドの仏像、ローマの金貨を改造したメダルなどが出土し、**東南アジアが東西をつなぐ「海の交差点」であったことがわかります。**

図 2-5 東西を結ぶ「海の道」

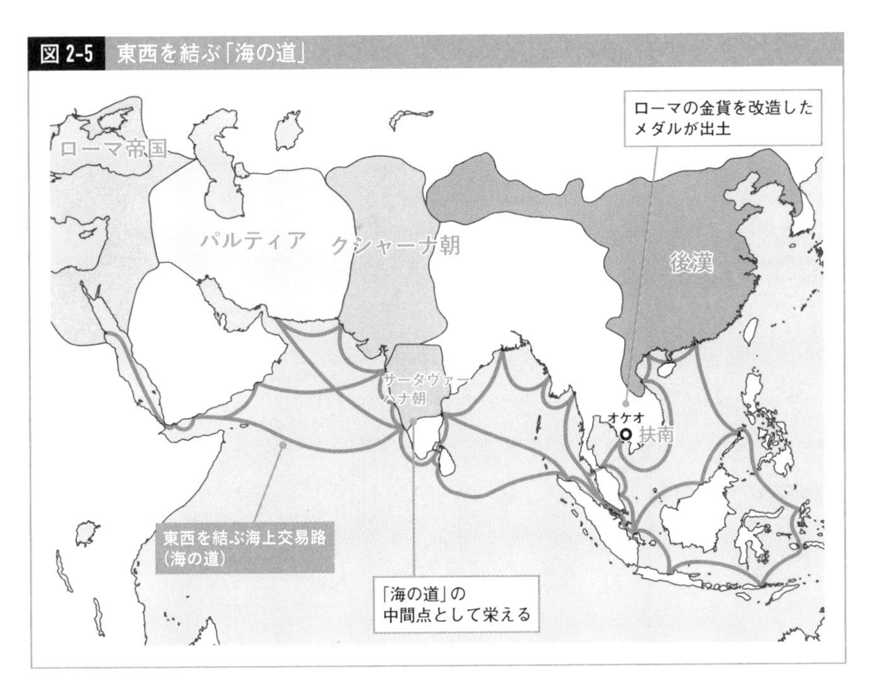

中国でも硬貨の歴史が始まった

銅貨が経済の中心となった中国

殷王朝が滅亡したあとの中国は、周王朝を経て「春秋・戦国時代」といわれた長い戦乱の時代が訪れました。周王朝は農業の神を祖先とする王朝で、農業生産が経済の中心であったことが知られています。

周王朝の権威が弱体化し、戦国時代に突入すると、各国は競って鉄製の農具を使い、水路を引いて生産力を高め、他の国を圧倒しようとしました。都市や商業もそれに伴い発展を遂げましたが、こうした都市の経済力を背景に、各国は様々な青銅製の貨幣を発行したのです。**オリエントやギリシ**

図 2-6 「戦国の七雄」と青銅貨幣

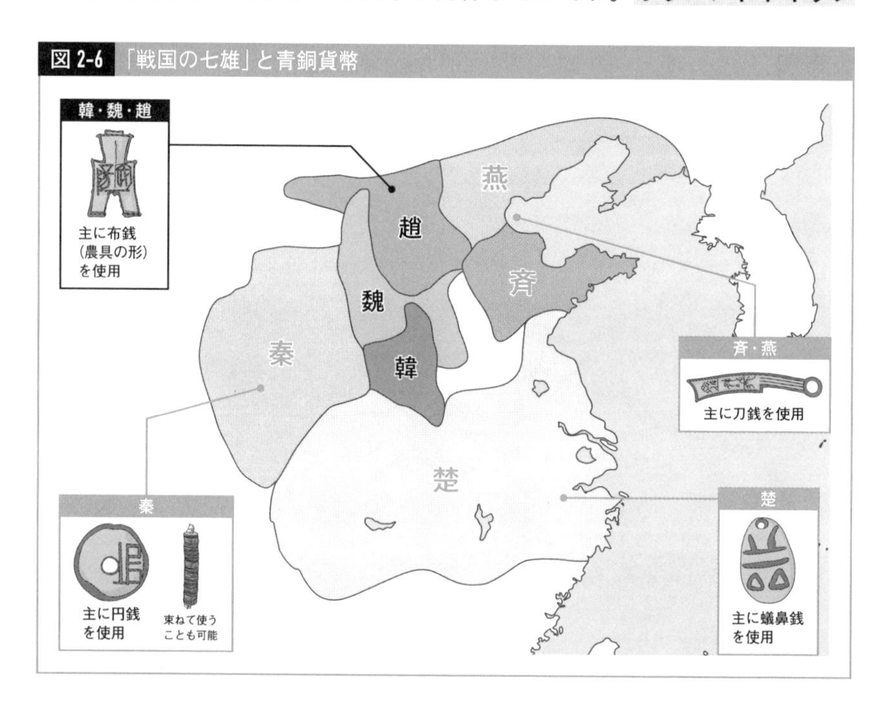

ア、ローマが金貨や銀貨が中心だったのに対し、以後、中国では青銅製の「銅貨」が主要な硬貨として流通します。

貨幣も統一した秦の始皇帝

戦乱を統一したのが、秦の**始皇帝**です。始皇帝の出身である戦国時代の秦は「円銭（環銭）」という、中央に穴があいた円形のお金を使っていました。この形状のお金は、中央の穴にひもを通せば持ち運びが容易ですし、100枚を１セットにしてひもでまとめておけば、100枚を１つの単位として現在の「お札」のようにまとまった数が数えられるので便利です。一方、他の国々は刀や農具の形など、秦に比べると利便性の低い貨幣を使用しており、貨幣経済の発展では秦に後れをとりました。**始皇帝の統一事業の背景には、貨幣の形状による優位という面もあったのです。**

中国統一後の始皇帝は、戦国時代には国によって違っていた物の単位や道路、文字など様々なものを「統一」していきますが、貨幣も始皇帝の統

図 2-7 銅銭を流通させた秦と前漢

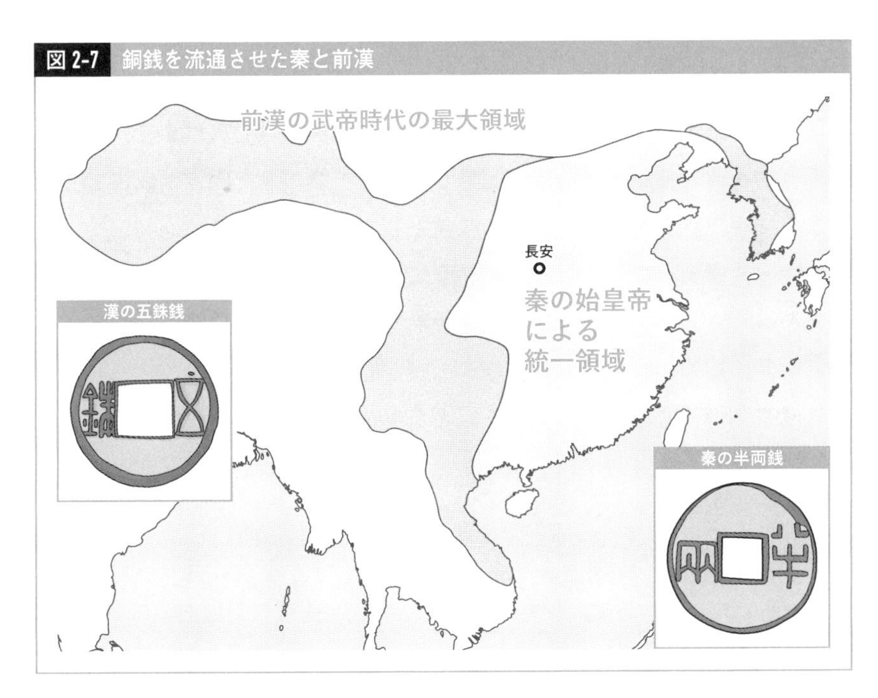

一事業の１つとして、中国全土に始皇帝がつくらせた貨幣を行き渡らせました。

このとき、始皇帝がつくらせた貨幣が「半両銭（はんりょうせん）」という銅貨です。「一両」というのは重さの単位で、約16ｇです。「半両」とは、硬貨の重量が８ｇということで、重さがそのまま貨幣の単位になっているのが特徴です。貨幣の単位に「重さ」が使われているのは、イギリスの「ポンド」を思わせます。

長期にわたって流通した前漢の五銖銭

短命に終わった秦のあと、長期政権を築いたのが前漢（ぜんかん）、後漢（ごかん）といわれた「漢王朝」です。前漢王朝の**武帝（ぶてい）**は、「五銖銭（ごしゅせん）」という貨幣をつくらせました。

秦の「半両銭」と同じく、「五銖」というのは重さの単位で、約3.35ｇの重さがありました。この五銖銭は前漢王朝の時代に250億枚以上も発行され、ローマの銀貨と同じく、途中で質が下がったり、重量が変化したりしながらも700年近く流通し、唐王朝の初期まで使用され続けました。武帝は朝鮮、ベトナム、そして中央アジア方面に支配領域を広げますが、その軍事行動を支える軍事費の収入源として、**鉄・塩・酒を国家が独占して販売する「専売制」をとり、国家の収益としました。**

前漢・後漢王朝の間に新王朝という短命王朝が存在し、殷のような貝の貨幣を復活させるなど、極端な復古政治を行ったことで経済も混乱しますが、後漢王朝が成立すると再び経済は安定します。

後漢王朝は、政治的には、幼く短命な皇帝が続き、不安定でしたが、経済的には遠くローマやインド、東南アジアと結びつく広域な経済圏をもちました。主力商品の絹織物を売るため、ローマと直結する交易路を探って**甘英（かんえい）**という人物を西に派遣しました。この試みは失敗し、甘英はパルティアに遮られてローマに到達できませんでしたが、後漢王朝は東南アジア、インドと活発な交易を行ったことで知られています。

第3章

イスラームとインド洋

イスラームの誕生と隋・唐王朝

（4世紀～10世紀）

第3章 イスラームの誕生と隋・唐王朝 あらすじ

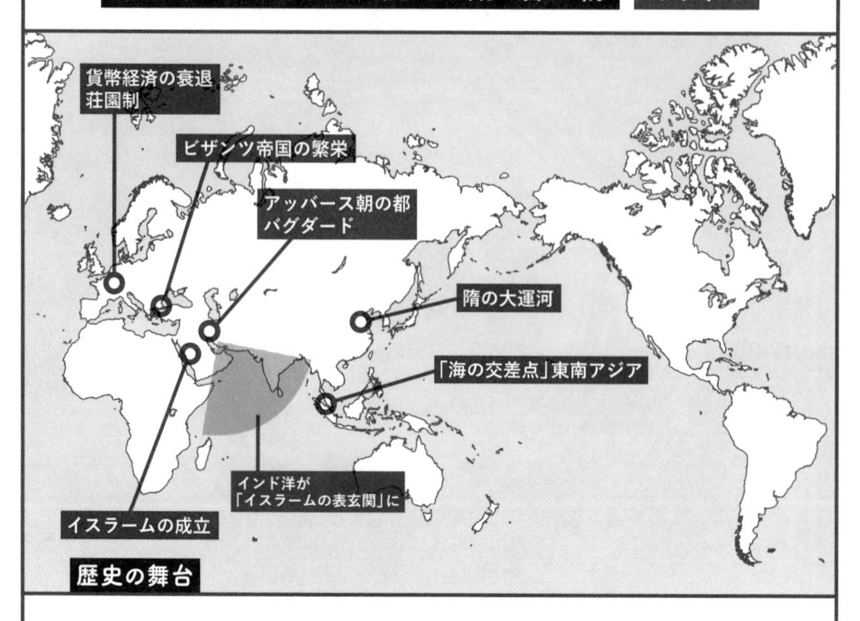

イスラームの「表玄関」となったインド洋

強盛を誇ったローマ帝国が分裂して力を失い、ヨーロッパで貨幣経済が一時的に衰退します。一方、中東ではイスラームが成立し、イスラーム商人が活躍します。特に、アッバース朝は都をインド洋に近いバグダードに移し、イスラーム商人の活躍の舞台をインド洋全域に大きく広げました。中国では、隋(ずい)王朝の時代に南北をつなぐ大運河がつくられ、のちの王朝はこの建設事業の恩恵を受け続けました。東南アジアは中国の商人とイスラームの商人が入り混じり、にぎやかな「海の交差点」となりました。

第3章 【イスラームの誕生と隋・唐王朝】の見取り図

先史
前4
前3
3
4
10
11
14
15
16

第1章 古代オリエント・ギリシア・殷王朝

第2章 ローマ帝国・秦・漢王朝

第3章 イスラームの誕生と隋・唐王朝

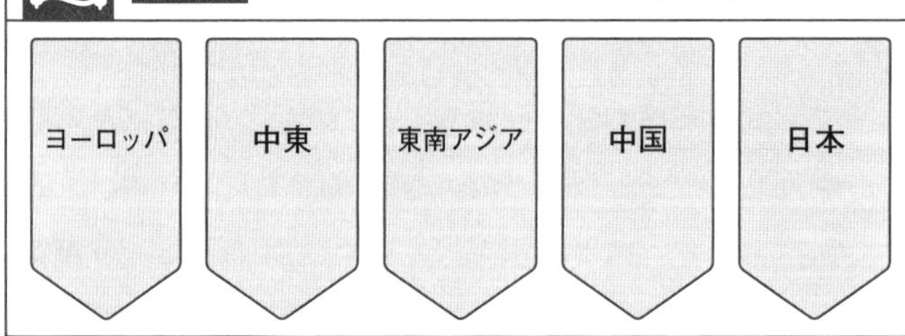

第4章 商業ルネサンスとモンゴル帝国

第5章 大航海時代と明王朝

ヨーロッパ

中世の混乱期に、西ヨーロッパでは貨幣経済が一時的に衰退してモノ経済に戻ります。また、荘園制の成立により、「農奴」という階層が登場しました。一方、東のビザンツ帝国は、安定した繁栄期を迎えました。

中東

イスラームが成立し、ウマイヤ朝やアッバース朝といった大規模な国が登場します。アッバース朝が都をバグダードに移し、インド洋ではイスラーム商人が活躍しました。この時代に、会計技術も大きく進歩しています。

中国

隋王朝が建設した大運河は、のちの王朝も物流の「大動脈」として利用し、中国経済の基盤になります。長期にわたる王朝となった唐王朝のもとで貨幣経済がさらに進み、お金を手形で輸送することも始まりました。

西ヨーロッパの混乱とビザンツ帝国の繁栄

貨幣経済が衰えた中世の「混乱期」

ローマ帝国の分裂後、ヨーロッパは「中世」と呼ばれる長い時代に入ります。中世前半のヨーロッパは、**ゲルマン人**をはじめとする様々な民族の移動の舞台となり、様々な国家が生まれては消える、一種の「混乱期」となりました。

ゲルマン人の国々の中で、「頭１つ抜けた」**フランク王国が成立すると、ようやく貨幣経済も復活するものの、民衆レベルでは自給自足の「モノ」経済が中心となり、貨幣経済以前の世界に「戻った」ようになります。**交易が活発に行われたものの、ローマ帝国の時代に存在した広域な交易ネットワークはスケールダウンし、近場での交易が中心となりました。

様々な負担が課せられた農奴たち

ローマ帝国の末期の土地の仕組みであった「コロナートゥス」をもとに、中世では「**荘園制**(しょうえん)」が形成されていました。主君から土地をもらった家臣が、その土地を「荘園」として経営したのです。

荘園を耕作したのは「農奴(のうど)」といわれる農民でした。農奴は生まれてから死ぬまで、様々な税負担が課せられました。

領主のもっている土地で農奴がタダ働きした分を「賦役」といい、生産物はすべて領主におさめなければなりませんし、農奴に割り当てられた自分たちの土地からも「貢納(こうのう)」という税を払わなければなりません。結婚や死亡時には結婚税や死亡税、また、パン焼き窯の使用料と、農奴には多種多様な税負担が課されました。また、教会にも収穫物の10%を税として納めなければならず、この税は「10分の１税」といわれていました。

繁栄を迎えたビザンツ帝国

西ヨーロッパが中世前半の混乱期となっていた一方で、東ヨーロッパから西アジアにまたがるビザンツ帝国（東ローマ帝国）は繁栄を迎えていました。

ビザンツ帝国の都、**コンスタンティノープル**（現在のイスタンブール）はヨーロッパとアジアのつなぎ目に位置し、ヨーロッパとアジアの各都市をつなぐ交差点となって、各国の文化や情報が集積し、ビザンツ帝国の皇帝の統制のもと、商業と貨幣経済が発展していました。

ビザンツ帝国最盛期の皇帝、**ユスティニアヌス**は中国から蚕の卵を入手して養蚕を奨励し、絹織物を主要産業としました。ユスティニアヌス時代のビザンツ帝国は地中海を取り囲む大帝国を形成し、現在のイギリス付近まで長距離交易船を派遣していたことが知られています。

図 3-1　封建制・荘園制と中世ヨーロッパの国々

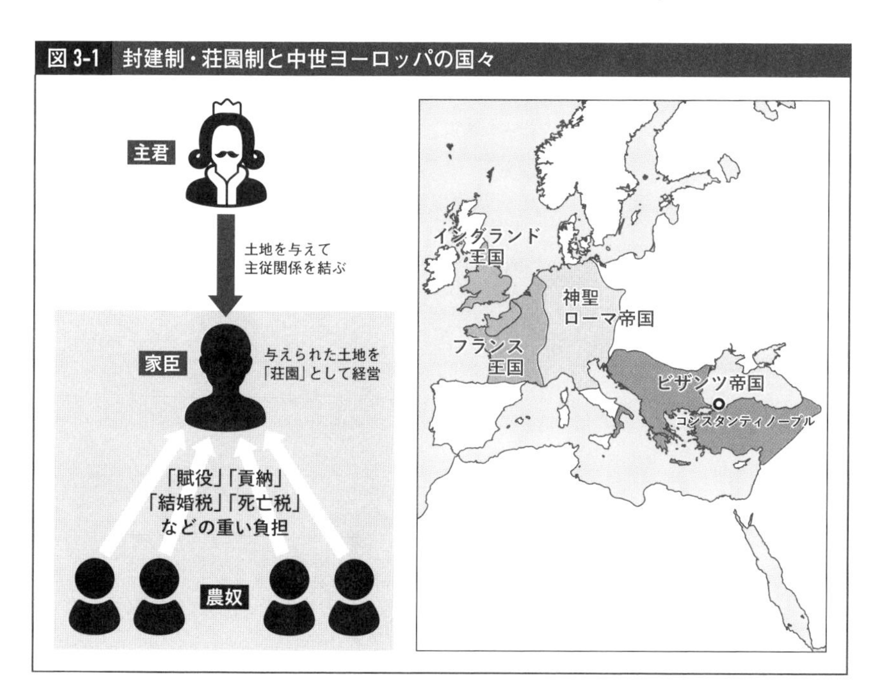

巨大宗教は経済的な理由から成立した

「貧富の差」が世界宗教を生んだ

イスラームは、世界三大宗教の１つに数えられ、現在、西アジアと東南アジアを中心に18億人もの信者数をもちます。この巨大宗教の成立にも、経済的な背景があったのです。

パルティアの後、西アジアに成立したのは農耕イラン人たちが建国した**ササン朝ペルシア**という国です。

ササン朝もパルティアと同じく、東西の交易路をおさえ、一時は北インドのクシャーナ朝を従えて繁栄しました。

図3-2 イスラームを生んだ大国の抗争

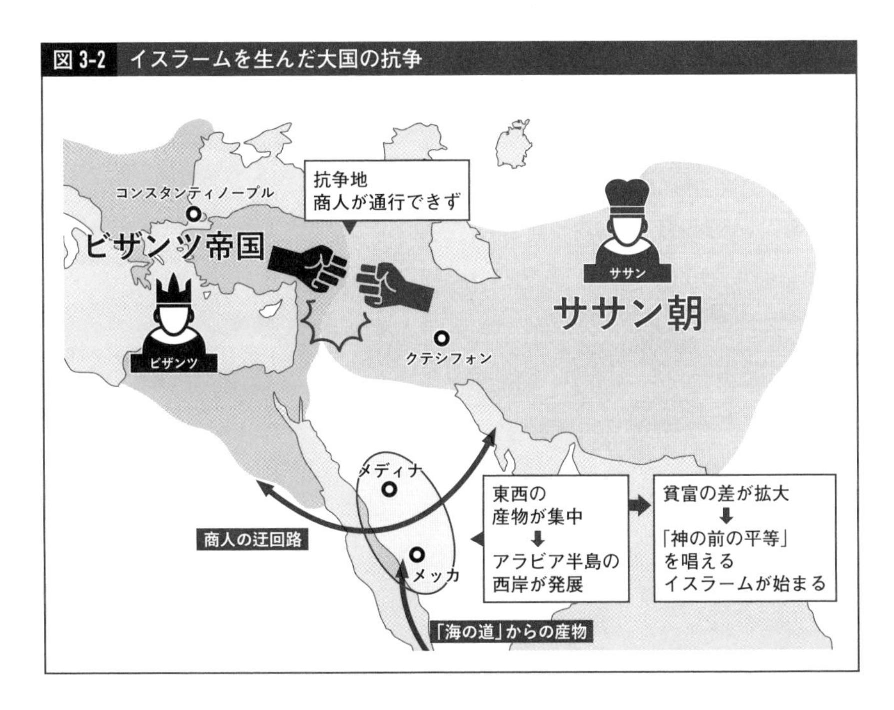

ササン朝の西のほうには、同じように繁栄を迎えていた**ビザンツ帝国**が存在していました。そして、ササン朝とビザンツ帝国は、ライバルとして激しく戦っていたのです。両者が長期間にわたって抗争を繰り広げていたため、東西を結ぶ「オアシスの道」は途絶えてしまいました。

そこで、**戦いを避ける迂回路として用いられたのが、アラビア半島西部の「ヒジャーズ地方」です。この地方は「オアシスの道」の迂回路というだけでなく、「海の道」の経由地にもあたり、ヨーロッパ・インド・東南アジア・中国の産物が集中することになりました。**このヒジャーズ地方の中心的な都市として栄えた都市が、**メッカ**です。

一般的に、**町や国が豊かになればなるほど、貧富の差は拡大します。**メッカも例外ではなく、交易の富を独占する者が現れ、豊かな者と貧しい者の間で、社会の中での分断が生まれたのです。

そうした社会背景の中で登場したのが、**ムハンマド**です。神の啓示を受けたムハンマドは、**イスラーム**を創始し、神の前で信者は平等であると説きました。富の独占をする側にあった豊かな商人たちは「平等」を唱えるムハンマドを迫害しますが、次第にムハンマドはその教えを広め、ついにはアラビア半島全域が彼の教えになびくようになりました。

税の不平等により滅んだウマイヤ朝

ムハンマドの死後も、ムハンマドの後継者たちの「**正統カリフ**」と呼ばれる指導者がイスラームの領域を拡大し、そして、**ウマイヤ朝**といわれる世襲の王朝が成立し、さらにイスラームは拡大します。

ウマイヤ朝は本拠地のシリアのダマスクスを拠点に、イベリア半島から西インドに至るまでの巨大な領域を誇りましたが、税制の不平等から人々の不満が高まり、滅亡しました。ウマイヤ朝では同じイスラーム教徒であっても、アラブ人の税負担は軽く、それ以外の地域の民族には人頭税や地租などの負担を課しており、民族間で差があったことから、平等をとなえるイスラームの理念に反するという不満が高まり、革命が起きたのです。

世界経済の中心となった イスラーム世界

地中海とインド洋を結びつけたアッバース朝

アッバース朝は税制の平等を掲げる革命によって成立した王朝なので、宗教・民族にかかわらずすべての人が地租を払い、イスラーム以外の異教徒には地租に人頭税も加わる、という税制の一本化が図られました。

税制のほかにも、アッバース朝はイスラーム世界に経済的な大きな変化をもたらします。**アッバース朝は、それまでのウマイヤ朝の都であるシリアのダマスクスから、都をバグダードに移したのです。**

下の地図を見るとわかるように、バグダードはインド洋の「扇の付け根」

図 3-3 インド洋の“扇の要”バグダード

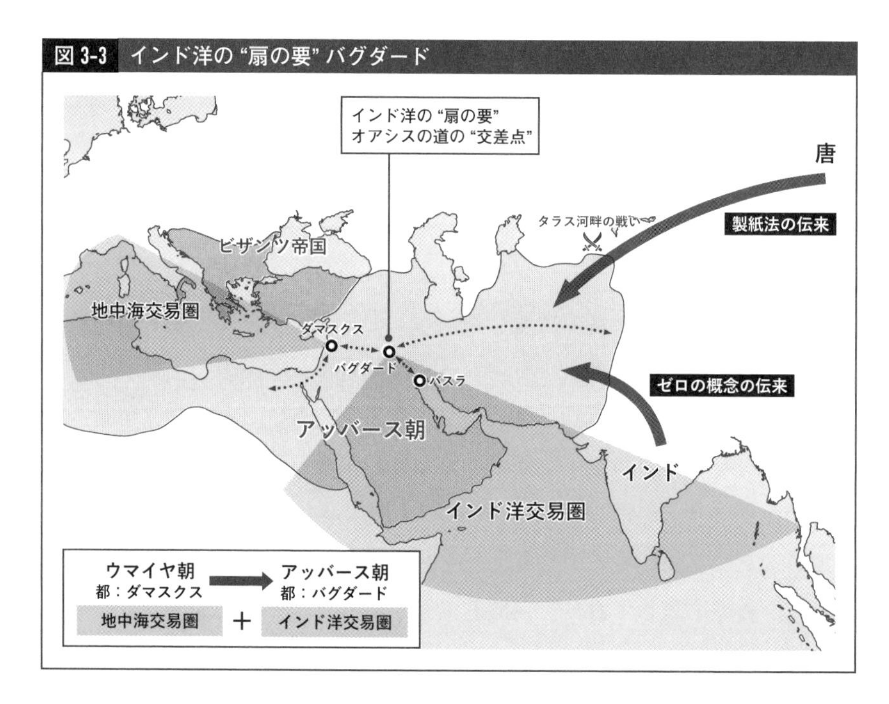

にあたる場所で、それまでパルティアやササン朝などのイランの王朝が交易路として整備してきた「オアシスの道」の通過点にもあたっています。

それまでのダマスクスは地中海に面したシリアの都市で、商人たちの交易網も地中海に軸足が置かれていました。**シリアからイラクへとイスラームの中心が移ることによって、イスラームの「表玄関」も地中海からインド洋に変化し、地中海とインド洋の経済圏が結びついた広大なイスラーム経済圏が出現することになったのです。**

バグダードの当時の人口は150万人を超え、唐の都であった長安に並ぶ世界の中心として繁栄しました。

イスラーム文学の最高傑作、「千夜一夜物語」でも、バグダードは主要な舞台として登場し、その中で船乗りのシンドバッドはインド洋を舞台に活躍したバグダード商人のひとりとして活躍します。

会計技術を発展させた「数字」と「紙」

さらにアッバース朝には、インドと中国から２つの「革命的」なものがもたらされました。それが、インドで生み出された「**ゼロの概念**」と、中国の唐王朝との戦争により入手した「**製紙法**」です。

インドからゼロの概念と数字の記録法が流入し、いわゆる「アラビア数字」が誕生します。それまでの「ローマ数字」などは、「ゼロ」を示す数字がないため、「位取り」ができませんでしたが、「ゼロ」があれば、桁を数の位置であらわすことができます。大きな金額や数量を記述し、計算できることでよりスムーズな商取引が行われるようになりました。

さらに、「紙」のつくり方も中国からもたらされます。アッバース朝は**タラス河畔（かはん）の戦い**という唐との戦いに勝利し、唐の紙すき職人を捕虜にすることでその技術を入手できたのです。

「数字」と「紙」は様々な会計技術の発展をもたらし、アッバース朝の経済規模はさらに拡大しました。簿記や手形、小切手など、現在につながる様々な会計技術のルーツをこのアッバース朝に求める説も有力です。

ムスリム商人と中国商人が出会った東南アジア

2種類の船が東南アジアで入り混じる

アッバース朝の**ムスリム商人**（イスラーム教徒のことを「ムスリム」といいます）が盛んにインド洋に進出する一方、中国の唐の商人も海上交易に力を入れ始めていました。中国南方の揚州（ようしゅう）や広州から盛んに南方に船が出航していたのです。ムスリム商人は三角の帆を用いる**ダウ船**という船を使い、中国商人は四角の帆を張る**ジャンク船**という船を使っていました。

東南アジアの港町は、ダウ船とジャンク船という２つの様式の船が入り乱れる、にぎやかな「海の交差点」だったことでしょう。

図 3-4 海上交易路と「海の交差点」東南アジア

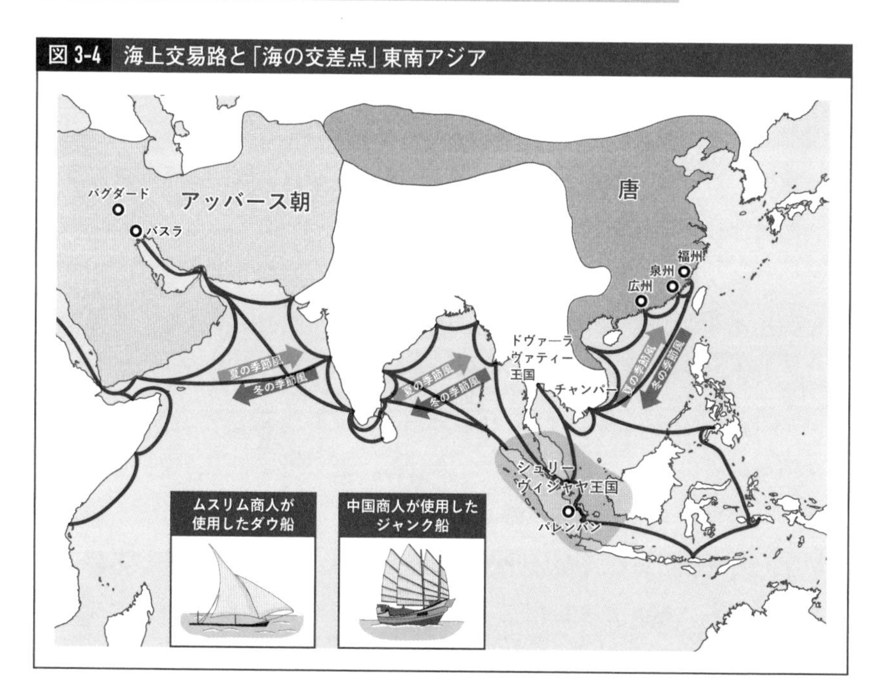

その後の中国経済に大きな影響を与えた隋・唐

煬帝がつくり上げた物流の「大動脈」

中国では、日本からの「遣隋使」「遣唐使」の派遣先としてなじみの深い、隋（ずい）・唐（とう）という王朝の時代が訪れました。

後漢の滅亡後、中国に長い分裂時代が訪れますが、それを再統一したのが**隋王朝**です。隋王朝は37年という短命に終わりますが、のちの中国経済に大きな影響を与えた王朝です。

その影響とは、隋の第２代皇帝の**煬帝**（ようだい）による、「**大運河**」の建設です。「黄河と長江を運河で結べば便利だろう」と、それまでの中国の皇帝も思って

図 3-5　隋の大運河

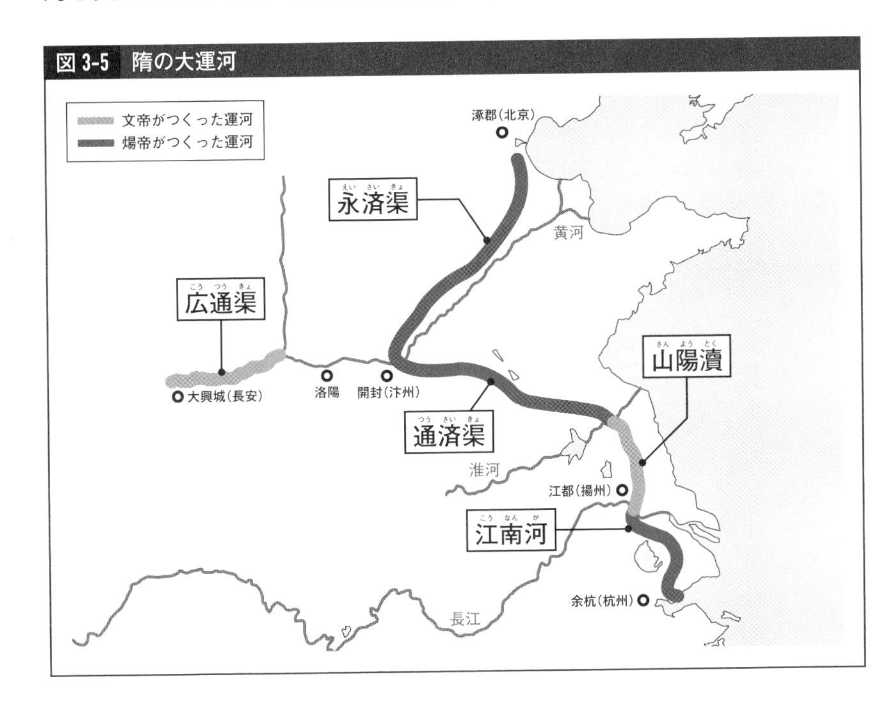

いたでしょうが、実際にやるとなると莫大な予算や人手がかかるため、どの皇帝も着手できなかった大事業でした。煬帝はそれをやり切ったのです。その代わり、莫大な予算と人手がかかったため、国家財政が傾いたことで反乱を招き、隋は滅亡してしまいます。そのため、煬帝はのちに「史上最大の暴君」といわれるようになりました。

大運河の建設は隋を短命に終わらせましたが、**大運河は政治の中心であった中国北部と経済の中心であった中国南部を結びつける物流の「大動脈」となるとともに、広大な中国に一体化をもたらしたのです。**

のちの王朝はこの運河の恩恵を受け続けるので、見方によっては煬帝が「嫌われ役」を買って運河をつくってくれたからこそ、のちの王朝は安定した政権運営ができた、ともいえるでしょう。

国際的な文化が花開いた唐

唐王朝は、朝鮮半島から現在のウズベキスタンに及ぶ、広大な領域をもつ国家で、オアシスの道の東半分をおさえていました。都の長安はオアシスの道の終着点として西方の文化や産物が流入し、海のルートからは東南アジアや日本からの貢ぎ物が運ばれ、国際的で多様な文化が花開きました。

唐の財政難と貨幣経済の進展

約300年の歴史をもつ唐王朝ですが、後半部は長い停滞と衰退の時期でした。

前半は強大な唐王朝に対して周辺国家もおとなしく従っていたのですが、後半になると唐の力が衰え、敵対勢力や反乱勢力などが頻繁に登場するようになります。それらの勢力と戦うための軍事費が次第に増加し、唐は財政難に陥りました。

それに伴い、唐の税制も変化します。前半の税制は「租(そ)・調(ちょう)・庸(よう)制」といい、土地を割り当てた民衆ごとに、一定額の穀物や労働を課したのですが、財政難に陥った後半は、国が予算をはじめに立て、その予算を「累進

図 3-6 唐の国際関係

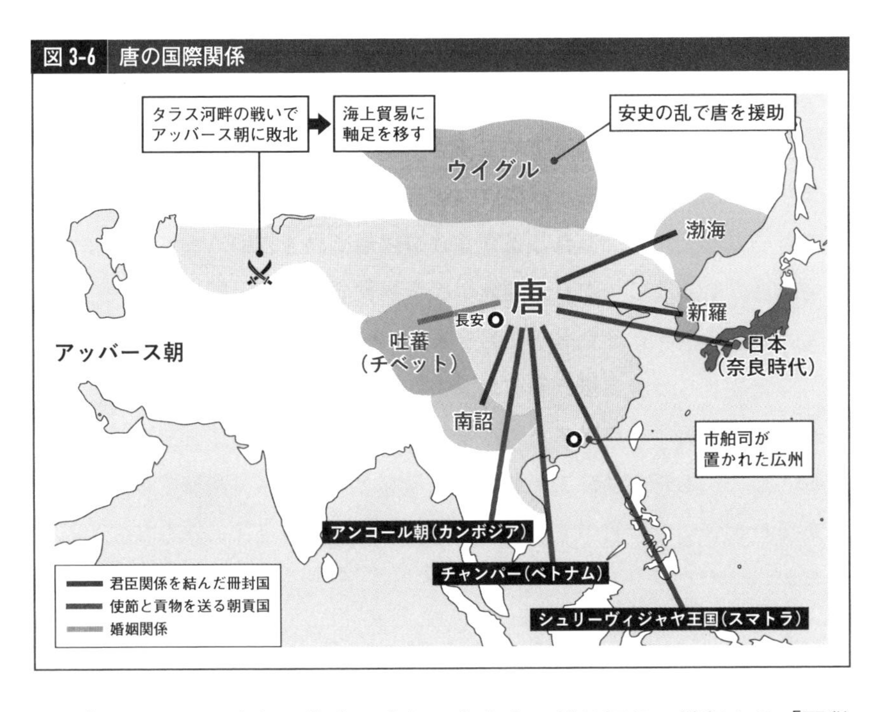

課税」のように、支払い能力に応じて各家庭に割り振り、徴収する「両税法」という税制になりました。軍事費は増大する一途だったので、予算が増えていき、民衆に割り当てられた税も増えて負担が増大しました。さらに、その税の徴収法も、貨幣で徴収するという原則になりました。

農民たちは生産した穀物を商人に売り、換金して税を納めるのですが、商人たちは当然、安く穀物を買いたたくようになります。農民たちは税の増大に苦しみ、商人たちは利益を得ていきます。この換金の流れを通して、貨幣経済が民衆の隅々にまで行き渡っていったのです。

唐は財政難を解決するために塩の専売を行いますが、塩の相場の10倍もの利益を乗せたため、塩の密売が横行しました。取り締まる側の唐政府に対して反乱を起こす密売業者も登場し、唐末期の経済は混乱しました。

「海の道」の終着点となった唐

唐の衰退は、海上貿易にも影響を与えます。当初、唐の貿易は「周囲の国々の貢ぎ物」と、「それに対する授け物」という形の、国家間貿易であり、国家の統制のもと行われていましたが、唐が弱体化すると、統制が緩んで、商人が個人レベルで貿易に参加するようになりました。

また、「オアシスの道」を通しての陸上交易も、「タラス河畔の戦い」でイスラーム勢力に敗北した後は次第に衰退していき、商人たちの目は海上貿易に注がれるようになります。

海上交易の拠点だった揚州や広州は「海の道」の終着点として繁栄し、東南アジアやイスラーム圏からの商人が多く訪れるようになりました。唐は**市舶司**(しはくし)という貿易を監督する役所を置き、外国人商人の出入りの手続きや徴税、貨物の検査や禁制品の取り締まりなど、現在の「税関」のような役割を担わせました。唐の末期の外国人居住者は、12万人に達したとされています。

「紙でお金を持ち運ぶ」手形の使用

唐の時代は、隋による大運河の建設の効果もあり、遠隔地取引が活発となりました。北西部の産物である馬や岩塩が南方へ、南方の産物である茶が北方へ、その他多くの産物が遠くまで運ばれて取引されました。

それとともに貨幣経済も社会の隅々に及ぶようになりましたが、当時の主要な決済手段である**銅銭は重量があり、大量に運ぶこと自体に高い運送コストがかかってしまうため、こうした遠隔地取引には向きません。**その解決策として考えられたものが「飛銭」といわれる手形です。商人は都市の大商人にお金を預けて受領証の半券を受け取り、目的地までそれをもっていきます。目的地では残りの半券が別送されており、半券どうしを照合して商人はお金を預けた商人の支店から現金を引き出すことができました。手形で直接モノを買い付ける「紙幣」としての使用が行われていたかどうかはよくわかっていませんが、**「書面でお金を持ち運ぶ」という概念は、宋の時代に本格的な紙幣の登場をもたらすことになりました。**

草原を結ぶ もうひとつの「東西の道」

遊牧民による移動と交易

ユーラシア大陸を結ぶ道として、**「オアシスの道」や「海の道」と並ぶ、もうひとつの道がモンゴル高原からアルタイ山脈、カザフ草原、南ロシアの草原地帯を経る「草原の道」です。**ここには多くの遊牧民が生活しており、遊牧民の移動や交易を通して東西の産物が運ばれていきました。秦や漢の時代には匈奴（きょうど）や鮮卑（せんぴ）、唐の時代には突厥（とっけつ）やウイグル、そしてのちのモンゴルなどが興亡します。また「オアシスの道」では、定まった国家をもたず、交易に従事する「商業民族」**ソグド人**の商人が活躍していました。

図 3-7 「草原の道」とソグド人

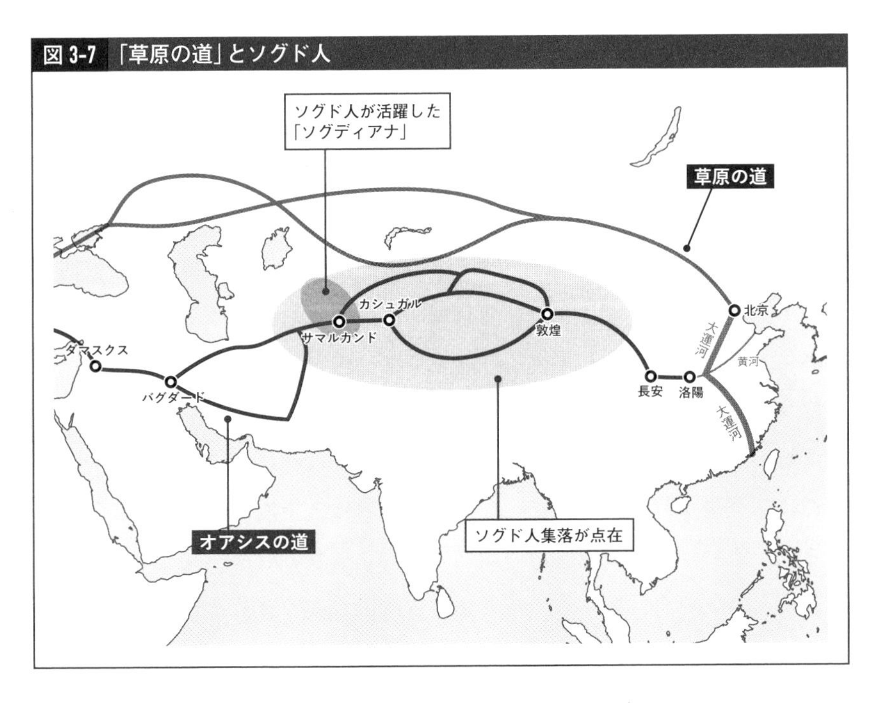

日本でも貨幣の歴史が始まった

流通が広がらなかった「和同開珎」

貨幣が存在しなかった縄文時代や弥生時代を経て、飛鳥時代になると日本でも貨幣が登場します。天智天皇(てんじ)のころの発行とされる無文銀銭(むもんぎんせん)や、天武天皇のころに発行された富本銭(ふほんせん)などが知られていますが、本格的に流通したものではありませんでした。

本格的に流通したのは奈良時代の初期に発行された**和同開珎**(わどうかいちん)です。ただし、本格的に流通したといっても、なかなか流通は進まず、朝廷は「蓄銭叙位令」という、**お金を貯めると官位が与えられるという仕組みをつくりました。しかし、人々の気持ちが「使用」よりも「貯蓄」に向かい、かえって和同開珎の流通にはつながりませんでした。**大宝律令によって整った税制も、米を納める租や、布や特産物を納める庸や調など、モノで納める制度であったため、貨幣経済は進みませんでした。

結局、奈良時代初期の「和同開珎」の発行から平安時代中期の「乾元大宝(けんげんたいほう)」の発行まで、約250年間に12種類の貨幣が発行されましたが、近畿地方での流通にとどまりました。原材料の銅も不足し、これらの貨幣の中でも最後のほうは大きさも小さく、品質も悪い粗悪な貨幣しかつくれないようになります。

また、対外経済では、奈良時代から平安時代初期にかけて**遣隋使**や**遣唐使**による交易が行われていましたが、平安時代の中期になると遣唐使が中止され、代わりに民間レベルの貿易が盛んになりました。彼らの中には唐の貨幣を日本で使い始める者が増え、**以後の日本の貨幣として、輸入銭が使われるきっかけとなりました。**

第4章

進む貨幣経済

商業ルネサンスとモンゴル帝国

（11世紀～14世紀）

第4章 商業ルネサンスとモンゴル帝国 あらすじ

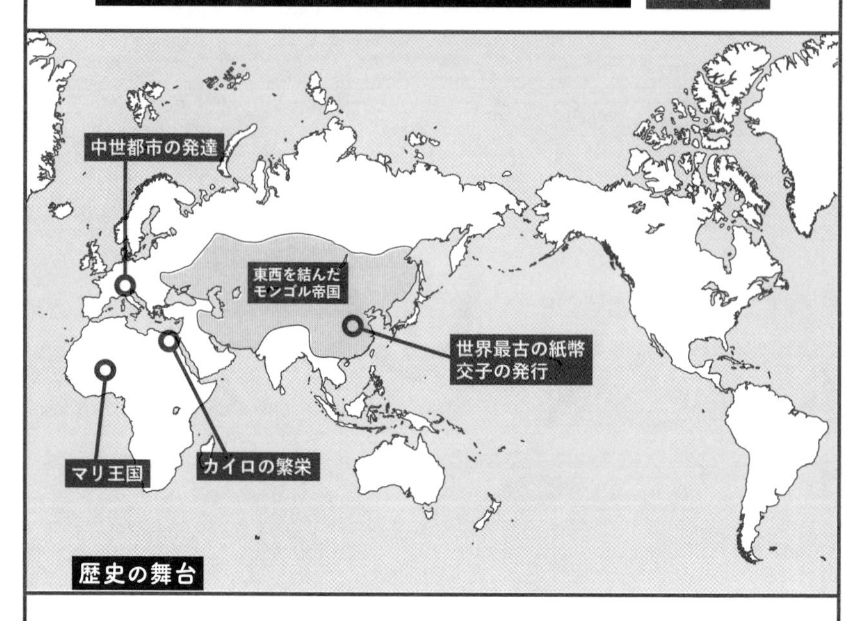

中世都市の発達と貨幣経済の拡大

各地域で貨幣経済の拡大が見られるようになります。ヨーロッパでは中世都市が発展し、中東のイスラーム世界ではエジプトの商人が活躍しました。中国では、宋(そう)王朝・元(げん)王朝のもとで貨幣経済がさらに進展し、紙幣も誕生しました。モンゴル帝国が成立すると、世界の一体化がさらに進み、東西を商人が行き交いますが、その一体化が、中国で生まれたペストをヨーロッパに広げることにもなりました。中世の後期は天候も不順で、ユーラシア大陸では「14世紀の危機」といわれる状況に陥りました。

第4章 【商業ルネサンスとモンゴル帝国】の見取り図

先史 前4 前3 3 4 10 11 14 15 16

第1章 古代オリエント・ギリシア・殷王朝

第2章 ローマ帝国・秦・漢王朝

第3章 イスラームの誕生と隋・唐王朝

第4章 商業ルネサンスとモンゴル帝国

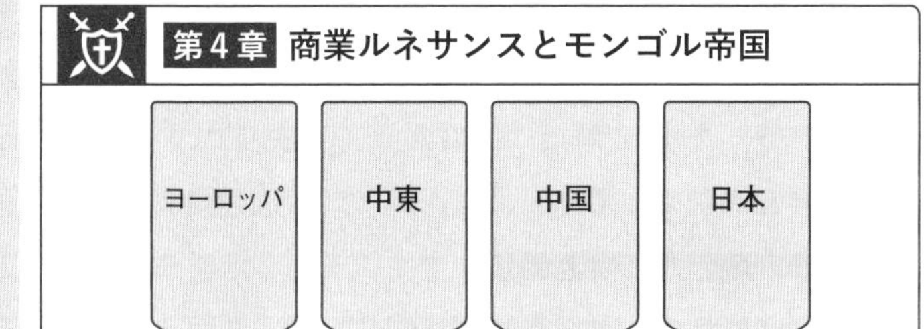

第5章 大航海時代と明王朝

ヨーロッパ

十字軍後のヨーロッパでは、貨幣経済が復活して都市が発展し、「商業ルネサンス」といわれました。中世後期には、中国から伝わったペストと気候の悪化により、「14世紀の危機」といわれる状況が生み出されました。

中東

イスラーム世界の中心となったのは、アイユーブ朝やマムルーク朝といった、エジプトのカイロを都とする王朝でした。カーリミー商人といわれる商人がインド洋とヨーロッパを結びつけました。

中国

北宋・南宋王朝では、商業が飛躍的に発達し、貨幣の需要が高まりました。貨幣の需要を満たし、流通をスムーズにするために紙幣の発行も始まりますが、のちの元王朝では紙幣が乱発され、経済が混乱しました。

貨幣経済が復活し都市が発展した中世盛期

十字軍の派遣を後押しした「商業ルネサンス」

長いヨーロッパの中世の転換点となったのが、十字軍といわれるキリスト教諸国が行ったイスラーム勢力に対しての遠征です。

中世前半の混乱期が落ち着いて西ヨーロッパ世界が安定すると、比較的温和な気候が続いたことも手伝って、農業生産力が向上します。人口も飛躍的に増加し、商業が復興して都市が成長する「商業ルネサンス」といわれる状況が起こり、各国に国外に遠征する余裕が生まれました。

一方、イスラーム勢力は東ヨーロッパのビザンツ帝国を圧迫しつつ、キリスト教徒の聖地でもあるイェルサレムを独占しようとしていました。こうした状況の中、ヨーロッパの国王たちはローマ教皇の呼びかけに応じ、イェルサレム奪回のための遠征を行います。これが十字軍です。

結果的に、十字軍はイェルサレムを奪い返すことができずに失敗に終わりますが、様々な経済的な影響をヨーロッパに及ぼしました。

「世界遺産」として残る数々の中世都市

十字軍は大規模な軍事行動なので、たくさんの兵士が動員されますし、莫大な物資も必要になります。ヒト、モノの動きが多くなると、当然、そのルートとなる街道や海路が整備されますし、軍需物資の買い付けに貨幣も使われたでしょう。現在のイギリスやドイツから、遠征先のシリア、パレスチナまでの広い範囲の産物が行き来するようになります。**十字軍によるヒトやモノの活発な交流、交通の整備、貨幣経済の復活、遠隔地貿易の発達などが「中世都市」といわれる多くの都市を生んだのです。**

図 4-1　十字軍の遠征と中世都市の発達

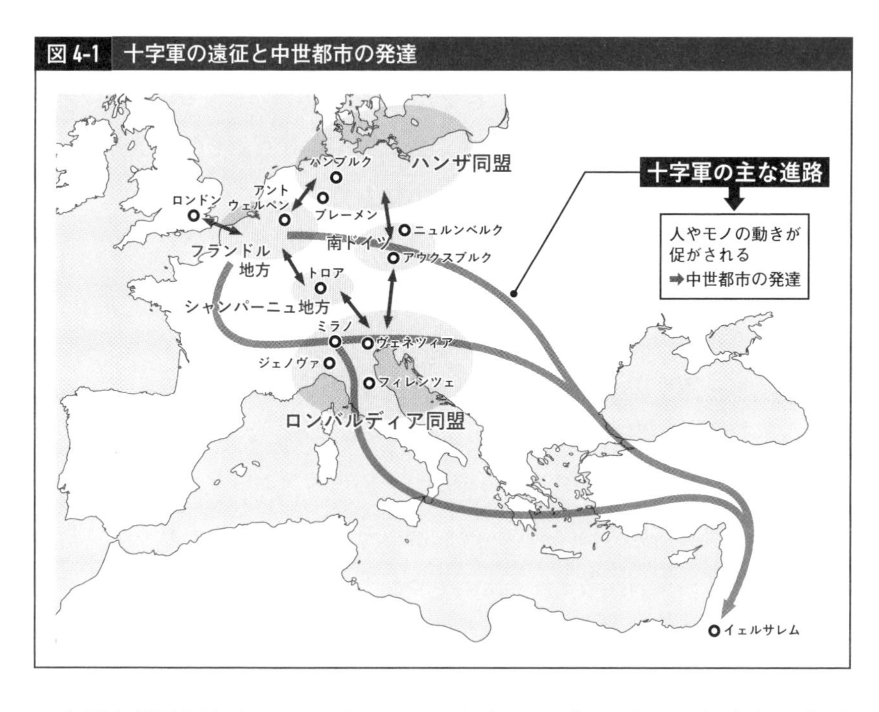

主要な経済圏としては、リューベックやハンブルクなどで知られる北ドイツの**ハンザ同盟**、フランスの**シャンパーニュ地方**、アウクスブルクなどの南ドイツの諸都市、ミラノ、フィレンツェ、ヴェネツィアなどの北イタリアの**ロンバルディア同盟**などがあります。現在、これら中世都市の多くがヨーロッパの代表的な古都として世界遺産に指定されています。

中世都市の商人と手工業者

都市の中では、商工業の様々な組合である「**ギルド**」がつくられます。「**商人ギルド**」は大商人を中心とする組合で、中世都市の行政権をもっていました。一方、「**同職ギルド**」という手工業者の組合もありました。

商人は「販売者」、手工業者は「生産者」なので、商人は手工業者からできるだけ安く生産品を買いたたこうとし、一方の手工業者は自分の商品を高く売ろうとするので、お互いの利害はしばしば対立しました。のちに同職ギルドも都市の行政に参加する権利を得て、市政に加わるようになっていきました。

ギルドは都市の市場を独占し、自分たちの「既得権益」を守るために、自由な競争を禁止し、組合に加盟していない商工業者やよその町からやってきた商工業者の活動を禁止し、締め出しました。

ギルドには厳しい上下関係があり、商人ギルドの商人は使用人を、同職ギルドの親方は職人や徒弟を指導して労働させていました。

成長した都市の大商人の中には、南ドイツ、アウクスブルクの大富豪である**フッガー家**や、イタリア中部、フィレンツェの大富豪である**メディチ家**など、「貴族」と見まがうほどの大金持ちも現れます。

当初、フッガー家は農業の傍らで織物を織る職人の家系でしたが、ヴェネツィアから織物の材料を購入しているうちに他の産物の売買も行うようになり、香辛料取引で財をなすと、のちに銀山や銅山の経営を行って「ヨーロッパの鉱山王」となり、金融業まで行うようになります。一方、メディチ家も金融業で躍進します。フッガー家、メディチ家ともに、資金面でローマ教皇をバックアップしたことで、権威がさらに高まりました。

「ユダヤの商人」たち

もう１つの「金融」の担い手たちは、ユダヤ人です。ユダヤ人は「キリストを迫害し、十字架にかけた」民とされ、キリスト教が力をもっていたヨーロッパ世界では迫害の対象となっていました。

ユダヤ人は封建制・荘園制の社会の中で土地をもつことが禁止され、商工業のギルドにも参加できなかったために、店を持たずに行商をするか、お金を貸し付けてその利子を得るか、という役回りになります。このイメージが、「世界各国にネットワークをもち、金融業で儲けている」という「ユダヤの商人」のイメージを形成したのです。

十字軍のころにはユダヤ人は「高利貸し」というイメージがついていましたが、中世都市が発達し、ユダヤ人たちがもつお金に対する需要の高まりによって、そのイメージがさらに定着することにつながりました。

貨幣経済の浸透により変わる領主と農奴の関係

農村にも貨幣経済が浸透した

一方、農村では比較的温和な気候のもと、土地を「春に種をまく農地」「秋に種をまく農地」「土地を休ませて生産力を回復する農地」の3つに分けて回して運用するという**三圃制**（さんぽせい）といわれる農法や、重量のある犂を牛にひかせる農法などにより農業生産力が飛躍的に向上していました。

そこに、都市の発展にともなう「貨幣経済の発達」という要素が加わります。都市には暖かい毛織物の服や、銀で飾られた鎧、美味しそうな食べ物、食べ物をさらにおいしくする香辛料、宝石など、各地から運ばれてきた産物があります。

領主は、そうしたぜいたく品を手に入れるため、「貨幣を得たい」という欲が増大していきます。そのため、**農奴を支配している領主は、生産物を納めさせるよりも、貨幣の形で収入をほしがるようになります。**そこで、税の納め方を生産物から貨幣に切り替える領主が続出したのです。

領主と農奴の立場の微妙な「変化」

農奴も農奴で、生産物を商人に売って貨幣に換え、税を払うわけですが、**手元に残った、自分たちの取り分の生産物もお金に換えるようになります。**農業生産力は向上していくので、農奴が手にするお金の額も次第に多くなります。また、貨幣は農作物と違って腐らず、「価値の保存」が可能なので、子孫にも受け継がせていくことができます。

ここに、領主と農奴の間での、立場の微妙な変化がもたらされます。

立場の弱い農奴も、**コツコツと貨幣を貯めることによって経済力を高め**

ることで、領主に対して税を支払うことと引き換えに「見返り」を要求するなど、「少し強く出る」ことができるようになったのです。より多くの税を払う代わりに、農奴は領主から自らの土地の所有や、土地の売買を認めてもらうことを要求し、それまでの領主が農奴を強く支配するという「荘園制」に緩みが出始めたのです。

ペストの流行と封建反動

中世も後期に入ると、天候が不順になり、百年戦争など国どうしの大規模な戦乱も頻発したうえ、「黒死病」といわれた**ペスト**という病気が流行しました（モンゴル帝国による「世界の一体化」により、中国から伝わったといわれています）。ヨーロッパの人口の3分の1以上が亡くなったとされる「14世紀の危機」といわれる時代の中、収入の減少に見舞われた領主は再び農奴を強く支配し、税を厳しく取り立てるようになります。これを「**封建反動**」といいますが、これに対して農奴たちは反乱を起こして対抗するようになりました。イギリスの**ワット＝タイラーの乱**、フランスの**ジャックリーの乱**など、歴史に残る大反乱をはじめとする大小の農民反乱が頻繁に起こるようになります。農奴が減税や自由を主張して領主に「さらに強く出る」ようになると、荘園をもつ領主の地位はさらに低下していきます。**諸侯や騎士などの「荘園領主」が没落すれば、その上に君臨する「王」の支配権がきわ立ち、中央集権化が進んでいくのです。**

図 4-2　ペストの流行

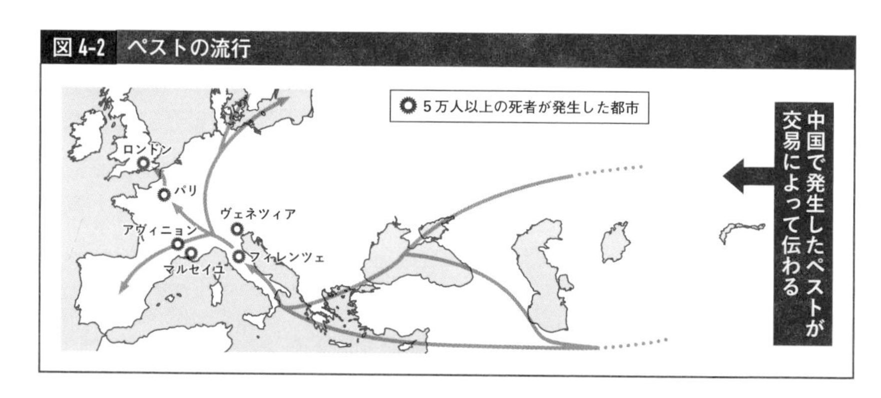

カイロがイスラーム経済の中心へ

「胡椒と香料の商人」カーリミー商人

ヨーロッパ世界が十字軍の遠征を行っていたころ、その「遠征先」となったイスラーム世界では、セルジューク朝、アイユーブ朝、マムルーク朝といった王朝が交代しながら成立し、キリスト教徒と戦いました。

アイユーブ朝と**マムルーク朝**は、エジプトの**カイロ**を都とする王朝です。この時期、エジプトは比較的安定した気候に恵まれ、ナイル川流域での農業生産も安定していました。また、新たな商品作物としてサトウキビの栽培と輸出が盛んになり、エジプトに富が流入しました。アラビア語で砂糖

図 4-3　カイロが中心となったイスラーム世界

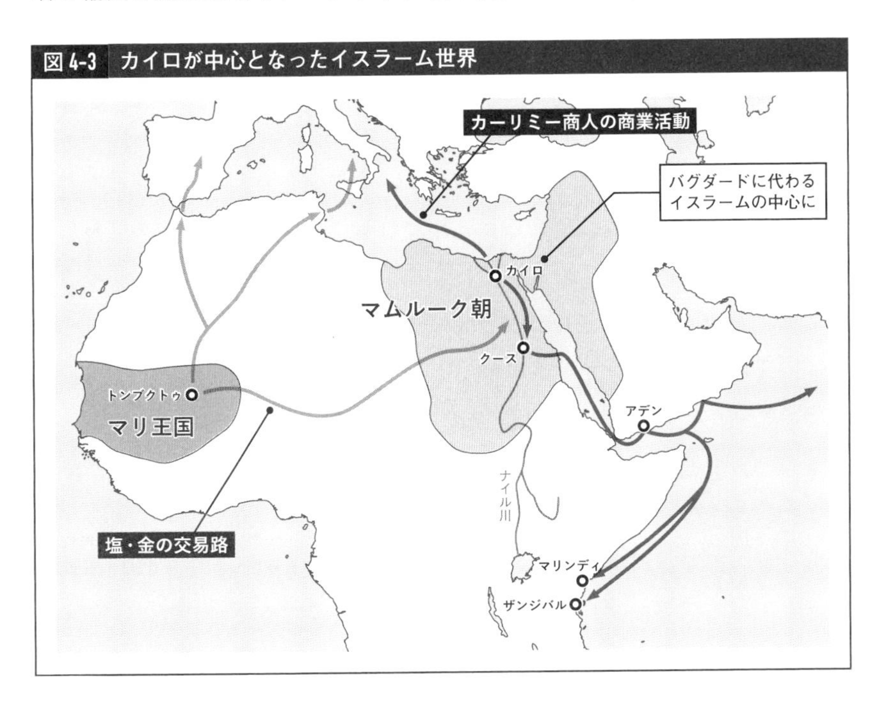

は「スッカル」といいますが、これが「シュガー」の語源となったのです。

アッバース朝時代のイスラームの中心はバグダードでしたが、この時代はカイロがイスラーム世界の中心になりました。**インド洋に向かう航路も、バグダード経由はどちらかといえば「支線」となり、カイロからナイル川を経由し、紅海を通ってソマリア半島の沖を通るルートが「幹線」となりました。**

この「幹線」を行き来したのが、アイユーブ朝やマムルーク朝の保護を受けた、**カーリミー商人**といわれた人々です。「胡椒(こしょう)と香料の商人」といわれた彼らは、アラビア半島南端のアデンの港でインド商人が運んできた香辛料や中国産の絹織物や陶磁器を買い付け、紅海を北上してエジプトに運び、陸路を通ってナイル川の河運に接続してアレクサンドリア、さらに地中海のヴェネツィアやジェノヴァの商人に売り、利益を得たのです。

「黄金の国」マリ王国

この時代、イスラーム世界はサハラ砂漠の南にも拡大しており、中でも西アフリカに位置するニジェール川沿岸の**マリ王国**は繁栄を迎えたイスラーム王国として知られています。

「黄金の国」といわれたマリ王国は、サハラ砂漠からとれる岩塩とギニア湾近くで「人参のように生える」といわれるほど産出された金を交易に使い、富を蓄えました。岩塩は遠くヨーロッパにまで運ばれ、金と交換されたので、マリ王国にはさらに金が集中することになりました。

マリ王国の王、**マンサ＝ムーサ**は数千人の従者を連れてメッカへの巡礼に行く途中、マムルーク朝の都であるカイロで惜しみなく金を使ったり、寄付を行ったりしたため、カイロの金相場が暴落したと伝えられています。

また、マリンディやザンジバルなど、東アフリカの港町にもイスラームの商船が来航し、イスラーム教が伝わりました。このとき生まれた土着の言語とアラビア語が融合したスワヒリ語が、現在でも使われています。

世界最古の紙幣が誕生した宋王朝

商業が飛躍的に発展した宋・元王朝

中国に目を移してみましょう。唐が滅びたのち、中国は一時的な分裂状態が訪れますが、そののちに成立した宋王朝、元王朝のときに商業が飛躍的に発展します。中国南部の開発が進み、長江の下流域は豊かな穀倉地帯になります。その生産力に支えられ、都市の経済も発展していきました。

世界最古の紙幣「交子」

宋王朝の前半期である**北宋の首都、開封(かいほう)は黄河と大運河の交点付近に位置し、東西南北の産物が集中する一大商業都市でした。**唐の長安では商売が東西の市のみで行われ、人々は夜間の外出が禁止されていましたが、北宋の開封ではいたるところに商店が並び、店の営業は深夜にまで及びました。同じころにヨーロッパで形成されたギルドのような、「行」や「作」といわれる、商人や手工業者の同業者組合も形成されました。

貨幣経済も進展し、銅銭が大量に鋳造されます。石炭を蒸し焼きにしてつくったコークスが燃料として使われ、より高い火力で銅の精錬や銅銭の鋳造ができるようになったことも、銅銭の生産量の増大につながりました。

しかし、唐の時代よりもさらに多量に使用されるようになった銅銭を実際に持ち運ぶのは大変なので、唐の時代の「飛銭」のような、「**交子**(こうし)」という木版印刷の手形が用いられるようになりました。宋王朝では、この「交子」を政府が発行し、正式に「紙幣」として流通するようになります。

民間の経済が発展する一方で、国家としての北宋王朝は、契丹(きったん)族やタングート族などの北方民族の侵入につねにさらされていたので、軍事費がかさみ、財政難に悩まされました。そのうえ、**北方の契丹族、タングート族の国には毎年大量の銀や絹を贈ることで攻撃を避ける、「カネで平和を買う」という政策をとっていたので、財政難がますます進行することになってしまったのです。**

南宋王朝の安定と発展

北宋は北方民族である女真族の攻撃を受け、皇帝が捕らわれの身となり、いったん滅亡してしまいます。そののち、北宋の皇帝の一族が南に逃れて王朝を復活させますが、これを南宋といいます。

北宋における契丹族やタングート族に対する立場よりも、女真族に対する南宋の立場はさらに低くなり、北宋時代の契丹に払っていた銀や絹の2.5倍もの莫大な銀や絹を女真族に支払って「平和を買う」ようになります。「平和を買う」ことは、経済的には大損失ではありますが、南宋は、米の生産が可能な豊かな中国の南半分からなる王朝です。**中国は「北部を南部の生産力で『食わせていく』」という経済構造**なので、この「南半分」のみ、というのはむしろ経済的には有利という見方もできるのです。

南宋の政治は比較的安定し、多様な文化が花開きます。また、北宋の「交子」に引き続き、「**会子**」といわれる紙幣が流通しました。

ヨーロッパに伝わった「三大発明」

北宋・南宋を通して商人による交易活動が活発になったことで、アジア各地の物産が宋に集まりました。広州・泉州・寧波・杭州などには貿易を管理する市舶司が置かれ、青磁や白磁などの陶磁器、茶や書画などが盛んに輸出されました。

また、**「宋代の三大発明」といわれた活字印刷、羅針盤、火薬はモンゴルの東西ネットワークを経てヨーロッパに伝えられ、「ルネサンスの三大改良」として実用化されました。**

図 4-4 「紙幣」を流通させた宋王朝

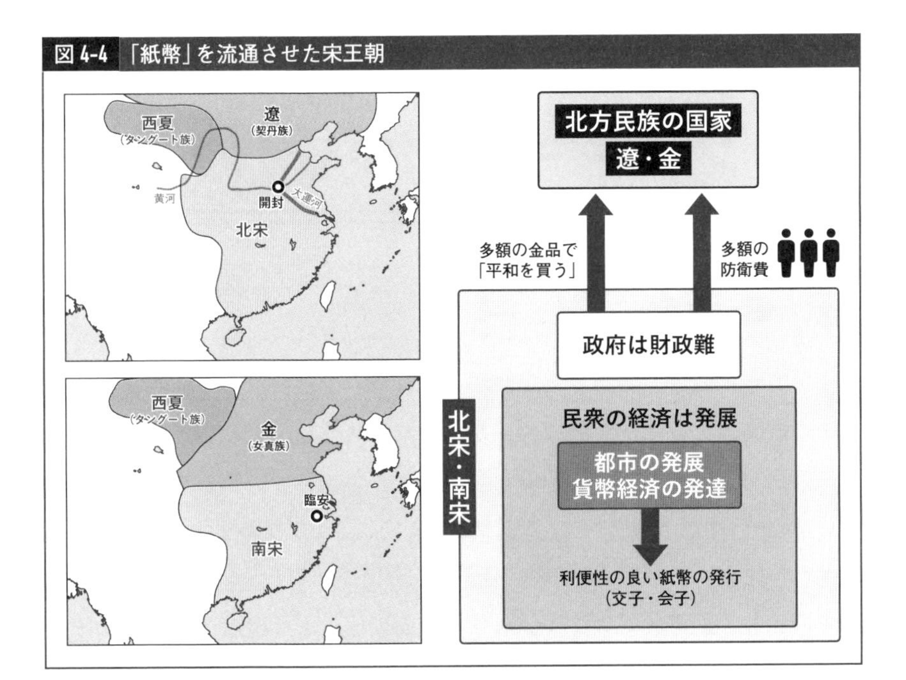

図 4-5 モンゴル帝国による「世界の一体化」

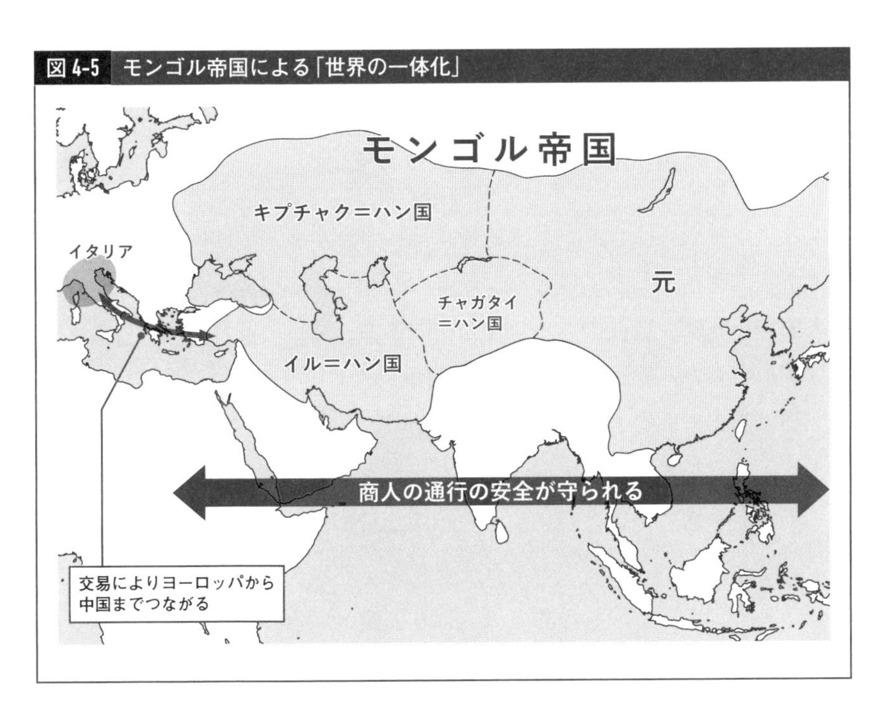

世界を結びつける チンギス＝ハンの子孫たち

モンゴル帝国と元王朝

モンゴル高原から興った、草原の「蒼き狼」といわれた**チンギス＝ハン**とその一族は、またたく間に中東から朝鮮半島に及ぶ大帝国を築きました。中国の金や南宋王朝も、このモンゴルに飲み込まれていきます。チンギス＝ハンの子孫たちはそれぞれの征服地を中心に「**キプチャク＝ハン国**」、「**イル＝ハン国**」、「**チャガタイ＝ハン国**」などの国を建国します。中国も、チンギス＝ハンの孫、**フビライ**が建国した**元**王朝により統治されるようになります。これらの国々は「国」といっても、チンギス＝ハンの子や孫たちの国家なので、お互いに争い合うことはなく、「**モンゴル帝国**」の一部分として緩やかな連合を保ちました。

東西の商人が行き交うモンゴル帝国

モンゴル帝国はユーラシア大陸の東西にまたがる大帝国なので、東西を行き来する商人にとっては非常に好都合でした。**いったんモンゴル帝国内に入国できれば、現在のトルコから中国まで、通行の安全が保障されます**。モンゴル帝国の各国家は街道や、「道の駅」のような施設、宿泊施設を整備し、交易商人に便宜を図りました。

また、海上交易も盛んで、元では杭州や泉州に荷揚げされた各国の産物を、大運河を経て北京に運ぶルートが確立しました。

この陸上、海上ネットワークを使って多くの人々がユーラシア大陸を行き交います。イスラームの商人（**ムスリム商人**）のみならず、ヨーロッパ人の商人や宣教師なども訪れました。元をはじめとするモンゴル帝国の様子はヴェネツィア出身の商人**マルコ＝ポーロ**の『**世界の記述**（東方見聞録）』や、モロッコ生まれのイスラーム教徒である**イブン＝バットゥータ**の『**三大陸周遊記**』などでうかがい知ることができます。

また、**ヨーロッパの商人、特に北イタリアの商人にとっては、モンゴル帝国は「地中海のお向かい」まで近づいてきています。**モンゴル帝国のネットワークによって運ばれた中国やインド、ペルシアの産物の入手も容易になったでしょう。イタリア商人がこれらの産物を売りさばき、富を獲得していったことが、北イタリアでいちはやくルネサンスが開花した１つの理由になっているのです。

インフレを招いた元の紙幣「交鈔」

北宋の「交子」、南宋の「会子」のように、元も「**交鈔**」と呼ばれる紙幣を使用していました。それまでの宋時代の「交子・会子」は、あくまでも銅銭の代わりとして使用され、銅銭と交換できる、「**兌換紙幣**（「金属として価値を持つ貨幣＝正貨」と交換できる紙幣）」としての使い方であったことに対し、元は新規の銅銭をほとんどつくらなかったため、元の「交鈔」は実際には銅銭と交換できない、「**不換紙幣**（金属としての価値をもつ貨幣と交換不可能な紙幣）」として、元の信用によって流通する紙幣でした。

紙幣は軽く、印刷するだけで価値を生み出す便利なものですが、**「偽造されやすい」ことと、「乱発されることで価値が低下し、インフレーションを招きやすい」という２つの欠点があります。**

交鈔には額面とともに、「偽造した者は死に処す」と書かれており、偽造に対しては厳しい罰でのぞみましたが、それでも偽造する者は多くいました。また、インフレに対しては、**元王朝の皇帝たちやその一族や家臣がチベット仏教を「狂信」しており、寺院の建造やその装飾のための費用を交鈔を乱発することで補ったため、激しいインフレーションが進行し**、経済が混乱して民衆の生活が苦しくなりました。そのことが、元の滅亡を早めた１つの原因になったとされています。

日本の最大の輸入品は「銅銭」だった

「国交」はなくても「交流」は活発

宋や元の経済の発展は、もちろん海を越えた日本にも大きな影響を与えています。日本と宋の間に正式な国交はなかったものの、民間の商人は活発に貿易を行っていました。特に、平安時代末期に権力を握った**平清盛**（たいらのきよもり）は**日宋貿易**（にっそうぼうえき）に熱心だったことで知られています。

日本からは金・真珠・水銀・硫黄・刀剣・扇子などが輸出されましたが、宋からの最大の輸入品は「銅銭」でした。平安時代中期の日本では貨幣の鋳造がされなくなり、「モノ経済」に戻ってしまっていたのですが、平安時代末期ごろから日宋貿易が活発化すると、**貨幣そのものを輸入し、そのまま日本国内で流通させることが商人の間で広まったのです。**鎌倉時代には公的に宋の貨幣を使用することが認められ、本来、米で納めるべき税も貨幣で納められるようになりました（この「宋銭」は、日本のみならず、東南アジアやイラン、アフリカ方面でも流通するようになります。宋で紙幣が発行された背景には、周辺諸国が貿易によって宋銭の獲得を目指したため、宋の国内での銅銭が不足しがちになったということもあるのです）。

元と日本との関係は「元寇」（げんこう）や「蒙古襲来」（もうこしゅうらい）という言葉で知られるように、緊張感を含むものでしたが、日本に侵攻したフビライ自身も、民間レベルの貿易は認めていました。**貿易は活発に行われ、日本も元のユーラシアネットワークの東端に接続されていました。**

蒙古襲来のための出費に苦しんだ鎌倉幕府の御家人たちが困窮し、借金まみれになってしまったことは、鎌倉幕府の基盤を揺るがす経済的な一因になっています。

第5章

世界をかけめぐる銀

大航海時代と明王朝

（15世紀～16世紀）

第5章 大航海時代と明王朝 あらすじ

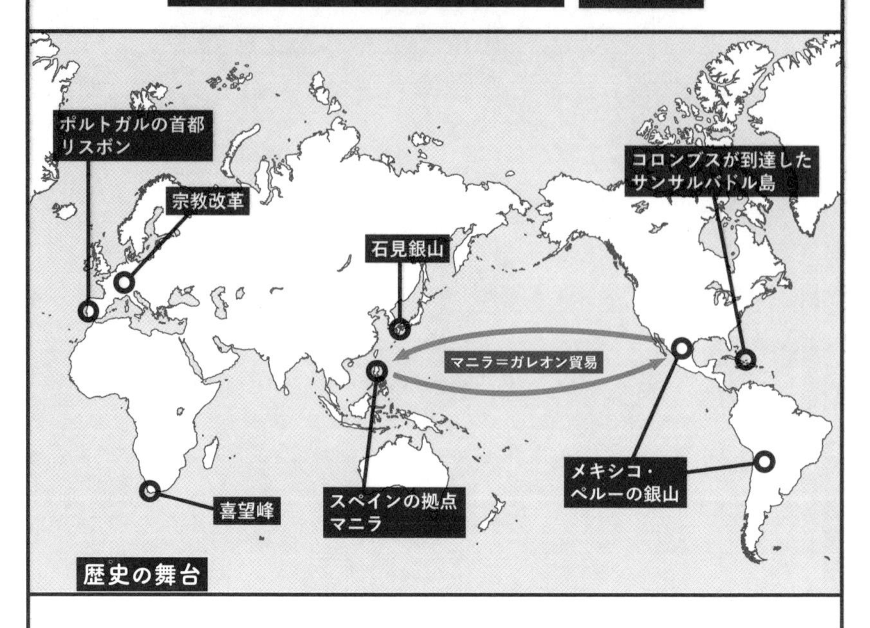

世界が一変した「銀の時代」

本章では大航海時代による世界の一体化の様子を解説します。スペイン・ポルトガルが世界各地を結びつけ、新大陸の銀が世界中を満たしていくことになります。銀が世界をかけめぐることによって、世界の様々な国の社会構造が変化していきます。また、宗教改革やルネサンスといった宗教や文化の世界におけるヨーロッパの変革も、経済の変化を生み出しました。石見銀山を中心とする銀の一大産地である日本も、世界に「銀の島」として知られるようになり、「銀の時代」に加わりました。

第5章 【大航海時代と明王朝】の見取り図

先史
前4

第1章 古代オリエント・ギリシア・殷王朝

前3
3

第2章 ローマ帝国・秦・漢王朝

4
10

第3章 イスラームの誕生と隋・唐王朝

11
14

第4章 商業ルネサンスとモンゴル帝国

15

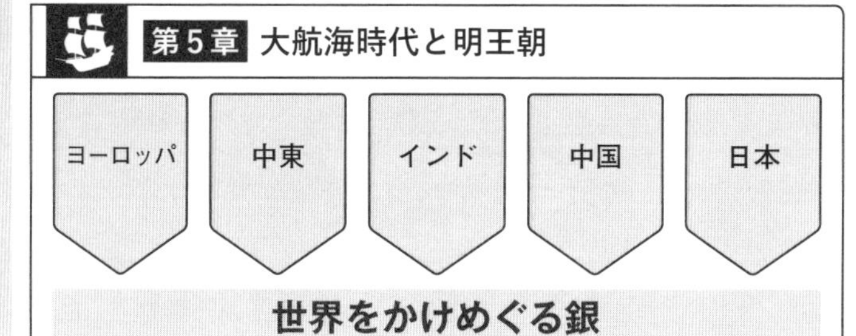

16

アメリカ	スペインが「新大陸」アメリカに進出し、メキシコやペルーの銀山を開発します。そして、その銀が世界中をかけめぐることになります。
ヨーロッパ	大航海時代や、ルネサンスを生んだ都市の発展、資本主義社会を生む背景になった宗教改革など、経済面でもこの時代は大きな転機になりました。
中東	中東からインドにかけて存在した3つの大国が繁栄期を迎えます。ヨーロッパに出兵したりヨーロッパとの貿易で利益をあげたりする国も登場しました。
中国	明王朝は鄭和の大船団を派遣し、朝貢貿易によるそれまでにない広域な経済圏を生み出しました。のちに銀の流入によって、社会構造が変化します。

ルネサンスの「スポンサー」になった大富豪

ヨーロッパに起きた3つの大きな変化

「中世」といわれた時代が終わると、ヨーロッパは「近世」といわれる段階に突入します。「近世」の始まりを告げる事件が、「**ルネサンス**」といわれる文化の変革や、「**大航海時代**」といわれるヨーロッパの国々の一連の海外進出、あるいは「**宗教改革**」といわれるキリスト教世界の革新運動などです。

文化とともに自然科学や社会科学も発展

ルネサンスの文化運動は北イタリアから起こりましたが、多くの芸術家の「スポンサー」として資金を提供したのが北イタリアの商人です。特にローマ教皇も輩出したフィレンツェの大富豪、**メディチ家**は**ミケランジェロ**や**ラファエロ**など、数多くの芸術家をバックアップしています。

後述する大航海時代の到来により、北イタリアの諸都市が経済的に衰退すると、ルネサンスは各国に拡大しました。

絵画や文学のみならず、科学技術も進展し、中国から伝わった活字印刷、羅針盤、火薬の三大発明が「ルネサンスの三大改良」として普及します。自然科学や社会科学の進展から、経済を科学的に見ようという姿勢もおこり、天文学者の**コペルニクス**が出した『貨幣鋳造の方法』という著作には、「お金」について、**金属そのものの価値と貨幣の額面の価値に差が生じた場合、より実質的な価値の低いほうの貨幣が流通し、質の高い金貨・銀貨などはいざというときのために貯蔵されて出回らない**、いわゆる「悪貨が良貨を駆逐する」ことが書かれていることで知られています。

香辛料を求めてアジアに向かうポルトガル

経済に大きなインパクトを与えた大航海時代

「ルネサンス」「大航海時代」「宗教改革」のうち、経済面で最も大きなインパクトを与えたのが「大航海時代」です。第4章で説明した「モンゴル帝国」は陸上交易で世界を一体化させましたが、「大航海時代」のヨーロッパ諸国は、海上交易の面で世界を急速に一体化させたのです。

それまで、海といえば、「地中海」と「インド洋」であった当時のヨーロッパの人々の認識に、「大西洋」と「太平洋」という2つの海が加わり、本格的な世界の一体化が始まったのです。

高まる香辛料の需要

ヨーロッパの人々を海に引き寄せたのは、豊かなアジアの富に対する関心、とりわけ香辛料に対する関心でした。中世の末期ごろから肉食の習慣が普及し、防腐や肉の臭み消しに使う香辛料の需要が高まっていたのです。また、マルコ＝ポーロの『世界の記述』が日本を「黄金の国」ジパングと紹介したことも、アジアの富への興味を高めました。

従来、ヨーロッパ人がアジアの産物を手に入れるには、「オアシスの道」から東地中海に入ったものをイタリアの諸都市を経て手に入れるのが通常でしたが、東地中海の陸路には領土的野心が強い**オスマン帝国**が成長して「通せんぼ」している形になり、アジアの産物が手に入りにくい状況になっていたのです。そのうえ、イタリア商人がそれ以上の価格を上乗せして利益を得ていたため、香辛料は非常に高価なものとなっていました。

そこで、ヨーロッパ諸国はアジア方面に直接アクセスできる海路の開拓に乗り出したのです。その先駆けとなったのが、ヨーロッパの最西端に位置する**ポルトガル**でした。「航海王子」といわれた**エンリケ**や国王**ジョアン２世**といった王族の支援を受け、数多くの航海者が航路開拓に乗り出します。このうち、名を残した航海者として、アフリカ南端の**喜望峰**（きぼうほう）に到達した**バルトロメウ＝ディアス**や、インドの**カリカット**に到達し、コショウをヨーロッパに持ち帰った**ヴァスコ＝ダ＝ガマ**、ブラジルに漂着し、ブラジルがポルトガル領となるきっかけをつくった**カブラル**らがいます。

「点と線」を結ぶポルトガル

ヴァスコ＝ダ＝ガマの航海に先駆けて、**スペイン**は**コロンブス**の航海を支援し、「新大陸」に到達していました（コロンブスはそこを「インド」と主張していましたが）。西へ向かったスペインと、東を目指したポルトガルの間に条約が結ばれ、**スペインは「新大陸」、ポルトガルは「アジア」と、お互いの勢力範囲が決められました。**そのため、メインターゲットをアジアにすることが「割り当てられた」ポルトガルは、ヴァスコ＝ダ＝ガマの航海の成功に大きな期待をかけていたのです。

ポルトガルの勢力範囲となったアジアには、イスラーム教徒たちの海であったインド洋や中国の影響の強い東南アジア諸国が存在します。イスラーム圏や中国の文化圏において、ムスリム商人や中国商人と対抗しながら貿易の拠点をつくるわけなので、艦隊を派遣して港町を占領するか、お願いをして居住権を認めてもらうしかありません。インドのゴア、マレー半島の**マラッカ**、スリランカには軍事的な占領を行い、中国の**マカオ**は明王朝から居住権を認めてもらいました。

本国のポルトガルはヨーロッパの中でも人口が少ない国なので、大規模な軍事行動により豊富な人口を抱えるアジアの国々を征服することができませんでした。拠点と交易路の維持を行い、それらの港町を結んで貿易の利益を得ることがポルトガルの貿易戦略になります。**ポルトガルの貿易戦略は「点と線」であったといえます。**

アジアをつないだポルトガル商人

ポルトガルの首都、**リスボン**にはアジアからもたらされた香辛料や絹が集まり、一時は世界商業の中心になりました。アジアの産物をポルトガルに持ち帰る遠距離貿易のみならず、「マカオで買い付けた中国産の絹をポルトガル人がマラッカやインドに運んで売る」など、**ポルトガル人がアジアの拠点どうしを結んだ貿易も行っていました。**日本に鉄砲を伝えたとされる人物はこうしたアジア貿易に従事していたポルトガル人が、中国船に乗り、日本に漂着したものと推測されています。

のちに日本もこのポルトガルの交易ルートに組み込まれ、平戸や長崎に商館が置かれ、西日本の大名たちの「南蛮貿易」の相手になりました。「ボタン」「コップ」「コンペイトウ」「テンプラ」という、**現在の日本で使われている言葉には、ポルトガル商人が日本に持ち込んだものが数多く存在しています。**

図 5-1 「点と線」で世界をつないだポルトガル

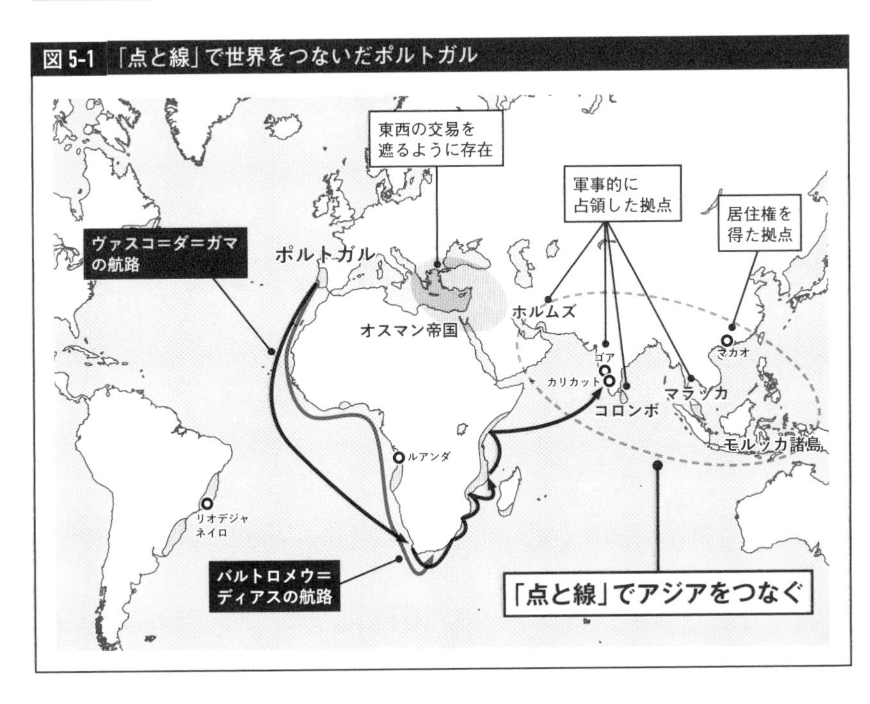

新大陸に到達し、スペインの飛躍が始まる

大西洋航路を開拓したスペイン

一方、スペインにおける大航海時代の先陣を切ったのが**コロンブス**です。

コロンブス本人は北イタリアのジェノヴァの出身で、スペイン人ではないものの、大地が球体であり、西に進むことがインドへの近道であるというプレゼンテーションがスペイン王室に受け入れられ、スペインの援助を受けることになったのです。

当時、すでにポルトガルはバルトロメウ＝ディアスが喜望峰に到達していたため、スペインはポルトガルとの競争に勝ちたいという意味でも、コ

図 5-2 「面」的な支配を行ったスペイン

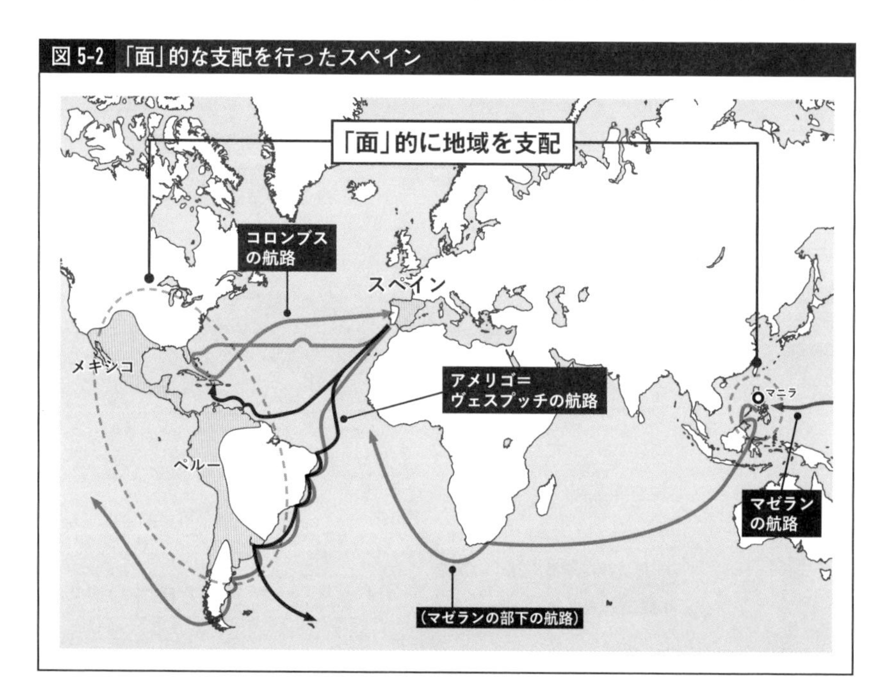

ロンブスに「白羽の矢」を立てたのです。コロンブスは２か月あまりの航海の末、「新大陸」に到達し、その地を「インド」と主張し続けました（その後も、コロンブスは新大陸に向けて４度の航海を行いますが、「インド」に到達した確証は得られませんでした）。しかし、イタリアの航海者、**アメリゴ＝ヴェスプッチ**が南米を調査し、この地が「インド」ではなく、「新大陸」であることが確認されたのです。「アメリゴ」の、この功績から、「新大陸」は「アメリカ」と名付けられました。

次いで、スペイン王室は世界一周の航路開拓に乗り出します。このときに白羽の矢が立ったのは、ポルトガル出身の航海者、**マゼラン**です。マゼランは西回りの航路で太平洋を渡り、フィリピンに到達しますが、フィリピンのとある島の王との戦いで戦死してしまいます。ただし、マゼランの部下がヨーロッパに帰還したため、世界周航が「完成」したとされます。

地球を勝手に「分割」した条約

ポルトガル王室とスペイン王室は親戚であり、王室自体の関係は悪くありませんでしたが、大航海時代の航路開拓においてはライバルとして激しく競争していました。そこで、両国が「発見」した土地で紛争が起きないように、度々、勢力範囲を決めています。コロンブスの航海により、西に陸地が存在することがわかると、**トルデシリャス条約**という、勢力範囲を定める条約が結ばれました。この条約によると、現在のリオデジャネイロ付近に、東西に分ける線が引かれ、その西がスペインの勢力圏、その東がポルトガルの勢力圏とされました。

その後、マゼランらにより地球が球体であることが確認されると、もう一本の線を地球に引くことが必要になりました。それが、アジアでの勢力圏を定めた**サラゴサ条約**です。この条約によれば、勢力圏を示す線は日本の上を通り、ポルトガル・スペイン両国が「勝手に」勢力圏を定めていたことがわかります。

この結果、ポルトガルとスペインの両国の勢力範囲が確定します。

図5-3　地球を「分割」したスペインとポルトガル

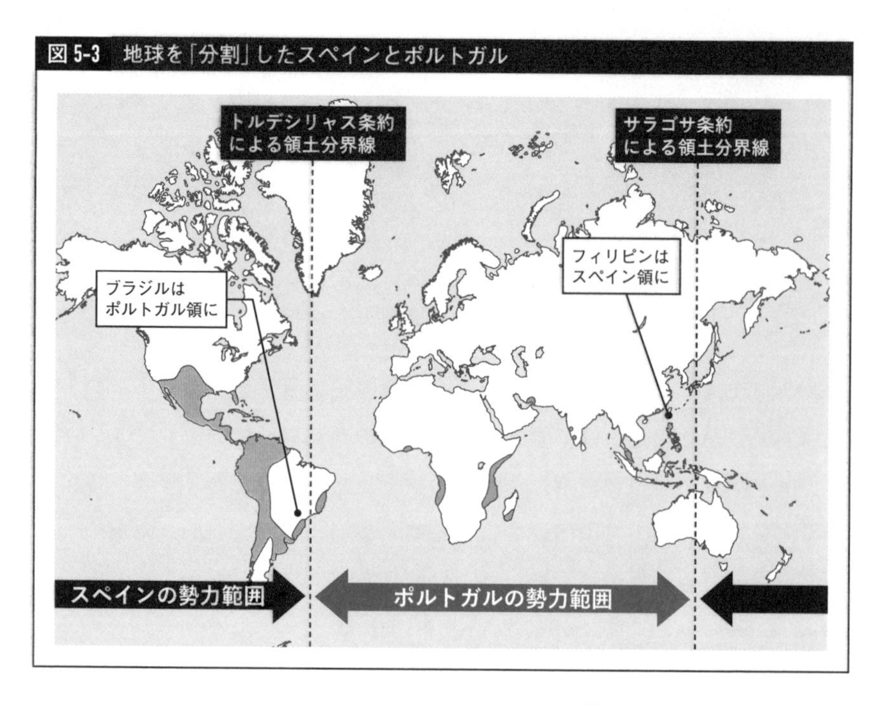

ポルトガルは、アジアとブラジルを勢力圏とし、スペインは「新大陸」に加え、ポルトガルがその領有宣言を追認したフィリピンを勢力圏としました。

新大陸を「面」で支配したスペイン

「点と線」のポルトガルに対して、**スペインの海外進出の特徴は、新大陸の「面的」な支配にあります。**スペインは新大陸に「コンキスタドール」といわれた征服者を送り込んで軍事的に征服し、その後はその地を「経営」して利益を出していくことを目指しました。**コルテス**や**ピサロ**といったコンキスタドールたちは兵を率い、**アステカ王国**や**インカ帝国**を滅ぼしました。

こうして手に入れた征服地を、スペインは**エンコミエンダ**という仕組みで統治しました。征服者らに先住民を割り当てて支配させ、その労働力を使うことを認める代わりに、先住民の保護と彼らに対するキリスト教への改宗を義務付ける仕組みです。

「先住民の保護」といっても、その支配は過酷をきわめ、鉱山での強制労働やサトウキビのプランテーションでの酷使によって、また、ヨーロッパから入ってきた疫病によって、多数の先住民が亡くなりました。先住民のうち、10人に９人は亡くなったという記録も残っています。

先住民の減少を補うため、アフリカから多数の奴隷が連れてこられることになり、ヨーロッパとアメリカ大陸、アフリカ大陸が結びつき、１つの経済圏となり始めました。

スペイン人が盛んに経営したのが、銀山です。ボリビアの**ポトシ**やメキシコで大規模な銀山が発見されたのです。

「銀貨」が貨幣の中心だったヨーロッパ世界の人々にとって、大規模な銀山が見つかった新大陸は、まさに「お金がザクザクとれる」地に見えたことでしょう。

また、サトウキビの大農園も営むことになり、**スペインの海外進出は「貿易」だけでなく、「経営」の要素も含む、資本主義的なものとなりました。**

図 5-4　世界の「一体化」が大西洋で始まった

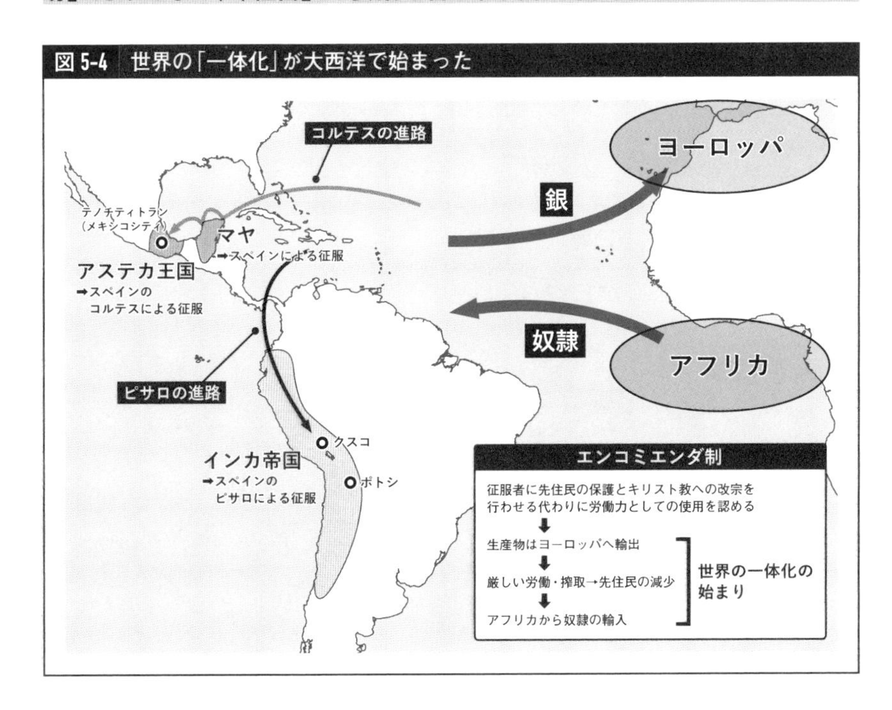

大航海時代で変わる人々の暮らし

商業の中心は大西洋沿岸に

ポルトガルやスペインの海外進出によって、アジアの香辛料や絹、アメリカの銀や砂糖がヨーロッパに持ち込まれるようになると、ヨーロッパの人々の注目は大西洋沿岸に注がれるようになります。従来の海上貿易の中心を担っていたイタリア沿岸の都市は、大西洋での貿易に参入するためにはジブラルタル海峡を越えるという「ひと手間」がかかりますので、どうしても競争には不利でした。

この「地中海」から「大西洋」への商業の中心のシフトを「商業革命」

図 5-5 商業の中心は地中海から大西洋へ

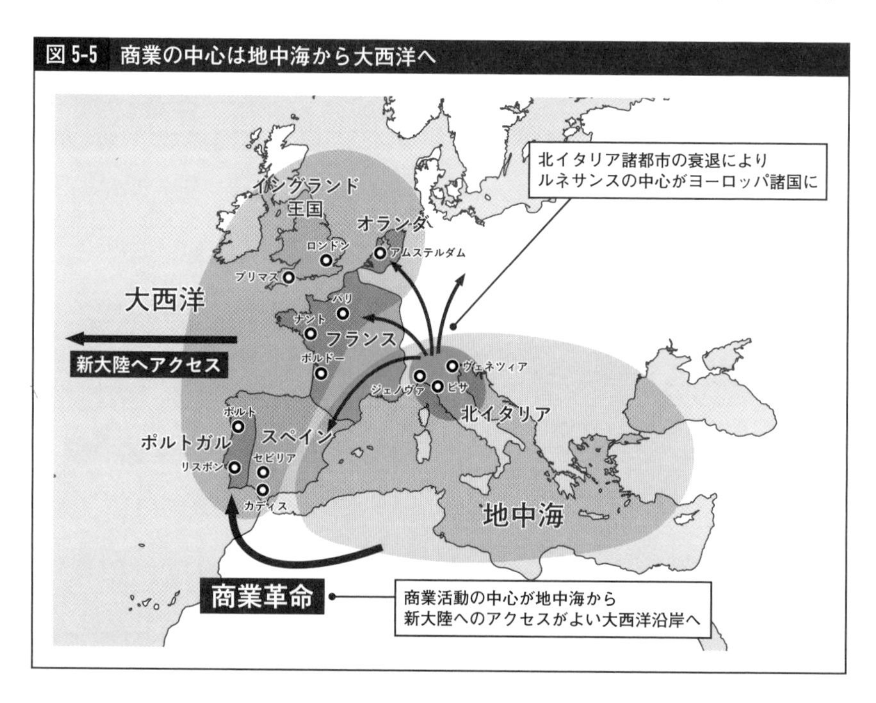

といいます。**この商業革命によって恩恵を受けたのはイギリス、フランス、オランダといった大西洋沿岸の国々です。**

大航海時代が変えた新たなライフスタイル

また、大航海時代によってもたらされた新大陸の産物は、人々の生活や食文化を変える「生活革命」を世界にもたらしました。メキシコで栽培されていたトウモロコシは世界的にも主要な食糧や畜産飼料となりました（現在でも世界の飼料の半分以上はトウモロコシを原料としています）。トマトはスペインやイタリア料理には欠かせない素材ですし、アンデス高地が原産のジャガイモは低温でやせた土壌でも栽培できるため、東ヨーロッパやアイルランドで盛んに食されました。また、トウガラシは東南アジアや朝鮮半島、中国の四川地方には欠かせない香辛料となっています。カリブ海周辺の風土病と推測されている梅毒は、コロンブス一行がヨーロッパに持ち帰り流行したといわれています。

図 5-6　大航海時代が世界の暮らしを変えた

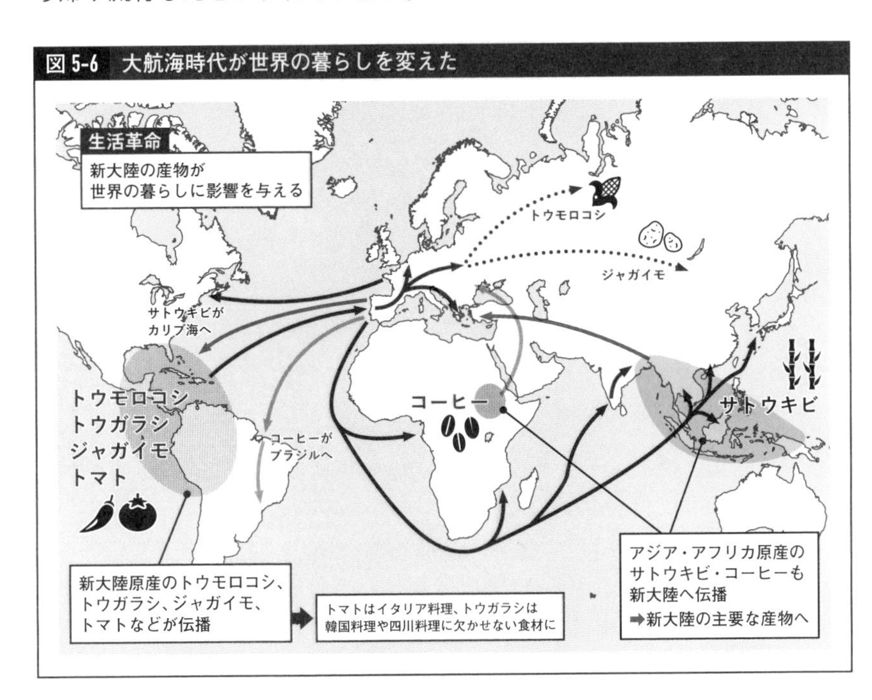

宗教改革が「経済の変化」も生んだ

宗教改革の経済的背景

「ルネサンス」「大航海時代」に並ぶヨーロッパ社会の変化が、「**宗教改革**」です。ドイツのルターやスイスのカルヴァンらの教会改革運動により、キリスト教世界が「カトリック」と「プロテスタント」という宗派に分かれるという大きな変革が起きましたが、この宗教改革の背景にも経済が深く絡んでいるのです。

カトリック教会が「免罪符」を売ったわけ

カトリック教会のありかたに異を唱え、ドイツにおける本格的な宗教改革を起こしたのが**ルター**です。このルターによるカトリック批判の矛先となったのが、カトリック教会における「**贖宥状**（しょくゆうじょう）」（免罪符）の販売です。

贖宥状は、「ローマ教皇の**レオ10世**がサン＝ピエトロ大聖堂の修築費用を稼ぎ出すために販売した」とされていますが、そこに一枚かんでいたのが、アウクスブルクの大富豪、フッガー家です。フッガー家は、ドイツのマインツという都市の大司教に莫大なお金を貸し付けていたのです。

「大司教」というのはカトリック教会における高位の聖職者であり、ローマ教皇から任命されれば高い宗教的権威と貴族のような暮らしができるという地位です。マインツ大司教は、この地位を得るための活動資金をフッガー家に借りていたのです。ローマ教皇のレオ10世はそこに目をつけ、この「収入源がどうしてもほしい」マインツ大司教に、贖宥状の販売をさせたのです（当時のドイツは多くの小国に分かれており、領主の力も強くなかったため、カトリック教会が領内で「商売」を行っても、あまり制限を受けることがなかったのです)。

「罪を犯しても、買えば償いを免除され魂が救済される」という贖宥状は、救いを求める信者たちに飛ぶように売れ、大司教も教皇も大きな利益を得ました。

この贖宥状の販売に疑問をもち、「純粋な信仰によってのみ人は罪をゆるされるのだ」と唱えたのがルターだったのです。

資本主義の精神的背景となった宗教改革

カトリック批判の運動を起こしたもうひとりの代表的人物が**カルヴァン**です。カルヴァンはスイスで教会改革運動を起こしますが、その主張の1つが、**お金を貯めることと、利息をとってお金を貸すことを容認することでした。**

ユダヤ教とキリスト教の教典である旧約聖書には「外国人から利息をとってもよいが、同胞から利息をとってはならない」とあり、これに従い、カトリック教会は利息をとることを厳禁していたのです(一方、ユダヤ教徒にとってキリスト教徒は「同胞」ではないという解釈のため、「ユダヤの商人」たちは高利貸しを営むことができたのです)。それまで利子をとっていたキリスト教徒の金融業も、「両替の手数料」や「返済が遅れた『罰金』」に偽装して、表面上は「利子」であることを隠していたのです。

カルヴァンはこの考えに対し、「神の教えに沿い、神から与えられた仕事を勤勉に行った結果として(まじめに働いた結果として)、お金が貯まることはよいこと」、「富を富者だけのものにするのではなく、貧者を助けるために貸すことはよいこと」と唱え、利子は「お金による助け合いを促進し」、「全体の福祉」の向上のために許容すべきものだと主張しました。

この考えはお金を稼ぎたい市民階級、特に商工業者や金融業者に歓迎され、広まることになります。のちにドイツの社会学者、マックス=ヴェーバーは、カルヴァンの考えが商工業や金融業の発達の背景となり、資本主義社会を生み出したと論じています。

繁栄を迎えたアジアの3王朝

オスマン帝国・サファヴィー朝・ムガル帝国

中東からイラン、インド方面に目を向けると、**オスマン帝国**、**サファヴィー朝**、**ムガル帝国**という３つの巨大なイスラーム王朝が成立し、最盛期を迎えています。オスマン帝国は強大な軍事力をもち、しばしばヨーロッパに兵を出しました。サファヴィー朝はヨーロッパ諸国と外交、通商関係を結び、繁栄します。ムガル帝国はイスラーム教徒とヒンドゥー教徒の融和を図るため、税制面で不公平がないように改革を行いました。**しかし、のちにこの３か国ともにヨーロッパ諸国の圧迫を受けることになります。**

図 5-7　大航海時代のきっかけとなったオスマン帝国の繁栄

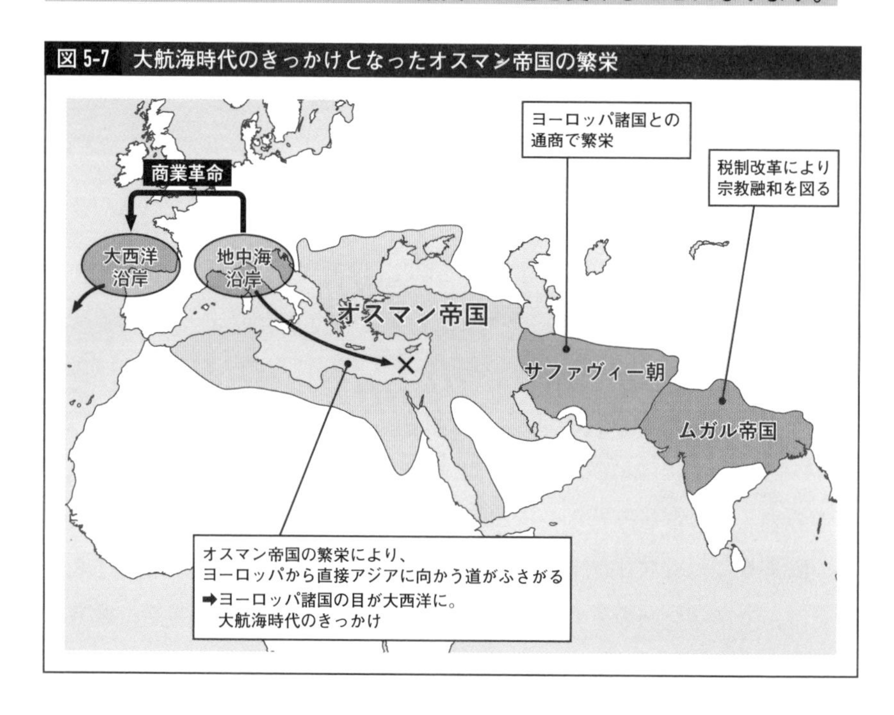

大航海時代よりも前に起きていた明の「大航海」

鄭和の大航海

モンゴル帝国の一角だった元が滅亡すると、新たに明王朝が成立しました。じつは、明王朝にも、ヨーロッパの「大航海時代」にも比較される「大航海」の時代がありました。それが、明の初期に行われた「**鄭和の大航海**」です。明王朝は**鄭和**という人物に大船団を率いさせ、東南アジアからインド、遠くアフリカ東岸まで派遣したのです。

鄭和の船団は全長が120mもの巨船を、62隻の船団にし、乗組員は全部で2万8000人という壮大なものでした。コロンブスの航海に使われた船の全長は30mたらずで、3隻の船に総員90名の乗組員ということを考えれば、いかに鄭和の航海が壮大だったかがわかります。

ただ、**航海は壮大だったものの、明にとっては既知のインド洋航路を使って明の権威を見せつけに行ったという性格が強かったため、ヨーロッパ諸国が地理的発見とそれに伴う利益を得たことに比べると、後世における明の「大航海」の影響は、はるかに小さなものでした。**

海禁政策と朝貢貿易

「鄭和の大航海」の背景として、元の末期の混乱期以降、海上の治安が乱れ、「倭寇」と呼ばれた海賊集団が登場したことがあります。明は治安維持のために「海禁政策」をとり、民間の海外貿易を禁じて「国家間の貢ぎ物のやりとり（**朝貢貿易**）」に貿易を一本化する政策をとりました。鄭和は、この「朝貢貿易」の勧誘のため、各国に派遣されたのです。

「朝貢貿易」は、明に対して周辺国が下位の立場になり、明に「貢ぎ物」

としてモノを輸出する形式の貿易でした。

周辺国は明王朝に対して下の立場となり、臣下としてふるまわなければなりませんでしたが、明は上位の立場をもつ者として、「貢ぎ物」よりもさらに多額の「授け物」を返さなければなりません。**「朝貢貿易」は、明にとっては周辺諸国に利益を授ける代わりに安全保障を確保でき、周辺諸国にとっては多額の「授け物」としての輸入品が得られる、という双方にメリットのあるものだったのです。**

「地の利」で繁栄したマラッカ

鄭和の大航海により、多くの東南アジア諸国が明に朝貢を行うようになりました。特に、マレー半島の**マラッカ王国**は中国との朝貢貿易を積極的に行うとともに、東南アジア・インドの諸国との中継貿易で繁栄しました。しかし、マラッカ王国はポルトガルの占領を受け、**その後、マラッカは「地の利」に着目したオランダやイギリスの拠点となっていきます。**

図 5-8　明の鄭和によるもう1つの「大航海」

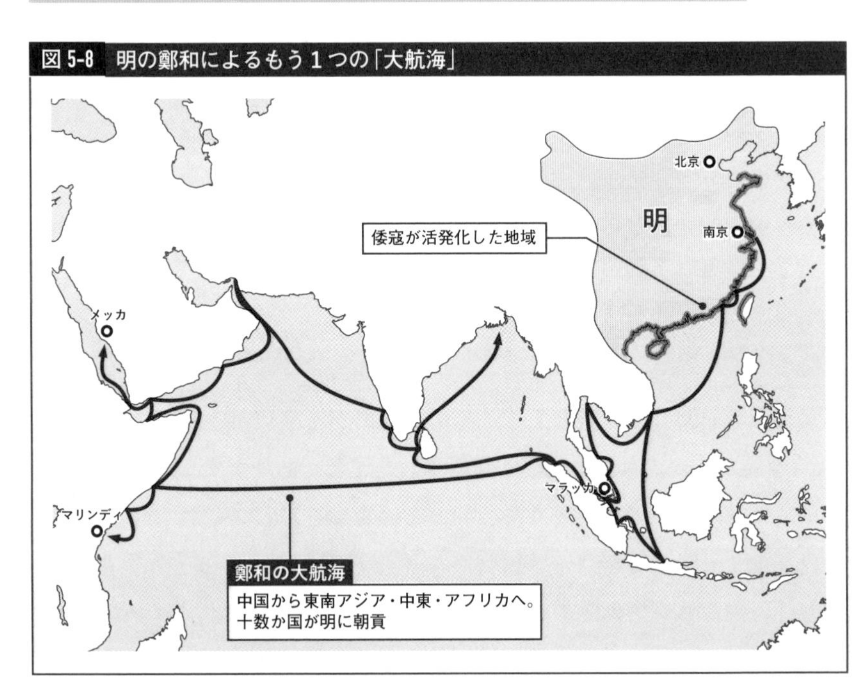

鎌倉・室町と進む貨幣経済

「カネ社会」になる日本

鎌倉時代後期の日本では、武士や庶民にも貨幣経済が浸透し、いたるところで定期市が開かれ、高利貸しを営む業者も多く登場しました。また、各地で特産物が生産され、行商人によって流通していきました。

室町時代になると、貨幣経済化がさらに進み、室町幕府の税は貨幣での徴収が多くなります。農民が領主に納める年貢も貨幣に換算され、貨幣の形で納めることが一般的になりました。そして貨幣の需要が高まる中、慢性的な貨幣不足が生じるようになったのです。

日明貿易を行った足利義満

明の「朝貢貿易」の体制に加わったのは日本も例外ではありませんでした。室町幕府の３代将軍、**足利義満**は朝貢貿易の利益を求め、明と国交を結び、日本国王としての称号を受けました。**幕府は朝貢貿易によって明から「永楽通宝」などの銅銭を輸入し、流通させていたのです。**

しかし、貨幣不足はなかなか解消されず、ついには「**私鋳銭**」といわれる、民間でのにせ金づくりが横行するようになります。銅銭を砂や粘土に押し付けて型をとり、そこに銅を注いでつくったのです。銅銭のコピーの、そのまたコピー…という形で、文字が読めなくなるほど質の悪い銅銭がつくられ、流通が滞ることもありました。

応仁の乱によって幕府が弱体化すると、細川氏や大内氏といった守護大名たちが日明貿易を担うようになり、細川氏や大内氏が衰退・滅亡したのちには商人による私的な貿易や密貿易が主流になっていきます。

図 5-9　中継貿易で発展した琉球

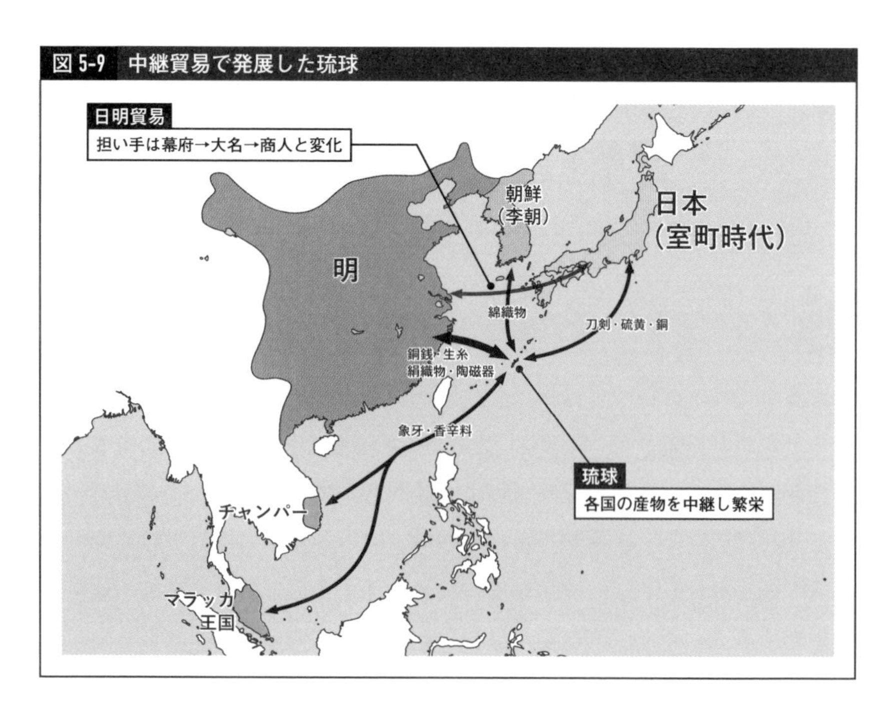

さらに戦国時代にポルトガルやスペインの船が来航するようになると、西日本の戦国大名たちを中心に**南蛮貿易**が行われるようになりました。戦国大名が南蛮貿易で輸入した鉄砲は日本でも生産されるようになり、戦国時代の後期には勝敗を決定づける兵器となっていきます。

アジア交易の「ハブ」となった琉球王国

日本では室町幕府の中ごろにあたる時代、不統一だった琉球が統一され、いわゆる「琉球王国」が形成されました。**琉球は、生産物は少ないものの、日本、朝鮮、明、東南アジアのいずれにもアクセスできる東アジアの交易の中心地として、中継貿易で繁栄したのです。**

明との朝貢貿易も、琉球王は明王朝から称号を受け、盛んに朝貢の船を出しました。琉球が明へ朝貢使節を送った回数は、150回以上にものぼり、日本の19回、マラッカ王国の23回と比較すると、琉球王国の繁栄が明との朝貢関係を利用したものであることがわかります。

「カネ」と「モノ」の関係が大きく変化した

銀が世界を「かけめぐった」時代

大航海時代を経て、スペインが支配するボリビアやメキシコから大量の銀がヨーロッパに運び込まれるようになると、**世界の経済は「銀」を中心に回るようになります。**大航海時代以後の「銀が世界をかけめぐった時代」を見ていきましょう。

貨幣の「スタンダード」となったメキシコドル

スペインが支配した中南米で銀山が次々に発見されると、スペインは「メキシコドル」といわれる、それまでスペインが発行していたものの８倍の重量をもつ大型の銀貨をつくらせ、ヨーロッパに続々と持ち込みました。この「メキシコドル」は新大陸やアジアでも流通し、国際貿易の決済手段として長く使われます。**メキシコドルの重量、約27ｇは、のちのアメリカの１ドル銀貨、明治時代の１円銀貨と同じ重さで、のちの貨幣の「標準」となったことがわかります。**

それまでの人々が知っている量の数倍の量の銀がヨーロッパに流れ込んだことで、「モノ」と「銀」の価格の関係が大きく変化しました。銀はより「ありふれた」存在になり、「モノ」の価格が相対的に上昇したのです。**ヨーロッパの物価が急激に上昇するインフレーションが発生し、物価が２～３倍にもなったといわれます。これが「価格革命」といわれる事件です。**

大航海時代の社会・経済の影響のうち、すでに「商業革命」と「生活革命」についてはお話ししましたが、この「価格革命」はその両者をしのぐほどの大きな変化をヨーロッパにもたらしたのです。

変わる支配者たちの「立ち位置」

領主と農奴たちの関係の変化

「価格革命」による社会の変化の具体的な例を見ていきましょう。

西ヨーロッパでは銀貨があふれ、「価格革命」が起きています。それまで領主に支配されていた農奴も、余った生産物を市場に売れば、多くの貨幣を手に入れることができるようになりました。

一方、領主たちはそれまでどおり、貨幣で税をとっていました。インフレーションが進行していく中での貨幣による税なので、ある年に「おい、農奴たち、銀貨5枚よこせ！」というのと、10年後に「おい、農奴たち、銀貨5枚よこせ！」というのでは、まったく違う価値をもつのです。

領主にとっては、毎年同じように課税しているつもりでも、農奴にとっては、年々、「余裕」で税を払えるようになっていくのです。一方、領主はそれが「大航海時代によるインフレ」であるとはつゆ知らず、手にした税額のわりに買えるモノは少なくなり、次第に困窮するようになります。

領主たちが没落し、王が力を握った

こうして農奴と領主の関係は崩れていき、王をしのぐほど強い力をもっていた領主は没落し、完全に王の権威にひれ伏すようになりました。中央集権化はますます進み、「絶対」ともいえる王権により統治される国家が誕生していきます。このように、**貨幣の流通量と価値の関係はしばしば、支配者と支配される者の関係を変えることがあるのです。**経済学が発達した現在においても、インフレーション、デフレーションをコントロールすることは難しく、時の政権担当者たちをつねに悩ませているのです。

銀をほしがる東ヨーロッパ世界の動き

穀物を売るために農奴制を強化

西ヨーロッパでは、銀の流入によって農奴制が崩れていきましたが、東ヨーロッパでは農奴制の強化という、まったく逆のことが起きていました。

東ヨーロッパ世界から見ると、新大陸から銀が流れ込んできて活発な経済活動が行われている大西洋沿岸の西ヨーロッパは、あたかも貨幣が「湧き出している」ような経済先進地域に見えたことでしょう。なんとか、その「おこぼれ」にあずかり、多くの銀貨をせしめたいと思ったのです。

そこで、東ヨーロッパの領主は西ヨーロッパに穀物を輸出して儲けようと考え、穀物を増産するために農奴制を強化し、取り立てを厳しくしたのです。西ヨーロッパ側も経済発展により人口が増加し、穀物の需要が高まっているため、盛んに穀物を輸入しました。

西ヨーロッパは商工業に力を入れる一方、東ヨーロッパは食糧増産に力を入れるという東西ヨーロッパの分業体制が形成され、その後のヨーロッパ経済の構図ができたのです。

図 5-10 ヨーロッパを変えた「価格革命」

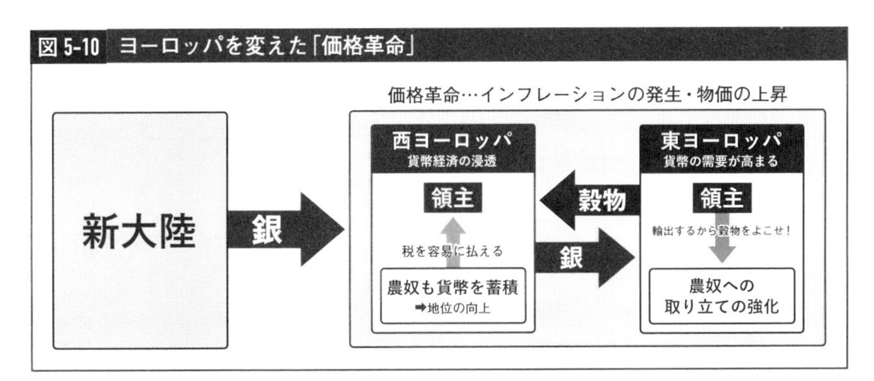

マニラを「結び目」にして世界がつながる

アジアの産物と銀を運んだ「ガレオン船」

視野を拡大し、世界的な「銀の流れ」を見ていきましょう。スペインはメキシコやボリビアの銀をヨーロッパに運ぶ一方、メキシコの**アカプルコ**とフィリピンの**マニラ**を結ぶ航路を開き、太平洋を横切ってフィリピンにも銀を運びました。この貿易に使われたのが、当時の最大級の船、「ガレオン船」であったため、この貿易は**マニラ=ガレオン貿易**ともいいます。

マニラに持ち込まれた銀は、東南アジアの香辛料や、中国の生糸や陶磁器、インド産の綿布などの買い付けに使われ、逆のルートをたどってメキ

図 5-11 世界をつなぐ「マニラ=ガレオン貿易」

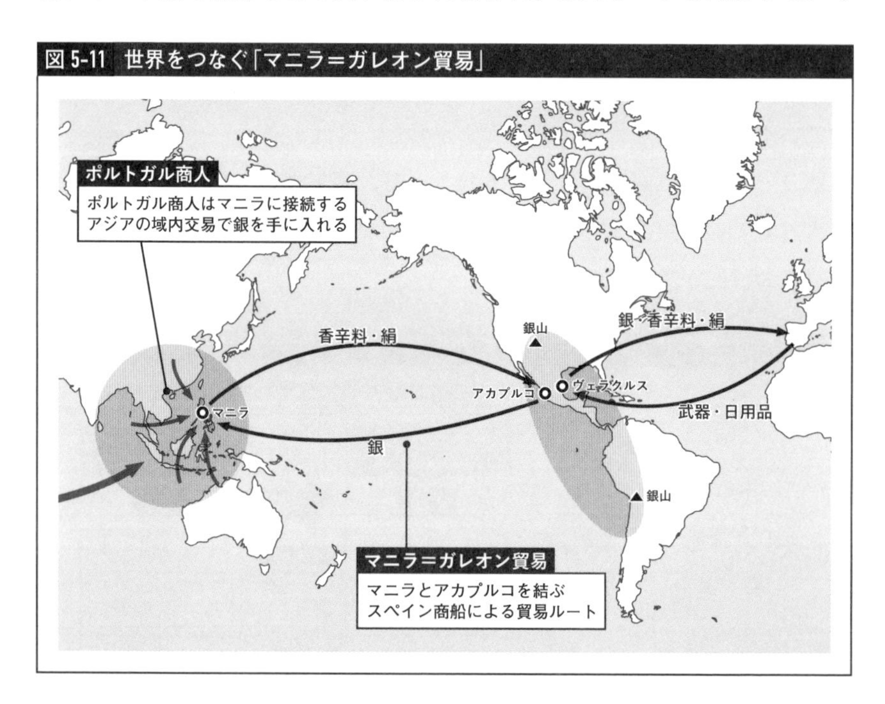

シコへ運ばれ、メキシコを陸送で横断し、大西洋をわたってスペインに運ばれました。このマニラ＝ガレオン貿易はアメリカが太平洋に進出するまで続けられ、スペインの経済を支えていくのです。

アジア各地からも銀を求めてマニラに

一方、ポルトガルはスペインのように、銀の生産地を直接支配下におさめていないため、スペインの銀を貿易によって獲得するほかありません。そこでポルトガルはインド、東南アジア、中国の産物をマニラに運び、銀を得るという中継貿易に力を入れるようになったのです。**「スペインが有する新大陸の銀」と、「ポルトガルが有するアジアの香辛料や絹など」を、フィリピンで交換するという構図になるのです。**

当初、明は「朝貢貿易」のみを許し、民間の貿易は認めないという海禁政策をとっていたため、ポルトガル人が中国産品を持ち出すためには非合法の手段しかありませんでした。東シナ海沿岸の人々からなる、武装した密貿易商人たちにポルトガル人も加わり、中国の生産品を取引していたのです。明の後半になると、海禁政策が緩んだため、ポルトガル商人の出入りも黙認されるようになりました。

日本に鉄砲を伝えたポルトガル人も、倭寇の頭領であった中国人の船に乗っている途中で日本に漂着したと考えられています。**ポルトガルは日本という新しい貿易相手を知り、中南米にも匹敵するほどの銀の産地であることを知ると、日本の諸大名との貿易に力を入れるようになります。**

東南アジア・東アジア市場の変化

ポルトガルが本格的な中継貿易に参入し、インドのゴアからマラッカ、マカオ、日本の平戸という航路を確立すると、それまで東南アジアや東アジアの中継貿易で繁栄していたマラッカや琉球などは衰退に向かいます。

マラッカはポルトガルの占領を受け、琉球は薩摩の島津氏の支配下に入りました。

大航海時代は「大海賊の時代」だった

「カリブの海賊」が登場したワケ

銀が世界中をかけめぐり、銀と交換された世界中の貿易品が世界をめぐるようになると、「海賊」の活動も活発になりました。**銀や貴重な貿易品を満載した船が世界中にあるので、そこを襲えば積荷が手に入ります。**特に、スペインの商船が、植民地から出て間もなくの「カリブ海」付近で襲われることが多く、「カリブの海賊」の出現はこの時代のスペイン商船にとっては最も忌まわしいことでした。

この海賊行為に目を付けたのが、フランスやイギリス、オランダなどの国々です。彼らはライバル国だったスペインの国力を弱めるため、海賊のバックアップをします。フランスは海賊行為を合法にし、スペイン領のオランダはスペインからの独立を目指してスペインの弱体化を図りました。イギリスの**ドレーク**は国王**エリザベス１世**の支援を受けて世界周航を行い、途中、太平洋のスペインの拠点を荒らしまわった代表的な海賊です。スペイン商船からは「ドラコ（ドラゴン)」と呼ばれておそれられました。

図 5-12　海賊が出没した海域

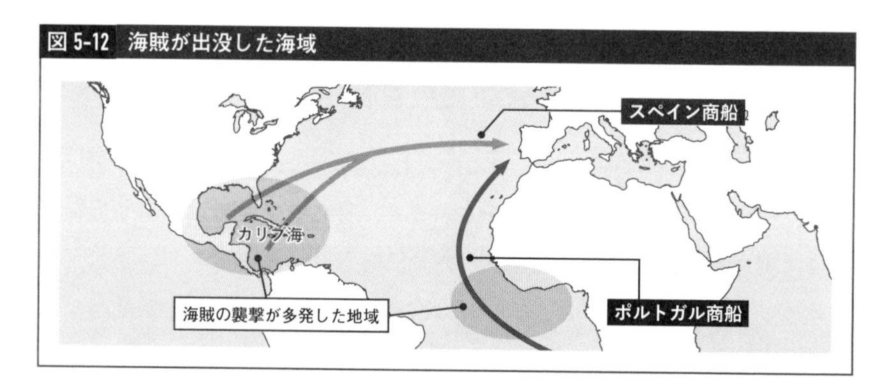

南から北へ、明王朝を流れる銀

「銀ベース」となった明の税制

世界の銀の流通量が増加していくと、海禁政策をとっていた明にも少しずつ銀が流入していきます。明の初期には米や労働による徴税が一般的でしたが、次第に銀で集めたほうが都合がよくなり、**一条鞭法**（いちじょうべんぽう）という税制改革によって、納税方法を銀に一本化するようになりました。

明は「北虜・南倭」といわれるような北方の異民族や南方の海賊集団に悩まされており、万里の長城の修築費用や海賊集団の略奪に対抗するための軍事費をまかなうために民衆の税を重くします。民衆は税を銀で納めなければならないので、銀を手に入れなければなりません。

現金収入を求めた明の民衆

そこで、民衆たちは銀を得るため、副業に精を出すようになります。食料用の穀物を生産するかたわら、生糸や綿糸を生産し、販売したのです。

特に、宋の時代には米の一大生産地だった長江下流域で、こうした農村の手工業者が「現金収入」を求めて、盛んに桑や綿花の作付けを行いました。米の生産力は一歩後退し、米の生産の中心は長江中流域に移ります。

密貿易商人やポルトガル商人が長江下流域や中国の南東の沿岸に銀を持ち込み、農村の手工業者が銀を手に入れ、その銀の一部は長江中流域の米の購入に使われて中国内部にも銀が流れ込み、その銀を明の政府が税として徴収し、中国の北方の防衛費や万里の長城の修築費にあてるという、**「中国南東部から内陸へ、それから北へ」という、中国内部での銀の大きな流れができました。**

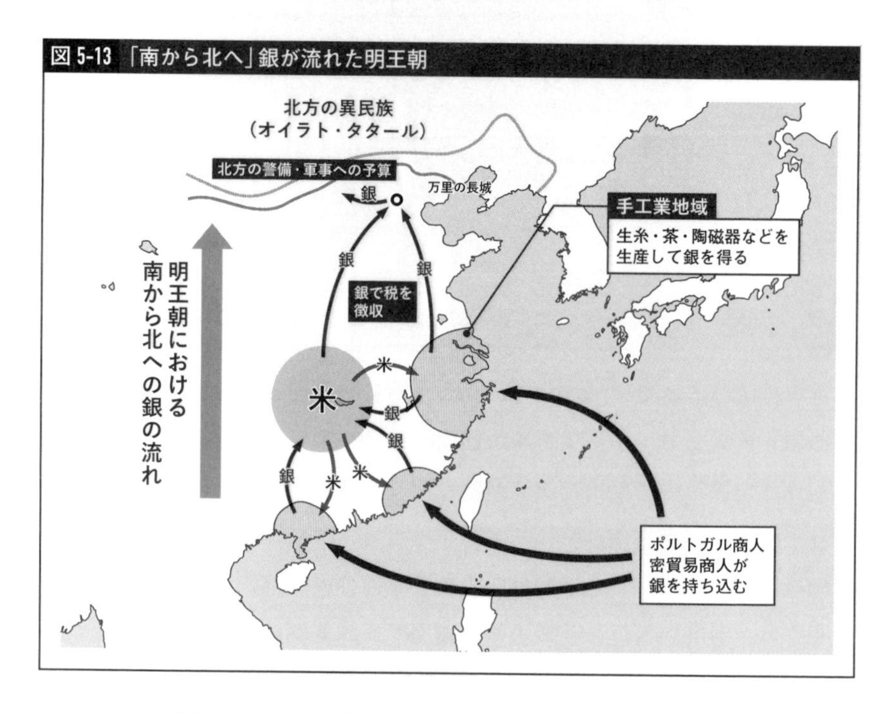

図 5-13 「南から北へ」銀が流れた明王朝

特に、中国産の生糸は密貿易商人やポルトガル商人によって日本や東南アジアに運ばれ、スペイン商人によってフィリピンからアメリカ大陸、そしてヨーロッパへと輸出され、世界に広がりました。

明の末期には海禁政策が緩和され、民間の商人が貿易を行えるようになりました。その結果、明への銀の流入量は一気に増加しました。

銀の流入によって起きた貧富の差

中国において、こうした「銀」の流入による利益は、搾取される側の農民の手に入るものではありませんでした。農民は米や生糸や綿糸を売って銀を得ても、重税ですぐに手放さなければなりません。生産物を換金するときに商人に安く買いたたかれることも多く、トラブルによって暴動が起こることもありました。利益を得たのは、政府と結びつき、軍需物資を買い付けて北方に送る特権商人や、税を扱う部署の役人、そして高利貸しなどでした。彼らは都市に居住し、ぜいたくをきわめました。

経済史上に名を残す「銀の島」日本

世界的な大銀山だった石見銀山

室町時代から戦国時代にかけて、**日明貿易や密貿易にかかわった中国商人たち、また、ポルトガル商人が日本にアクセスするようになると、次第に、日本が世界有数の銀の生産国であることが明るみにでます。**

日本は当時、世界の銀の３分の１を産出したという推定もされており、メキシコやボリビアなどの中南米に匹敵するほどの銀の産地でした。その中でも**石見銀山**（いわみぎんざん）は当時の日本最大の銀山であり、日本から輸出された銀の大半がもとをたどればここで産出された銀と推定されるほどの大銀山でした。現在、この銀山の跡は世界遺産にも指定されています。

「銀の島」をねらった商人たち

この「銀の島」日本に積極的にアプローチしたのが中国の密貿易商人とポルトガル商人です。明の時代の中国は慢性的な銀不足であり、中国の密貿易商人に日本の商人も加わり、海禁政策による取り締まりに対抗して武装し、倭寇集団が形成されました。

ポルトガルは、銀の獲得という面ではスペインに一歩遅れをとっていましたが、勢力圏のアジアに「銀の島」を見つけたわけです。その銀を手に入れるため、日本に積極的にアプローチすることになります。鉄砲伝来以来、日本の戦国大名は盛んに鉄砲を求めました。また、戦国の大大名や都市の豪商が身にまとう豪華な絹織物の需要も高まっていました。

そこで、ポルトガル商人は本国から鉄砲を持ち込み、また、中国から生糸を買い付けて戦国大名や博多、堺の大商人に売って銀を得るという「南蛮貿易」を行うようになりました。この「南蛮貿易」の利を見たスペイン船もフィリピンから来航し、「南蛮貿易」に加わるようになります。

歴史ドラマで見るような、「天下人」たちが身にまとっていた豪華な絹織物に使われた生糸は、このような経緯で日本に入ってきたのです。

「銀づかいの西日本、金づかいの東日本」

南蛮貿易は、主に西日本の大名が盛んに行っていたため、対外貿易の多い西日本は「銀」を主に使うことになります。一方、東日本では武田氏や北条氏などが甲斐や伊豆の金山を開発しており、江戸時代の初期には佐渡の大規模な金山が開発されるので、東日本は「金」を中心に使うことになります。

江戸時代の日本の経済を学習するとき、「西日本は銀づかい、東日本は金づかい」とよく教わりますが、その背景には西日本の南蛮貿易や中国貿易の存在があったのです。

図 5-14 「銀の島」日本

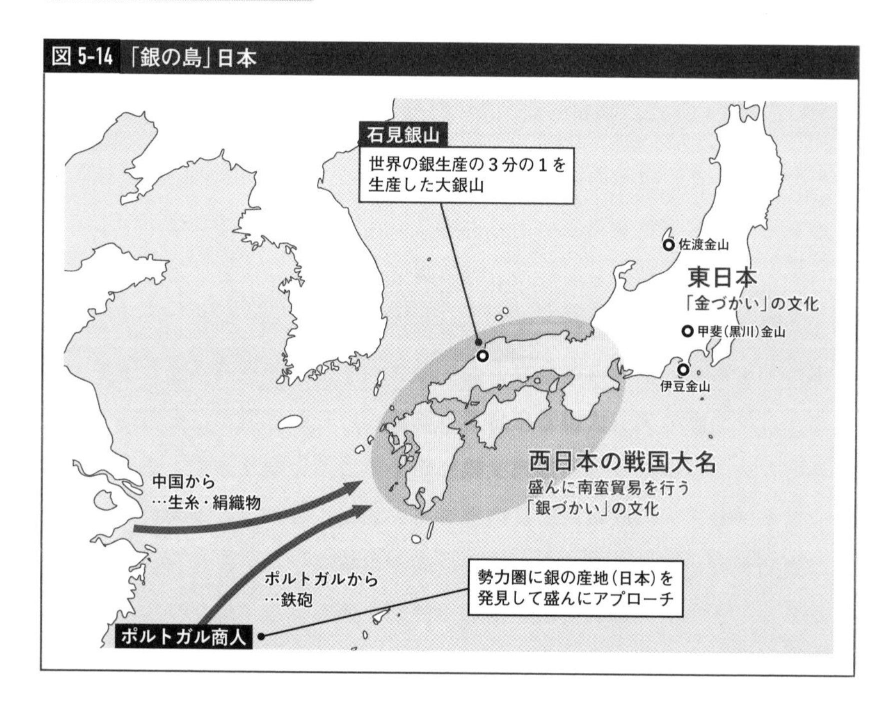

世界の銀を手にした「太陽の沈まぬ帝国」

世界の9割の銀を握ったスペイン

ここまでしばらく、銀の流れを見てきましたが、これらの銀の動きの中で覇権を握ったのはやはりスペインでしょう。

スペインはボリビアのポトシ銀山、メキシコのサカテカス銀山などの巨大な銀山からの銀、南蛮貿易で獲得した日本の銀などを、フィリピンのマニラ、メキシコの太平洋側のアカプルコと大西洋側のヴェラクルスに集積させ、そこから世界中に銀を運んでいきました。**スペインは当時、世界で産出される銀の9割以上を握っていたといわれます。**

銀を「有効活用」できなかったスペイン

スペインの絶頂期の王、**フェリペ2世**のころにはポルトガルの王家が断絶したため、フェリペ2世はポルトガル王をも兼任し、両国を合わせたスペインは「太陽の沈まぬ国」として絶頂期にありました。

しかし、**スペインにもたらされた銀はスペインに蓄積されることはありませんでした。**ライバル国と戦って巨大な帝国を維持し、世界中で行われる海賊行為から交易路を守るための軍事費がかかりました。また、絶頂期のスペインには「キリスト教国の盟主」としてオスマン帝国などのイスラーム教国と戦うという使命も課せられ、さらに軍事費がかかります。

フッガー家などの金融業者はスペインの財政難をねらってお金を貸し付け、その利子の支払いもスペインの財政を圧迫していきます。フェリペ2世は借金の返済を停止する事実上の「破産宣告」もしています。

こうしてスペインは、銀を使って国内産業を振興したり、国民生活を豊

図 5-15 「太陽の沈まぬ帝国」スペインと貿易路

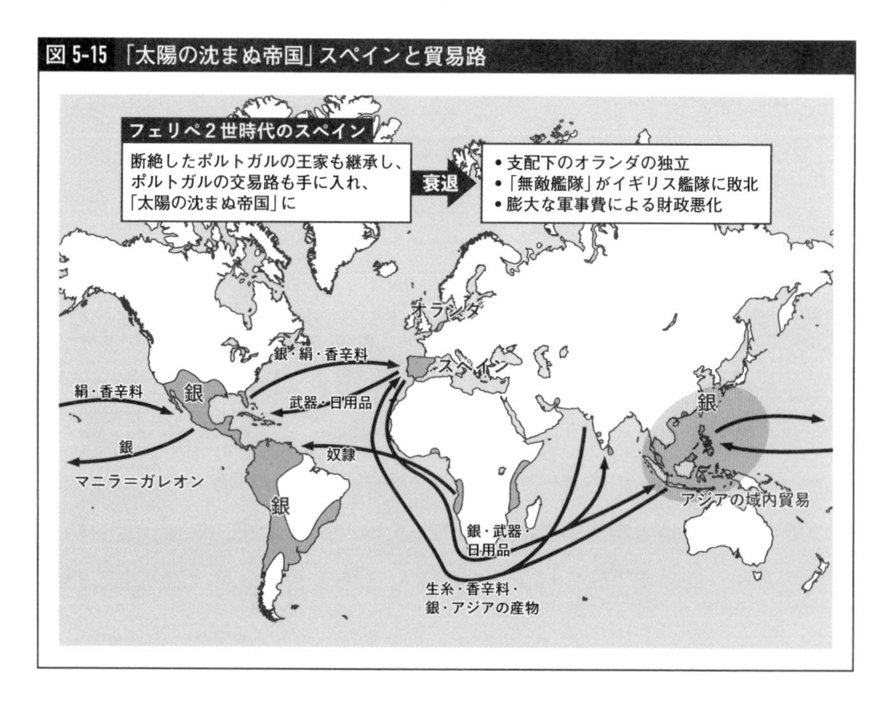

かにしたり、海外投資をしたりすることなく、銀が国外に流出するままになってしまったのです（この銀が西ヨーロッパの「価格革命」や東ヨーロッパの「農奴制の強化」を生んだということなのです）。

スペインにとって代わったオランダ・イギリス

財政難に苦しんだスペインにとって代わったのが、オランダとイギリスです。**オランダ**はスペインからの独立戦争に勝利し、**イギリス**はスペインの無敵艦隊を破って大国スペインを衰退に追い込んでいきます。

この両国はポルトガルやスペインの貿易戦略を継承させたような格好で発展し、スペインの覇権にとって代わります。

オランダはポルトガルのような「点と線」の交易路をフル活用して覇権を握り、イギリスはスペインのようにアメリカ大陸を面的に支配し、植民地を経営することで覇権を握っていくのです。

第6章

覇権国家の交代

オランダ・イギリスの繁栄と大西洋革命

（17・18世紀）

第6章 オランダ・イギリスの繁栄と大西洋革命 あらすじ

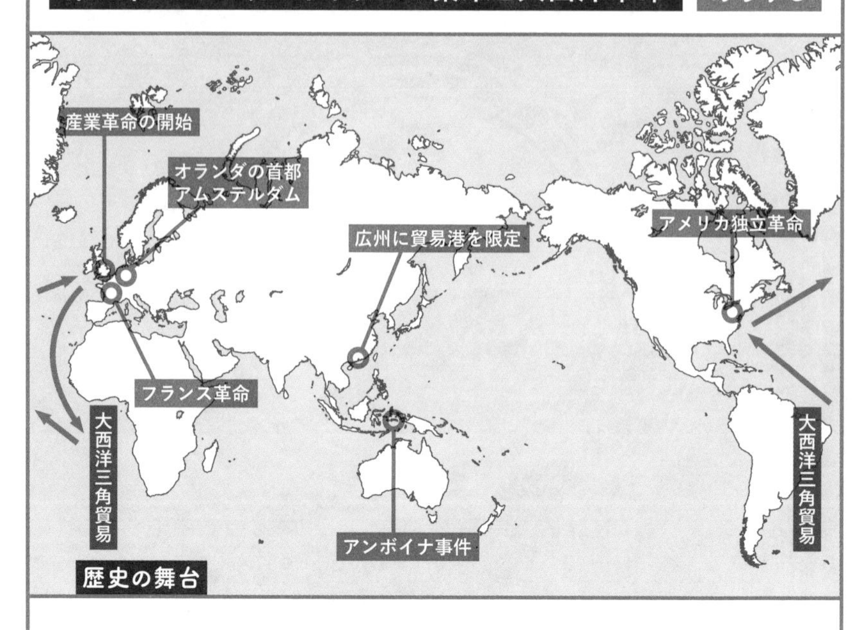

経済システムが発展した 重商主義と大西洋革命の時代

国家をあげて産業を興し、貿易で利益を得るという「重商主義」がいよいよ盛んになったこの時代、オランダやイギリスなど、経済的な「覇権」を握った国家が登場します。次第に、両国において株式会社の仕組みやイングランド銀行の創設など、近代的な経済システムが整えられました。また、アメリカは植民地争奪戦の舞台になります。農場を経営するため、アメリカに奴隷が持ち込まれました。そして、時代は「大西洋革命」の時代を迎えます。とりわけ、産業革命はのちの世に大きな影響を与えました。

第6章 【オランダ・イギリスの繁栄と大西洋革命】の見取り図

17

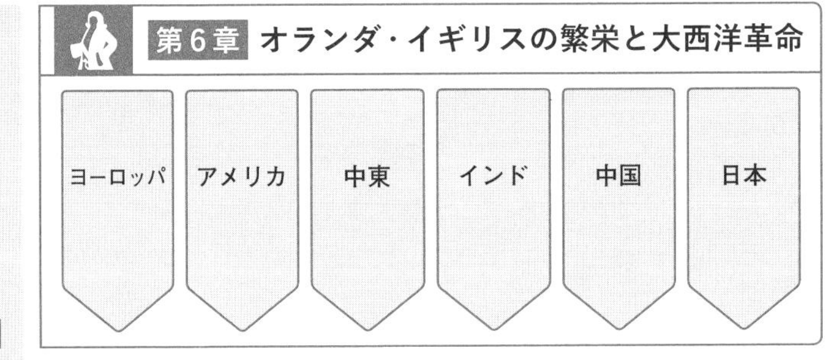

18

19

20

第7章 産業の発展と帝国主義

第8章 2つの大戦と世界恐慌

1945

第9章 冷戦下の経済

1990

第10章 グローバリゼーションと経済危機

アメリカ	イギリスとフランスの植民地争奪戦の舞台になります。のちにイギリスの重商主義政策に対し、アメリカ植民地が独立戦争に立ち上がります。
ヨーロッパ	オランダ、イギリスと経済の主導権を握る国が移っていきました。イギリスの産業革命は資本主義社会を生み、後世に影響を与えます。
中東	絶頂を迎えたオスマン帝国でしたが、次第に多民族国家のほころびができ始めました。そこにイギリスやロシアなどの列強が介入してきます。
中国	清王朝前半の安定期にあり、茶や絹などの主力商品がヨーロッパに輸出され人気を博しました。好景気ではありましたが社会矛盾が拡大していきました。

国をあげてお金を「稼ぐ」時代が始まった

絶対王政を支えた重商主義

大航海時代や宗教改革と同じころ、ヨーロッパ諸国では「主権者」たる王が国内を統一的に支配し、明確な国境をもつ「主権国家」たちが形成されていきました。

王は「絶対主義」といわれるような権威を維持するために、莫大な費用をかけて国を統治する「官僚」、そして、国を武力で支配して外国と戦う「軍隊」をつねに整備しておく必要がありました。**各国の王たちは自分たちの権威を維持するため、「国をあげてお金を稼ぐ」必要が生じたのです。**この「国をあげてお金を稼ぐ」体制を「重商主義（じゅうしょう）」といいます。

当初の重商主義は、大航海時代のスペインに見られたような「新大陸からの金や銀そのものを運び、国庫に蓄積する」ことを目指す「重金主義（じゅうきん）」というスタイルがとられました。しかし、オランダやイギリス、フランスなど、スペインに代わって台頭した国々は、「生産したり、買い付けたりした商品を需要のある地域に運んで売り、その儲けを手に入れる」ことを目指す、「国家で商売を行う」という「貿易差額主義」をとりました。オランダやイギリス、フランスによって創設された「東インド会社」は、そうした「国をあげてお金を稼ぐ」ための国策会社だったのです。

「国をあげてお金を稼ぐ」重商主義のためには、**商工業者の育成が重要になります。経済活動に関する規制を緩め、ある程度自由な経済活動ができるようにして、儲けを享受させてやる必要がありました。**その中で商人は仕事場に多数の労働者を集め、分業の方式で生産を行う工場制手工業を始めるなど、生産方法の形態にも変化が見られるようになりました。

世界の貿易を支配した「商売人国家」オランダ

オランダ商人とカルヴァン派の結びつき

「太陽の沈まぬ国」として絶頂期にあったスペインを揺るがしたのは、オランダの独立です。スペイン領だった「ネーデルラント」の地域は毛織物工業やバルト海交易を行う商工業地域でした。**宗教改革によって生まれた、お金儲けを肯定するカルヴァン派の考えは商工業者と相性がよく、ネーデルラントの人々にカルヴァン派の信仰が広がっていきます。**

これに対して、カトリック教国の「盟主」でもあったスペインはカルヴァン派を禁止し、カトリックの信仰を強制したのです。

ネーデルラントの中でも、北部はカルヴァン派プロテスタント、南部はカトリックが比較的多く分布していたので、スペインによるカトリックの強制にも違った反応が出ました。北部は独立に立ち上がり、南部はスペイン側にとどまろうとしたのです。北部はのちの「オランダ」になり、南部はのちの「ベルギー」になりました。

北部のプロテスタントは粘り強く独立戦争を戦い、「ネーデルラント連邦共和国」として独立します。これがいわゆる「オランダ」です。

世界を結んだオランダのネットワーク

結果的に、この**独立戦争によってオランダにプロテスタントの商工業者、金融業者が集中することになります。**オランダには高い技術の造船業があり、バルト海での交易や、毛織物やニシンの塩漬けをヨーロッパ全土に輸出してきた実績があります。金融業者の資本がこれらのノウハウに結びつき、オランダの経済は飛躍的に発展していくのです。

オランダは人口規模が小さく、どちらかといえばポルトガルの貿易戦略に近い「点と線」の形で海外進出を行いました。ポルトガルがおさえていた喜望峰周辺に**ケープタウン**を建設し、スリランカやマラッカを軍事的に占領します。さらに、その先の台湾、インドネシアに拠点をつくり、江戸幕府に接近して江戸時代唯一のヨーロッパの貿易相手国となりました。

インドネシア産の香辛料貿易や、東南アジア産の砂糖を日本に運び込んで銀を獲得するという航路は当時の「ドル箱路線」でした。イギリスもこのルートを狙いますが、インドネシアのアンボイナ島でオランダ人がイギリス商館を襲撃し、多数の商館員を殺害する**アンボイナ事件**が起きたことで、イギリスはインドネシアや日本を結ぶ航路から一歩後退しました。

「株式会社」のルーツ、オランダ東インド会社

アジアにおけるオランダの貿易を支えたのは、貿易独占権を与えられた**オランダ東インド会社**でした。イギリスもそれに先立って「東インド会社」

図 6-1 海外貿易の覇権を握ったオランダ

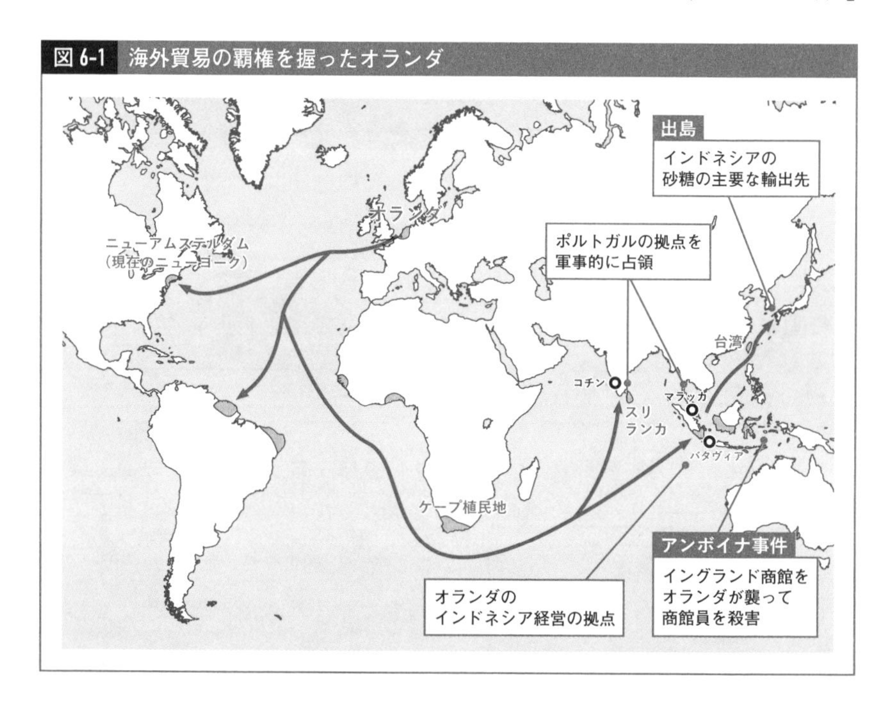

をつくっていたのですが、イギリスは航海ごとに出資者を募り、航海終了後にすべての売り上げを分配するという、会社といっても「１回ごとに全額清算」のような仕組みだったのに対し、オランダ東インド会社のほうは継続的に商業活動を営む「株式会社」の形をとっていました（のちにイギリス東インド会社も「株式会社」の形になります）。

出資者は少額から出資でき、会社に儲けが出れば、儲けに応じて分配金（配当）が受け取れます。出資されたお金は会社に残り、次の航海や会社の運営・維持にも使われます。仮に倒産したとしても、出資者は出資額以上の責任を負うことはありませんし、出資を受けた会社も借金ではないので、返済の義務はありません。出資の証明書である「株券」は売買もできるので、配当に加えて、「株券」自体を出資額より高く売却できれば、譲渡益も受け取ることができます。**「広く薄く」、誰でも会社に直接出資できる仕組みをつくり、その元手を拡大再生産する「株式会社」のルーツが「オランダ東インド会社」だったのです。**

チューリップがもたらした世界初のバブル経済

こうして、オランダに「黄金期」といわれる時代が訪れます。世界をかけめぐった銀がオランダの貿易網によって集まり、そのお金がまた東インド会社の出資に使われ、それが次の儲けを生みます。**大航海時代から続くインフレ傾向は続いていたので、株券なども、「持っていたら値が上がる」のは当然と考えられ、投機の対象になりました。**株券のみならず、一部の愛好家で取引されていた珍しいチューリップの球根も、「持っていたら値が上がる」といわれて、金儲けの対象となり、豪華な家が買えるほどの高値で取引された球根まで登場しました。

しかし、この状況は実際の価値と大幅にかけ離れた価格で取引された「バブル経済」でした。値段が下がり始めると人々は目が覚めたように球根を売り、値下がりが連鎖します。「バブル崩壊」は止まらず、値が上がることを期待して高価な球根に「手を出した」多くの人々が破産してしまいます。

商業覇権国家イギリスの誕生

インドに重点を置くイギリスのアジア戦略

オランダの後に海上の覇権を握ることになるイギリスでは、中世の後期から羊毛産業が盛んになり、領主や地主が農民を土地から追い出し、羊の牧草地にして羊を飼うという「**囲い込み**」が行われました。地主は農民を失業させてまで儲けのために羊を飼う、という批判を受けることもありましたが、イギリス自体の富は蓄積されていきました。

イギリス女王**エリザベス1世**の時代に羊毛産業が国の主要な産業となり、羊毛の輸出でイギリスは大いに発展します。エリザベス1世は**イギリス東**

図6-2 第1次囲い込み

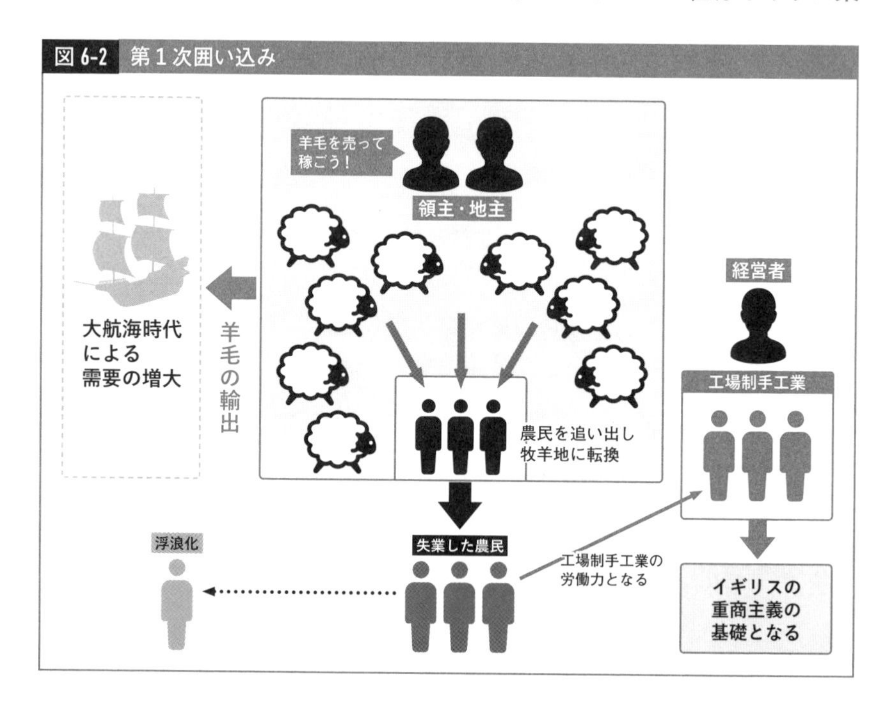

インド会社を創設させ、アジア貿易の独占権を与えました。

スペインからオランダが独立しようとしているときにはオランダを支援していたイギリスですが、いざ、世界に進出しようというときにはオランダがライバルになってしまい、加えて、「アンボイナ事件」で東南アジアから締め出されたことで、煮え湯を飲まされていました。

そこでイギリスは**東南アジアをある意味「あきらめ」て、インドの経営と、北アメリカ・カリブ海の植民地経営に重点を移すことになります。**

特に、インドからはマドラス、ボンベイ、カルカッタの主要３都市から「キャラコ」といわれた綿織物を盛んに輸入しました。**肌触りがよく、清涼感のある綿織物は人気を博し、「衣料革命」といわれるほどの大流行を生みました。**毛織物の需要が低下することによる羊毛産業の衰退を防ぐため、イギリス政府は「キャラコ輸入禁止令」を出すことになりますが、この流れをとどめることはできませんでした。

一方、アメリカ大陸でもイギリスの植民地経営が始まります。「処女王」

図 6-3　インド・アメリカに進出するイギリス

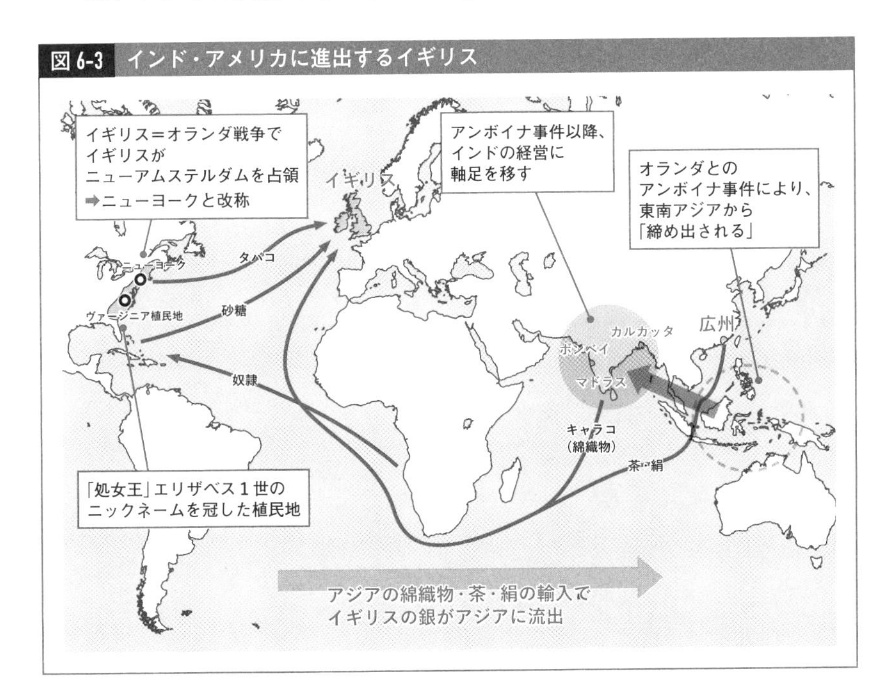

エリザベス１世のニックネームを冠した**ヴァージニア植民地**では、タバコのプランテーションが盛んになり、アフリカの奴隷が輸入されました。

戦争でつかんだ海上の覇権

「銀の流れを支配したスペイン」「アジアからアメリカまでの『点と線』をおさえたオランダ」と移り変わってきた海上貿易の覇権ですが、オランダと戦った「**イギリス＝オランダ戦争**」と、フランスと戦った「**スペイン継承戦争**」という２つの戦争により、海上の覇権がイギリスに移ります。

海の覇権国家だったオランダに対して、イギリスが仕掛けたのが「**航海法**」の制定でした。この航海法は、「イギリスとその植民地を出入りする貿易船は、イギリスの乗組員が運航するイギリスの船でなければならない」という内容で、「点と線」をおさえる中継貿易を得意とするオランダに打撃を与えました。**オランダの中継貿易の「販路」にはイギリスの都市や植民地も多く、そこで商売ができないのは、オランダにとって大きな損失だったからです。**

オランダがこの挑発に乗る形で、３回にわたるイギリス＝オランダ戦争が起こります。戦争そのものに明確な決着はつかなかったものの、オランダの中継貿易は確実にダメージを受け、イギリスは現在のニューヨークをオランダから獲得するなど、「実利」を得ることになりました。

アメリカをめぐるフランスとの争い

この「イギリス＝オランダ戦争」の前後は、イギリスは激動の時代でした。「**ピューリタン革命**」「**名誉革命**」という２つの大事件が発生し、政治体制が目まぐるしく変わります。それに伴い、外交関係も刻一刻と変わりました。「名誉革命」の結果、イギリス国王に迎えられたのはイギリス王家の血をひくオランダ総督でした。**イギリスとオランダが接近した格好となり、代わりに浮上したのがフランスとの対立関係です。**

フランスでは絶対王政の最盛期の王として知られた**ルイ14世**、**ルイ15世**

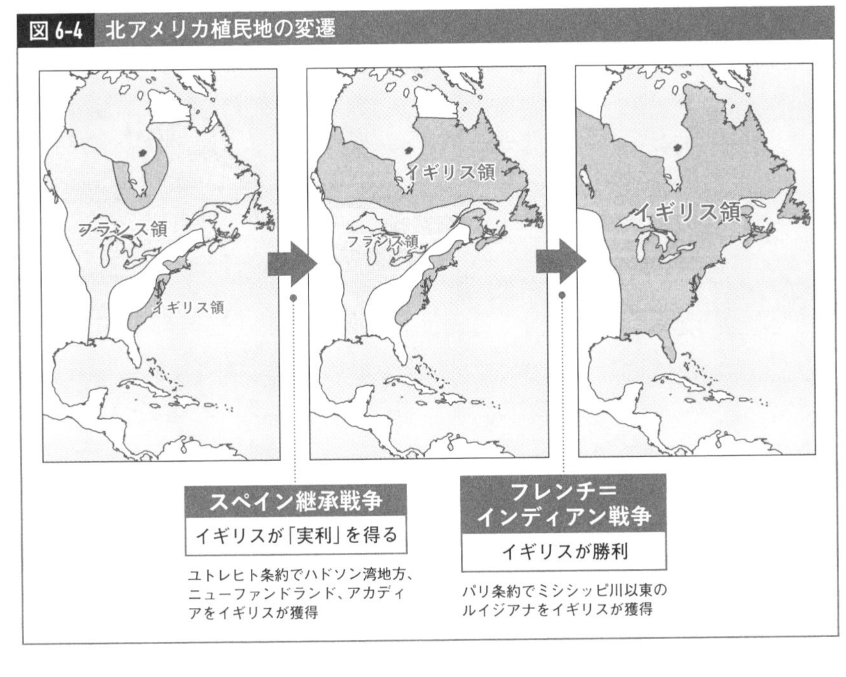

の時代です。イギリスはこの新たなライバルであるフランスと「第二次百年戦争」といわれた、植民地をめぐる激しい戦いを繰り広げたのです。

中でも、フランスのルイ14世がスペイン王家に自分の孫をねじこもうとして発生した**スペイン継承戦争**はイギリス経済にとって躍進のきっかけとなる大きな事件でした。

この戦争の講和条約の「**ユトレヒト条約**」では、フランス王家の一族がスペイン王になることを承諾するという「名目」を与えたものの、イギリスはスペイン植民地に対する奴隷貿易の独占権と北アメリカのハドソン湾沿岸地方やニューファンドランドの獲得という大きな「実利」を得ました。イギリスはこの条約以降、スペイン植民地やイギリス領のジャマイカのサトウキビ農園に膨大な人数の奴隷を送り込み、莫大な利益を得ました。

さらに、イギリスはルイ15世との**フレンチ＝インディアン戦争**という植民地戦争にも勝利します。この戦争の結果、イギリスは広大なアメリカの植民地を手に入れ、大きな市場とすることができたのです。

イギリスで発達した「お金」の様々な技術や制度

イングランド銀行の創設

イギリスがフレンチ＝インディアン戦争のような大規模な対外戦争に勝ち抜けたのは、議会制度の確立と、国債（こくさい）による資金調達の確立という２つの要因があったからです。

議会制度は、戦争に向けて国民の「合意形成」を促し、国民の支持を受けながら戦争を行うことを可能にし、また、政府による国債発行は資金面での戦争継続能力を高めました。政府が借金をする「国債」という考えは中世からあったものの、それまでの国債は「君主」が私的に行う借金という考え方が強く、返済の裏付けがありませんでした。

そこでイギリスは、オランダが一足先に行っていた、議会が保障する、返済の裏付けのある国債発行を導入したのです。国民の税は議会の一応の「合意形成」のうえで課税されるので、その中から貸金を返してもらえるならば、「貸し倒れ」の心配も少ないだろう、というわけです。

とはいっても、当初、イギリスは国債を買ってくれる人を募集してもあまり資金を集められませんでした。そこで、商人たちに声をかけて資金を集め、政府に資金を供給する民間銀行として設立されたのがイングランド銀行です。イングランド銀行は政府の国債を買い、政府にお金を「融資」します。政府はお金を貸してくれた代わりに、イングランド銀行に手形、すなわち額面が書かれた、金貨と交換可能な証明書の発行を許したのです。

イングランド銀行は民間への貸付にこの手形を使用し、融資を受けた相手はその手形を「紙幣」のように支払い相手に渡し、必要なことに使います。手形を受け取った者はイングランド銀行にこの手形を持ち込んで換金

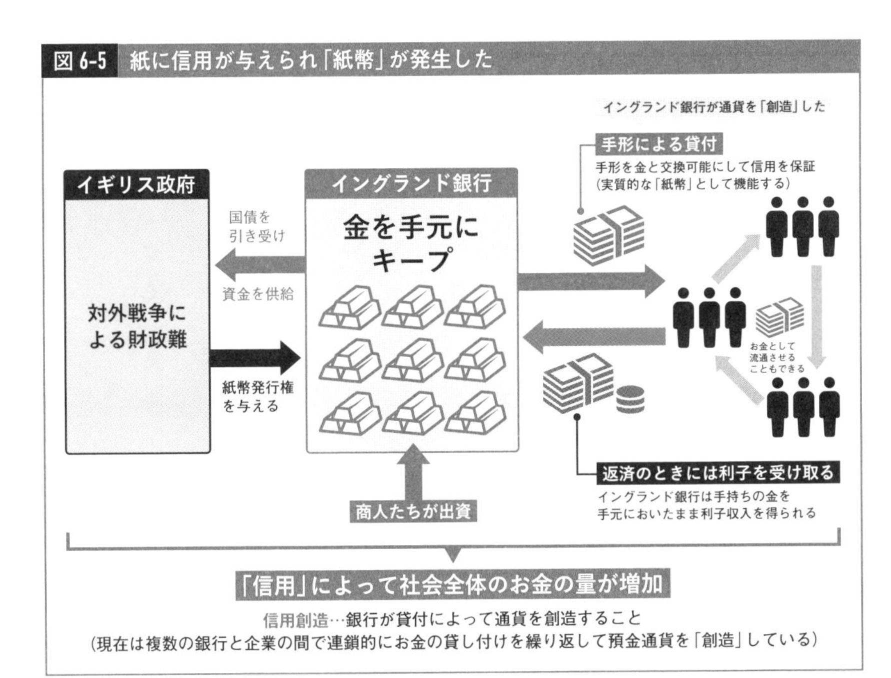

することもできますし、いつでもイングランド銀行が保管している金貨と交換することができるという「信用」があるので、そのままこの手形を他者への支払いに使うこともできます。つまり、**実質的に、この手形は「紙幣」として使われることになるのです。イングランド銀行にとっては、手元に金貨や銀貨を残したまま、貸付によって新たな通貨をつくり出し、その通貨を社会の中で流通させて、利子という収入を得ることができたのです。**このような、貸付によって新たな通貨を生み出す銀行の機能を「信用創造」といい、現在の銀行の仕組みにもこの機能が見られます。こうした収益性の高さにより、イングランド銀行には国内外の投資が集まり、それがイギリスの国家としての資金調達力につながったのです。

イギリスの「国債」にまつわる話題の1つとして、「南海泡沫事件(なんかいほうまつじけん)」という事件があります。「泡沫」の「泡」は「バブル」なので、「バブル経済」の語源がこの「南海泡沫事件」というわけです。

この事件が起きたころのイギリスは、設立間もないイングランド銀行からの資金調達もまだ十分でなく、イギリス＝オランダ戦争やスペイン継承戦争の戦費を調達するための国債の利子の支払いに苦しみ、破産の危機にありました。そこで、南海会社という会社をつくらせ、スペイン領の中南米の貿易独占権を与える代わりに、国債を引き受けさせ、借金の肩代わりをさせようとしたのです。奴隷貿易の収益の期待から、南海会社では半年で10倍以上という株式の急騰が起こり、一儲けをたくらむ無数の「泡のような」小規模な株式会社も乱立され、空前の株式ブームが起きました。

ところが、南海会社は儲けが出ていない会社であることが次第に判明し、株価は突如暴落して、破産者が続出し、泡沫会社も瞬く間に消滅しました。

南海会社から政府要人に盛んに賄賂が渡されていたということまで発覚し、政界・財界に大混乱が起きたのです。「会計監査制度」や「公認会計士」の制度は、この事件の反省からつくられたといわれています。

コーヒーハウスから生まれた損害保険

オランダの海上覇権は「株式会社」を生み出しましたが、イギリスの海上覇権は「損害保険」や「証券取引所」を生み出しました。

イギリスに世界の産物が集まるようになると、その消費の場として、「コーヒーハウス」と呼ばれた社交場が各地に建てられるようになります。「ロイズ」と呼ばれたコーヒーハウスでは、客のために最新の海事ニュースを発行するサービスが好評を呼び、貿易商や船員が集うようになりました。この貿易商たちから、海難事故のリスクを軽減するためにお金を集めたのが保険業者たちです。**保険業者たちは貿易商から集めた保険金を、事故がなければ自分たちがもらい、事故が起こった場合には保険金として貿易商に払うというという現在の「損害保険」の仕組みをつくっていきました。**この「ロイズ」をルーツとした「ロイズ保険組合」は世界で最も有名な保険取引の場として知られています。

また、「ジョナサンズ」と呼ばれたコーヒーハウスは株式取引の場となり、これが現在のロンドン証券取引所の原型となりました。

イギリスに追随したヨーロッパ各国の「事情」

イギリスに一歩遅れをとったフランス

イギリスのライバルとして植民地争奪戦を争ったフランスでは、ブルボン朝の**ルイ13世**や**ルイ14世**のもとで「絶対王政」が展開されました。「太陽王」といわれたルイ14世は、財務総監の**コルベール**のもと、盛んに国内産業を育成し、植民地の拡大を目指します。しかし、フランスは**戦争に対しての議会による合意形成がなく、戦費の調達を重税で補うなど、イギリスと比較して戦争遂行能力が低く、イギリスとの植民地戦争では一歩後退することになります。**また、ルイ14世時代には豪華な**ヴェルサイユ宮殿**の建設費が財政を圧迫していたうえ、国内のカルヴァン派の信仰を禁止するという宗教政策も行ったため、カルヴァン派を信仰する商工業者の多くが国外に流出し、フランスの財政は悪化しました。

「17世紀の危機」の時代

じつはオランダやイギリスの覇権、フランスの絶対主義の時代は、ヨーロッパ全体では**「17世紀の危機」**といわれた時代でした。寒冷な気候や穀物生産の低下に加え、ペストなどの流行により人口が停滞し、経済活動が低迷した時代だったのです。オランダやイギリスはその克服に成功して覇権を握りますが、最も深刻な被害を受けたドイツでは**三十年戦争**という大規模な宗教戦争が起こり、一歩も二歩も経済的に後退することになります。

ロシアでは**ピョートル1世**や**エカチェリーナ2世**のもと、毛皮を主要な交易品としてシベリア経営を進めるのと同時に、近代化を推し進め、西ヨーロッパに並ぶ強国の一角にくいこむようになりました。

大西洋を行き交う「黒い積荷」「白い積荷」

「商品」として取引された人々

奴隷は古代メソポタミアから存在し、「商品」として売買されてきました。特にアフリカの奴隷は中世のころからイスラームの商人によりインド洋の貿易の一環としてアフリカの東海岸で売買されていました。

大航海時代の先駆けとなったポルトガルがアフリカ西海岸を探検し、続いてスペインが新大陸を征服すると、アフリカ西海岸からアメリカ大陸へという新たな奴隷貿易のルートができたのです。

アメリカ大陸の植民地では過酷な労働やヨーロッパからもたらされた伝染病によって先住民の人口が激減しており、労働力として大量の奴隷の需要ができたのです。アフリカからアメリカ大陸に奴隷を運ぶ奴隷船には身動きがとれないほど奴隷がぎっしりと詰め込まれ、劣悪な環境により航海中に多くの奴隷が亡くなりました。無事、アメリカ大陸に到達したとしても、サトウキビ、タバコ、コーヒー、綿花などの農場での厳しい労働が彼らを待ち受けていたのです。

大西洋の三角貿易

こうした奴隷の供給は、ヨーロッパ人が直接「奴隷狩り」を行う場合もありましたが、じつは、それを上回る量の奴隷の供給が「アフリカ人」どうしで行われていました。つまり、ヨーロッパ各国は、アフリカが部族社会であることに目をつけ、特定の部族に武器を与えて「奴隷狩り」をさせ、得られた捕虜を奴隷としてアメリカ大陸に運んでいたのです。

ここに、アフリカでの武器の需要も発生します。奴隷狩りをする部族も、奴隷狩りから身を守ろうとする部族も武器を求めるため、次第に貿易の形態は**「アフリカからアメリカ大陸への奴隷の供給」「アメリカ大陸で生産された作物や物資のヨーロッパへの供給」「ヨーロッパからアフリカ部族への武器の供給」という、大西洋をまたにかける「三角貿易」の形をとるようになりました。**

奴隷貿易の主役も、ポルトガル・スペインからオランダ、イギリスと、世界の海上覇権とともに推移します。

ポルトガルに似たビジネスモデルを持つオランダの「販路」は、やはりポルトガルに近く、ポルトガル領ブラジルに隣接した現在の「スリナム」にあたるオランダ領ギアナやポルトガル領ブラジルへの奴隷供給を盛んに行いました。イギリスは三角貿易の主役として君臨し、スペインの植民地やアメリカ西岸のイギリス植民地へ奴隷を供給し、**奴隷は「黒い積荷」、アメリカから積み出す砂糖は「白い積荷」と称され、イギリスに莫大な富をもたらしました。この富が、のちに産業革命の際の「資本」になるのです。**

図 6-6　大西洋三角貿易

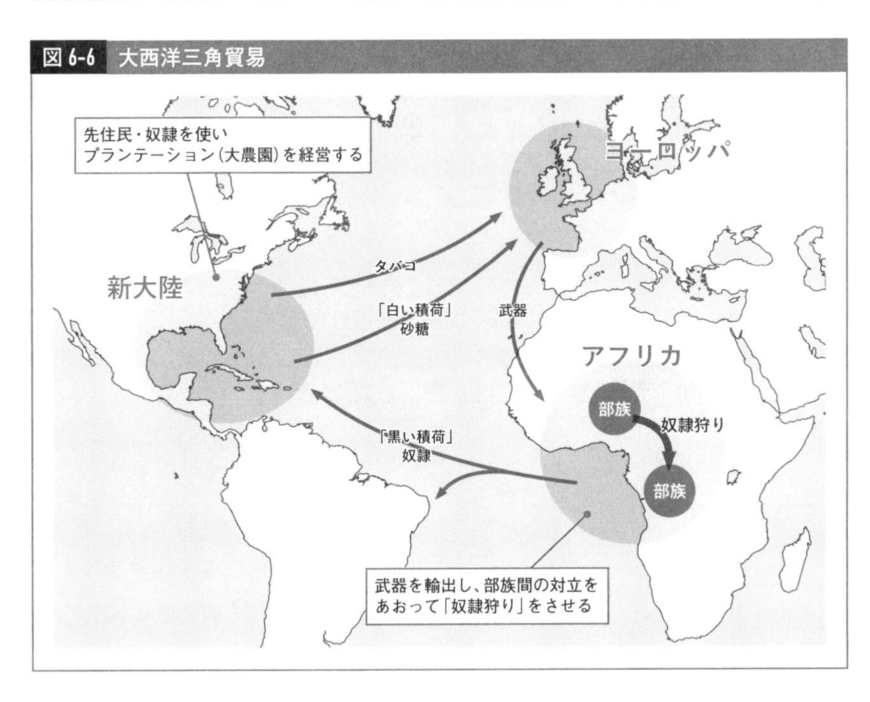

銀の流入とともに始まった オスマン帝国の「斜陽」

「多民族国家」オスマン帝国の悩み

アジアに目を向けると、強勢を誇っていたオスマン帝国に斜陽の時が訪れていました。オスマン帝国を衰退に導いた経済的要因の１つが「銀」でした。世界をかけめぐった銀が、遅ればせながらオスマン帝国に流入してきたのです。

オスマン帝国という国は、トルコ民族がアラブ人やエジプト人、ギリシア人やルーマニア人などを支配している多民族国家です。言葉も文化も違う民族をまとめる必要があるオスマン帝国には、これらの民族をつねに支配するための官僚や軍隊の保持など、多額のコストがかかります。

特に、**ハンガリーやセルビア、ルーマニア、ギリシアなど、ヨーロッパ側にも支配地が広がっており、莫大な軍事費をかけて「握力」を維持しておかなければなりませんでした。**

ここに、銀が流入し、物価が急上昇したのです。民衆レベルでは銀が手に入り、景気がよくなったものの、同時に武器や食料などの軍隊の維持コストも跳ね上がり、オスマン帝国の財政は慢性的な赤字となりました。

オスマン帝国の「握力低下」と東方問題

オスマン帝国は当然、赤字を補うために増税を行い、徴税請負人を各地に置いて確実に徴税を行おうとしましたが、オスマン帝国支配下の民族たちには「支配の強化」とみなされ、農民や遊牧民を中心に反乱が頻発するようになりました。また、東ヨーロッパでは「第二次ウィーン包囲」に失敗し、ハンガリーを失って、オーストリアに圧迫されるようになり、黒海方面からはロシアの圧迫を受けるようになります。

内には反乱、外には圧迫を抱えると、オスマン帝国が様々な民族を支配する「握力」が低下し、諸民族は自立を求める運動を開始します。まさに、ヨーロッパ列強にとってはオスマン帝国に経済的・軍事的に進出するチャンスが生まれたのです。このような、オスマン帝国とその支配地域をめぐる外交問題を「**東方問題**」といいます。

没落前夜の近代化政策

ヨーロッパ諸国によるオスマン帝国への介入が強まると、オスマン帝国内でも西洋の技術や文化を積極的に受け入れ、近代化を図ろうとする考え方が生まれました。ヨーロッパ風が好まれたこの時代を「**チューリップ時代**」といいます。オスマン帝国は下り坂ではありましたが、まだこの時代までは大帝国としての存在感は残っていました。この後、ロシアの南下をはじめとする列強の圧迫を受け、本格的な没落が始まるのです。

図 6-7　オスマン帝国の斜陽が始まった

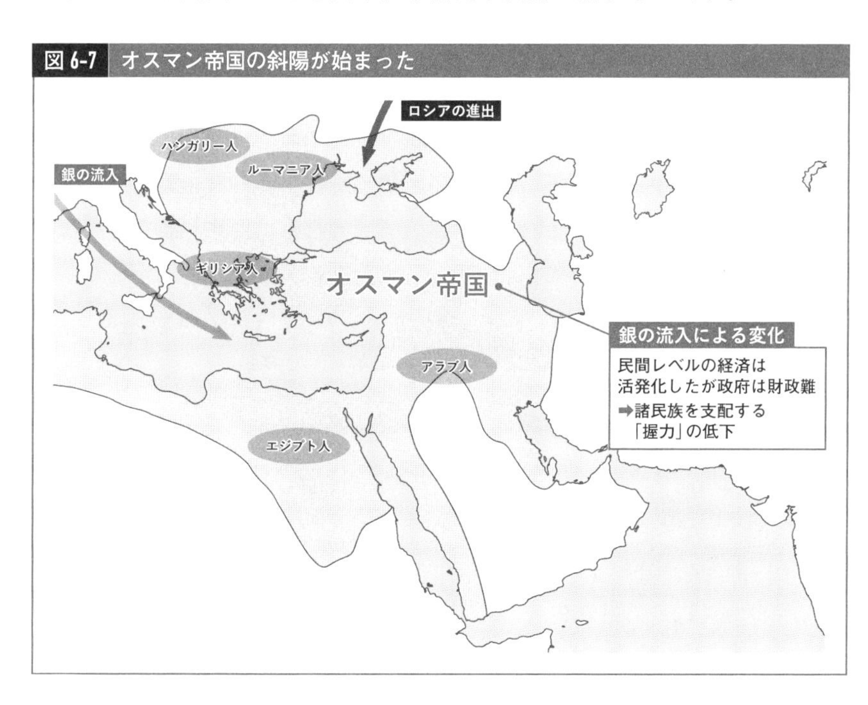

様々な勢力が交錯し、弱体化したムガル帝国

ムガル帝国の最盛期と斜陽

オスマン帝国と同じように、インドのムガル帝国も最盛期を過ぎ、「斜陽」の時期が訪れていました。最大領土を迎えていたころのスルタン、**アウラングゼーブ**はそれまでの宗教融和的なムガル帝国の政策を一転し、イスラーム教国として不寛容な宗教政策をとり、ヒンドゥー教の寺院を破壊したり、税制上の平等を崩してヒンドゥー教徒への人頭税を復活させたりしました。

結果的にこの不寛容政策がムガル帝国の「握力」を低下させ、各地に反抗的な諸勢力が登場し、ムガル帝国は混乱することになります。

強まるイギリスの進出

「アンボイナ事件」によって、オランダから締め出された格好となり、東南アジアから一歩後退したイギリスは、インド経営に力を注ぐことになりました。マドラス・ボンベイ・カルカッタの3都市を拠点として、インドでの通商活動を積極的に行ったのです。

一方、イギリスの競争相手として浮上したフランスも、このころにポンディシェリやシャンデルナゴルといった拠点を獲得し、インド経営に力を注ぐようになります。

この2か国はアメリカでも激しい植民地争奪戦を行っていたのと同様に、インドでも争いを繰り広げていました。イギリスがマドラスに商館を置くと、フランスはその近辺にポンディシェリの商館を置き、フランスがシャンデルナゴルを獲得すると、イギリスはその近くにカルカッタを「ぶつけ

図6-8　様々な勢力が入り混じるインド

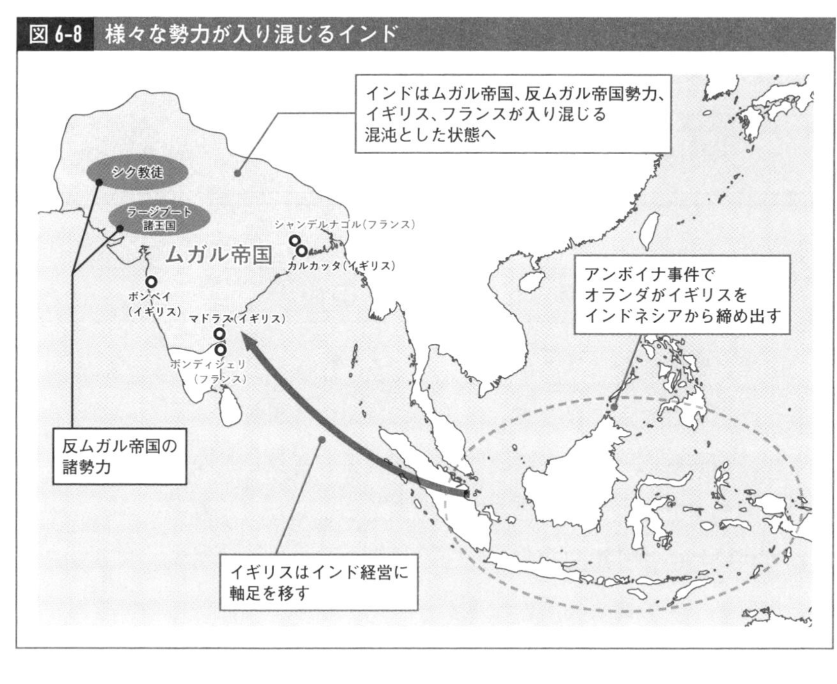

て」くる、といった様相で、両国の衝突は必然だったのです。その結果、「**カーナティック戦争**」といわれたインドを舞台にした戦争が起こり、これに勝利したイギリスがインドにおける優位を確定したのです。このころのインドは「ムガル帝国」、「反ムガル帝国の諸勢力」、「イギリス」、「フランス」が入り交じって争う、混沌とした時代でした。

イギリス東インド会社は、ムガル帝国の皇帝からインド東部の徴税権や司法権を獲得し、実質的な領土支配を開始し、インドの統治機関としての性格が強まっていきました。

インドは膨大な人口を抱える大市場なので、イギリスは当時の主力製品である毛織物を持ち込もうとしましたが、あまり売れませんでした。逆に「キャラコ」といわれたインド綿布が大いにイギリスに輸出され、その対価として膨大な銀の地金がイギリスからインドに流出しました。この銀をイギリスが取り戻すのは、産業革命以降の話になります。

安定した清王朝前半の統治と経済

東南アジアに渡った数多くの中国商人

中国では明の末期に「海禁政策」が緩み、民間の商人が貿易に参入することが許されるようになりました。明の後に中国を支配することになった清王朝の初期も、一時期を除いては民間の交易を禁止しなかったため、日本や東南アジアとの貿易を行う商人も多くいました。

日本がいわゆる「鎖国政策」をとり、清に対しても貿易額を制限するようになると、清の貿易商人は日本から東南アジアへの貿易に軸足を置くようになります。中には、東南アジアに住み着き、東南アジアの他の地域に住み着いた中国系商人や中国本土の商人とネットワークを結ぶ商人も現れました。

清王朝は、商人たちに対して渡航そのものは許したものの、そのまま海外に住み着くことは許していませんでした。漢民族ではない清の統治に不満をもつ者が、海外に反政府活動の拠点をつくることを警戒したのです。

ところが、実際には**多くの商人が海をわたり、東南アジアの各地に住んで広域な中国人のネットワークをつくり、東南アジアの経済に重要な役割を果たすようになりました。**これが「華僑（かきょう）」や「華人」のもとになります。

現在でも、東南アジア各地には2000万人を超える中国系の人々が暮らしており、シンガポールでは人口の4分の3を中国系の人々が占めています。

ヨーロッパで人気を博した清の商品

ヨーロッパとの貿易を見てみると、清王朝の前半期は、オランダからイギリスへ、世界の海上覇権が移行していった時代でもありました。中国の茶、生糸、陶磁器はヨーロッパ人からの人気が高く、盛んに買い付けられ、ヨーロッパに持ち込まれました。

清は対ヨーロッパ貿易を**広州**(こうしゅう)に限定する貿易管理体制を敷きました。従来から、ヨーロッパ船が来航するのは、インドシナ半島を回ってすぐの広州に到着するのが通例でしたが、清王朝ははじめ、出入国や輸出入の管理をする「税関」のような対外貿易の窓口を上海、寧波、漳州(しょうしゅう)、広州の４港に置き、来航地の限定はしていませんでした。

来航地の限定のきっかけになったのは、利益を独占したいという広州の役人たちの要求によるものでした。広州の役人はヨーロッパ商人から多額の手数料をとることで「甘い汁」を吸っていたのですが、これに困ったイギリス船の一部は手数料負担の大きな広州を避け、北上して寧波の港に来航して交易を求めたのです。

そこで、広州の役人や商人たちは自分たちの利益が寧波にとられてしまうと考え、政府に広州以外でのヨーロッパ船の交易を認めないように頼み

図 6-9 清と東南アジア

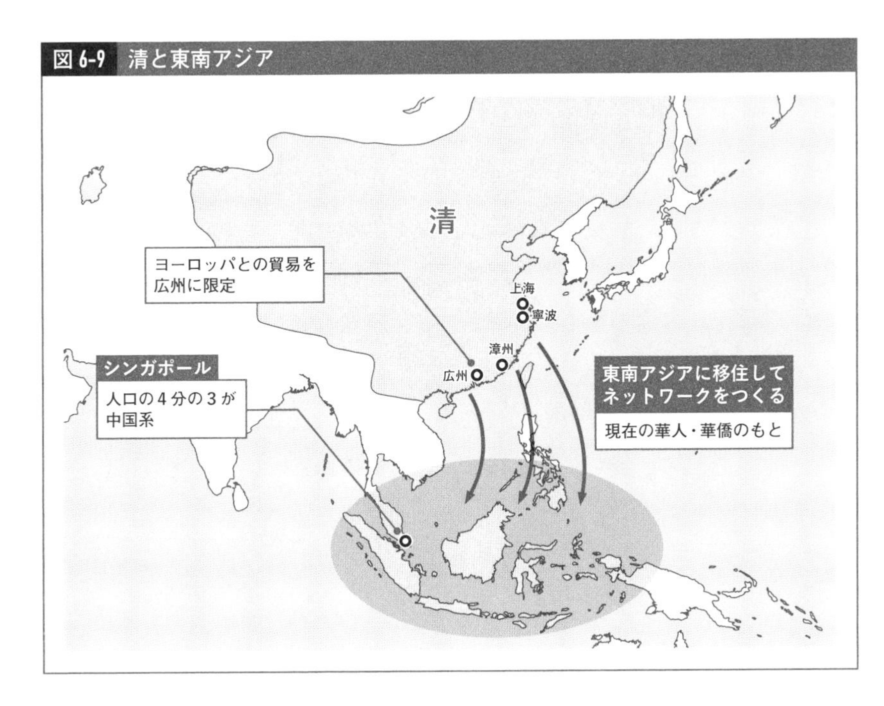

こんだのです。その結果、ヨーロッパ船との貿易は広州に限定されることになりました。清は「**公行**」といわれた特権商人に貿易の独占権を与え、その利益から税を徴収する仕組みをつくりました。

ヨーロッパ人たちは港も限定され、相手にする商人も限定されているため、商人たちの割高な「言い値」で商品を買うしかないために不満が高まりますが、それでも茶や絹、陶磁器などの中国製品を求めるヨーロッパの需要は高く、清とヨーロッパ船との貿易量はその後も増加し続け、その対価として銀が大量に清に流入することになったのです。

好景気の中の社会矛盾

こうした、外国から流入する銀により、清に好景気が訪れました。明の時代には「一条鞭法」によって税の取り方が銀納に一本化されましたが、清の改革により税のかけ方も「人と土地」にかける税を「土地」に一本化し、銀で納める**地丁銀**制が導入され、清の税制はより安定しました。

民衆レベルで見てみても、穀物の生産に加え、茶や藍、桑などの商品作物の栽培が活発になり、陶磁器の生産など手工業も活況になりました。民衆の生活にも余裕が生まれ、アメリカ大陸から伝わったトウモロコシやサツマイモなど、山地でも多くの人口を支えることのできる作物の栽培も始まったため、清の前半期には中国の人口が倍増したといいます。

しかし、銀の流入によって沿岸部の人々と内陸部の人々の経済格差が広がり、官僚たちの間で賄賂が広がるなど、好景気の中の社会矛盾も拡大していきました。

康熙帝・雍正帝・乾隆帝の「最盛期」といわれた３代の皇帝の治世が終わると、内陸部の民衆たちを中心に、**白蓮教徒の乱**といわれた大反乱が起きました。反乱鎮圧のために、それまでの貯えを一気に放出することとなった清の財政は一気に苦しくなり、苦しいままヨーロッパ諸国の進出を受けることになります。

貿易相手を絞り込んだ江戸初期の日本

「積極的」な貿易政策をとった江戸時代の初期

日本は戦国、安土桃山の乱世から、**徳川家康**が江戸幕府を開き、長期にわたる安定の時代が始まりました。

いわゆる「鎖国政策」の印象が強い江戸幕府ですが、遠くメキシコに商人を派遣したり、渡航許可を与えた「朱印船」が東南アジア各地で貿易を行い、東南アジア各地に「日本町」といわれる町をつくったりと、江戸時代初期の貿易政策は意外にも「積極的」だったのです。

しかし、積極的な海外への進出が、キリスト教の宣教師の国内の流入を招くことにつながると考えた幕府は禁教令を出すとともに、貿易の相手国と窓口を絞り込む貿易制限政策をとることになりました。

金銀の流出が続く日本

この政策の結果、貿易の窓口は限定されますが、国を「閉鎖」したということではなく、清や朝鮮、オランダとの交易は継続していたため、戦国時代ごろから続く**日本からの金銀の流出は続いていました。**

金山、銀山の産出量が減少しつつある中、金銀が流出しては幕府の財政難が進行してしまうと考えた幕府は貿易制限令を出し、金銀の流出を防ごうとするものの効果は限定的で、江戸幕府の財政は慢性的な悪化が続き、江戸中期には「三大改革」に見られる財政立て直しが図られました。

琉球は薩摩藩の島津家の征服を受け、実質は薩摩藩の支配下にありながらも中国王朝の清に貢ぎ物を贈る格好になりました。

世界の構造を変えた技術革新

大きな転換点となった「大西洋革命」

「資本主義」や「国民国家」が成立し、「近世」から「近代」へ移行する転換期において、なくてはならない要素が**産業革命**、**アメリカ独立革命**、**フランス革命**などの革命とそれに伴う様々な社会変革をさす「大西洋革命」といわれた一連の事件です。「産業革命」という経済的な革命と、「市民革命」という政治的な革命の２つが同時に進行したため、この時代を「二重革命」の時代ともいいます。これらの革命によって**王や貴族といった従来の権力者を中心とした身分構造が破壊され、主権者である国民が、自分たちの経済的利益を最大化するために世論と選挙によって国を動かしていく**という、近代の市民社会が成立していくのです。

イギリスに備わっていた「資本」と「労働力」

産業革命をいち早く達成させ、「手工業」から「機械工業」への段階に移行したのがイギリスですが、イギリスが他の国に先がけて産業革命を始めることができたのには、様々な要因がありました。

工業生産に必要なものは「元手」と「人手」、すなわち「資本」と「労働力」、そして「売り場」となる「市場」です。このうち、「資本」と「市場」については、イギリスは海上覇権を握っており、大西洋の三角貿易により資本の蓄積があったことと、市場にアクセスする海上貿易路を押さえているという強みがありました。

そして、「労働力」ですが、これには当時のイギリスで起きていた「農業革命」といわれた農法の改良と密接に関係がありました。イギリス東部の

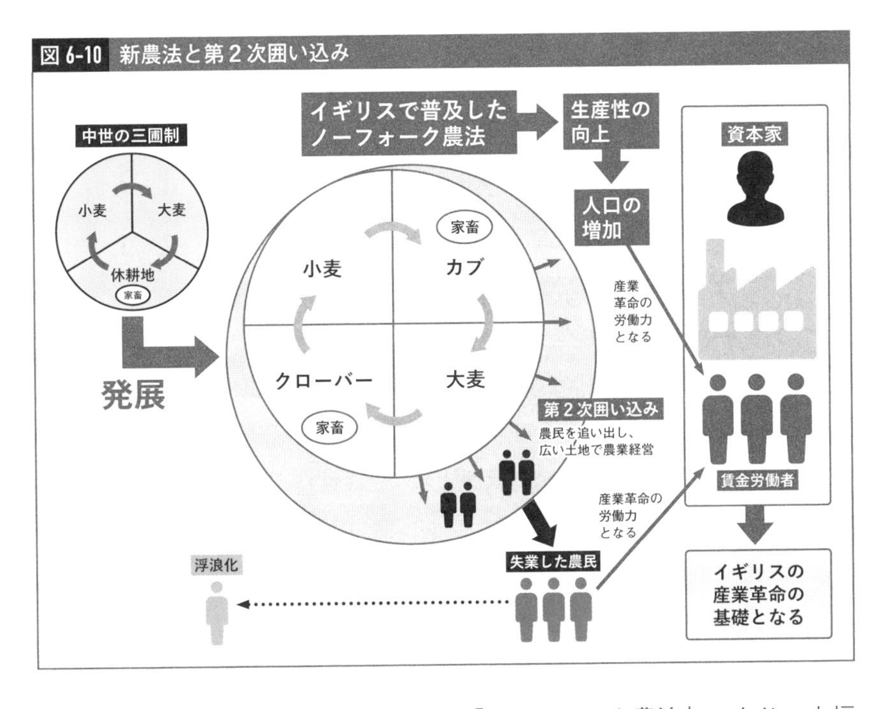

図 6-10　新農法と第２次囲い込み

ノーフォーク地方で普及した新農法の「**ノーフォーク農法**」により、大幅な穀物生産力の向上がもたらされたのです。「ノーフォーク農法」は、中世の「三圃式」の農法をさらに発展させたような農法で、同じ農地でカブ、大麦、クローバー、小麦を順に育て、カブとクローバーの栽培に合わせて家畜を飼うことで、土地を休ませることなく有効利用できる、現在の「混合農業」のもととなる農法でした。この農法によって穀物の生産性は高まり、人口の増加につながりました。

また、この農法は家畜を移動させながら飼うため、広大な農地が必要になります。地主は議会と結んで法律をつくり、合法的に農民たちを土地から追い出して、その土地を広い農地につくりかえました。これを「**第２次囲い込み**」といいます。土地を失った農民は都市に流れ込み、労働力となりました。「人口の増加」に加え、「農民も労働者に転換した」という背景が、豊富な「労働力」を生んだのです。

産業革命の展開

イギリスの産業革命は綿織物工業から始まりました。前にも述べたように、イギリスはインドとの貿易において「キャラコ」といわれた綿織物を輸入しており、その対価として銀をインドに支払っていました。すなわち、対インド貿易は「赤字」だったわけです。

そこで、イギリスの繊維業者や技術者たちは、この綿織物部門の技術革新に取り組むのです。**輸入に頼っていた商品を国内で生産できれば、国内の需要を満たして大きな利益を得られると考えたからです。**現在でも、国家の工業発展の第一歩は「**輸入代替工業**」といわれています。

綿織物工業と並行して蒸気機関などの動力などのテクノロジーも進化していきました。

産業革命は、単に「工業が機械化された」というのみならず、社会全体の構造をも変えていきました。**多くの機械をもつ工場経営者である資本家が、賃金労働者を雇用し、工場で機械を用いた生産に従事させるという資本主義というシステムが始まったのです。**資本主義の社会においては、人々は利益を求め、つねに競争するようになります。イギリスの経済学者、**アダム＝スミス**は、各々が自由な経済活動を行い、自己の利益を追求して競争し合うことで価格や需要・供給量が自動調整され、国民経済全体が豊かになり、国民生活が発展すると主張しました。この理論は、資本主義経済の基礎として、現代でも生きています。

産業革命を経て生み出された機械は、水力や蒸気機関に接続され、自動化されていきました。**労働者たちは熟練を要さずに、機械を操作するだけでものを生み出すことができました。それだけに、労働者たちの賃金は安く、劣悪な労働環境や居住環境の中で暮らさざるを得なくなる一方、工場を経営する資本家は高い利益を手にするようになりました。**

資本家と労働者は新しい社会の階層として分かれ、また、労働者をめぐる新たな社会問題を解決するための思想や政策も生まれていきました。

イギリスの「重商主義」に植民地が団結した

アメリカに形成された様々な植民地

「アメリカ独立革命」によってイギリスから独立し、アメリカ合衆国を形成したのは、北アメリカ大陸東岸にイギリスの人々が建設した13の植民地です。しかし、当初、北部では自営農民や自営の商工業者が多く、南部では奴隷を使用したタバコや米のプランテーション経営が中心、というように13の植民地には経済的にそれぞれの背景があり、決して「一枚岩」ではありませんでした。そうした様々な植民地が、一丸となってイギリスと戦い、独立しようとしたことの裏にも経済的な背景があったのです。

イギリスの重商主義とアメリカの反発

イギリス本国は、本国の「重商主義政策」の展開のため、アメリカ植民地にあくまでも「本国のための原材料供給地」と「本国製品の市場」であり続けていてほしかったのです。植民地が自由に貿易を行い、植民地の工業が発展してしまうと、イギリスにとってアメリカが「都合のよい土地」ではなくなり、「商工業上のライバル」になってしまいます。

そのため、鉄鉱石が豊富なアメリカに鉄工業が成長することをわざと阻害したり、鉄鉱石をアメリカ植民地から輸入し、イギリス本国で生産した鉄製品をアメリカ植民地の人々に買わせたりすることもありました。

また、フランスとアメリカ植民地をめぐって争った**フレンチ＝インディアン戦争**の戦費によって生じた財政赤字を「アメリカへの重税により戦費を現地調達して」軽減するため、イギリスはアメリカに重税を課していきます。もちろん、植民地側は反発するのですが、イギリス本国は植民地の人々の自治を制限し、不満を抑え込もうとしました。

茶をめぐって勃発した独立戦争

イギリスの課税強化は続きます。印刷物や証書などにイギリス本国が発行する印紙を貼ることを義務付ける印紙法や、ラム酒の原料となるサトウキビの糖蜜に税をかけた砂糖法など、様々なものに税をかけていくのです。これに植民地側はことごとく反発し、対立は深まるようになります。

その対立が頂点に達したのが、「茶法」の制定です。東インド会社の経営悪化に伴い、茶の販売権を東インド会社に独占させたこの法に対し、植民地側は猛反発し、ボストンの住民がボストン港に停泊していた東インド会社の船を襲い、茶箱を海に投げ込むという「**ボストン茶会事件**」が発生しました。植民地は**大陸会議**を開いて本国に自治を要求し、本国は武力によって抵抗をおさえようとしたため、戦争状態になります。そして、アメリカがこの戦争に勝利し、独立を勝ち取ったのでした。

図 6-11 アメリカ独立戦争

「所有権の不可侵」をうたった革命の理念

財政難にあえいだフランスと革命の勃発

イギリスとフランスによる植民地争奪戦は、イギリスに財政の悪化をもたらし、アメリカの独立を招く原因になりましたが、植民地戦争の「実利」をイギリスにとられ続けたフランスの財政赤字はさらに深刻で、フランス革命の直前には、負債の返済額が国庫の歳出の半分を占めていました。民衆には重税がかけられた上に徴税請負人による不正も多く、税に対する民衆の不満は大きいものがありました。

そこで、フランス国王**ルイ16世**は銀行家だった**ネッケル**という人物を財務総監に任命し、それまで免税の権利を与えていた聖職者や貴族に対する課税に踏み切ったのです。もちろん、聖職者や貴族たちはこの課税に対して反発し、平民への税負担を強いようとしました。一方、平民たちは、折からの干ばつや凶作により食料品の価格が上がっていたうえに、産業革命を経たイギリス製品の流入によって手工業者が壊滅的な打撃を受けており、その不満の矛先が聖職者や貴族たちに向かっていたのです。この不満が、**フランス革命**に向かうこととなります。

フランス革命の結果、王は処刑され、特権身分たちの特権は廃止されました。**革命の理念をうたった人権宣言では、自由な経済活動の前提となる所有権を「神聖かつ不可侵」としており、特権身分や王たちは、「自分たちの財産を取り上げる存在」に見えていたということがわかります。**

空振りに終わった「大陸封鎖令」

フランス革命の結果、権力を握った**ナポレオン**は「**ナポレオン法典**」をつくらせ、こうした革命の成果を法の形に残そうとしました。ナポレオン法典は身分制社会の放棄を確かなものとし、**所有権を絶対のものとして保障しました。この法典の成立は経済活動を活発化させ、フランス銀行の設立やフランスの産業革命のもとになります。**

ナポレオンの経済政策の軸は、イギリス製品の流入をおさえつつ、フランスの産業を育成していくことでした。そのため、**大陸封鎖令**という命令を出し、支配下のヨーロッパ諸国にイギリスとの貿易や通信を禁止し、大陸ヨーロッパ側をフランスの産業の「市場」にしてしまおうとしたのです。

しかし、これはオーストリアやロシアなどの農業国にとっては、割高なフランス製品を買わされ、自分たちの主力商品である農作物がイギリスに売れないという不利な命令でした。ロシアはこの命令を破り、穀物を輸出してイギリスの工業製品を輸入するという密輸を行うようになります。そして、ナポレオンはこのロシアをこらしめる名目でモスクワ遠征を行った結果、決定的敗北を喫して退位に追い込まれるのです。

図 6-12 ナポレオンと「大陸封鎖」

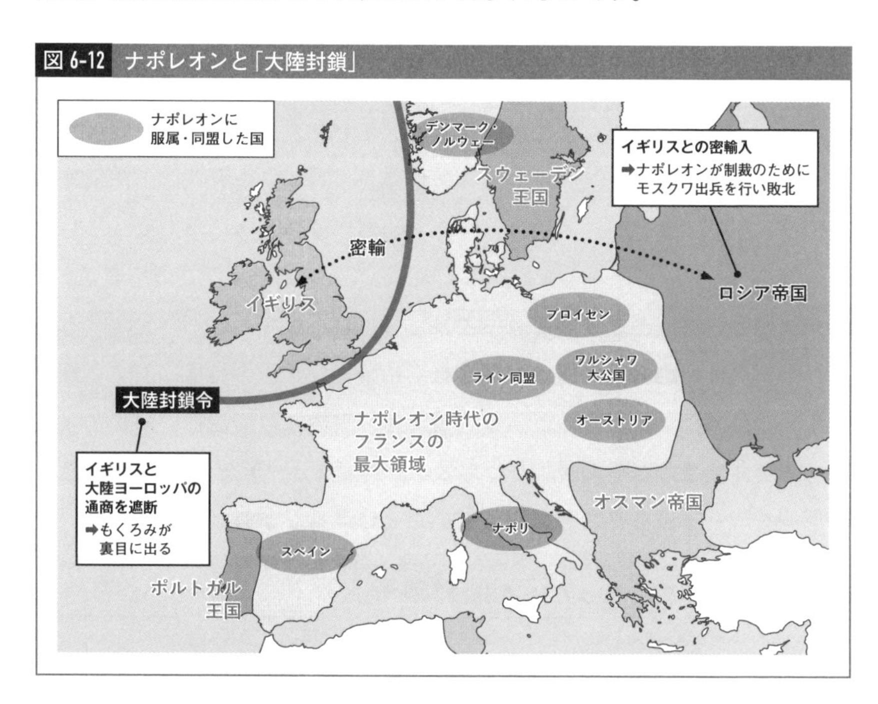

第7章

拡大する「帝国」

産業の発展と帝国主義

(19世紀)

第7章 産業の発展と帝国主義 あらすじ

世界を植民地化した帝国主義国家たち

この時代は、「世界の工場」と言われたイギリスが世界に植民地を広げて自由貿易体制を確立したことから、イギリス製品が世界中に広がりました。イギリスと、それを追うように産業革命を達成した国々が、原材料を確保し、製品の市場とするため、「国際分業」の名のもとにアジア・アフリカの諸国を植民地化します。国家間の貿易がより活発化し、金を価値の基準とする国際的な金本位体制ができました。統一を成し遂げたドイツ、南北戦争を乗り越えたアメリカでは、工業化が進みます。

第7章 【産業の発展と帝国主義】の見取り図

アメリカ
独立後、アメリカは西に拡大します。経済政策をめぐって南北が対立した南北戦争を乗り越えると、工業化を進めて世界一の工業国になりました。

ヨーロッパ
イギリスに続く資本主義国家の国々が帝国主義に突き進みます。これらの国々は、アフリカや東南アジアを「分割」し、植民地にしていきました。

中国
アヘン戦争以後、清の没落が始まります。列強に攻められた清は改革に向かいますが、日清戦争で日本に敗北を喫することになります。

日本
開国し、明治維新を迎えた日本は、地租改正や通貨制度の確立など、様々な改革を行い、資本主義国の一角として成長しました。

次々と帝国主義に名乗りを上げた国々

イギリスを追う「後発資本主義国」

イギリスから始まった産業革命と、アメリカ独立革命、フランス革命という経済と政治の２つの領域で始まった「二重革命」の影響は、社会や文化の変化を伴いながら拡大していきました。

産業革命によって、モノを生産する機械が生み出され、機械は水力や蒸気力で自動化し、それを輸送する鉄道が敷かれ……と、連鎖的に産業が高度化していきます。様々なモノが安価に、また、大量に生み出され、世界中の市場に供給されていきました。

図 7-1　拡大する産業革命

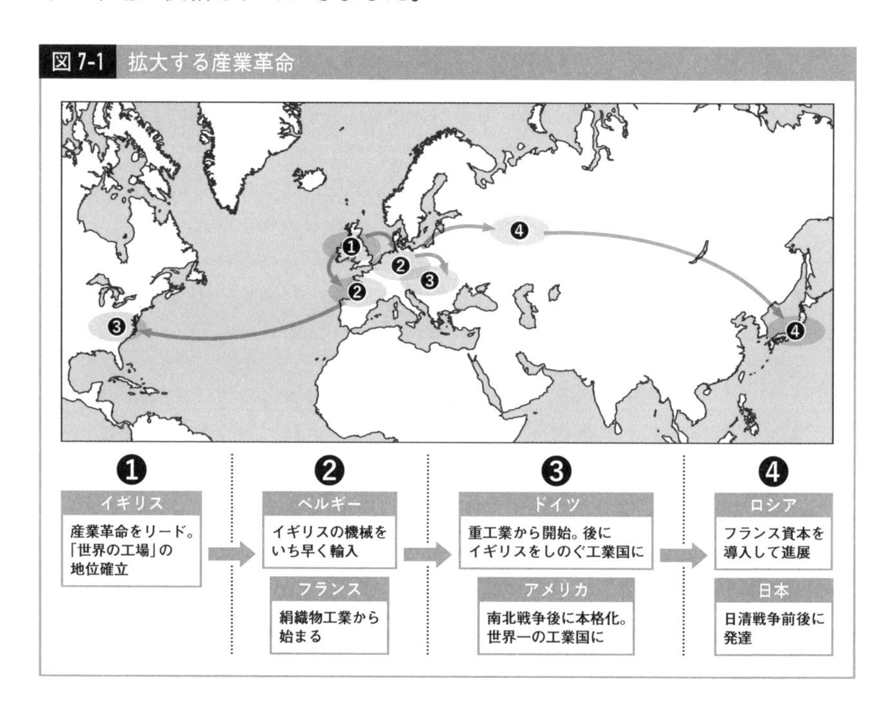

それまで、手工業によって製品を生み出していた世界の国々にとってみれば、**いちはやく産業革命を達成したイギリスの安価で安定した品質の製品が、大量に自分の国に流れ込む状況は、自国の産業が衰退するピンチでした。**この中で、どのように自国の利益を守っていくか、その対策に迫られるようになったのです。

ある程度の経済力や技術力のベースをもった国では、イギリスから技術者を招き、自国で機械の生産を開始したり、イギリスの機械を輸入したりすることで、自分の国でモノを生産し、産業革命の道筋をつけることができました。こうした国々は、イギリスと比較した場合の「後発資本主義国」という位置づけとなります。

これら「後発資本主義国」に位置づけられた国としては、フランスやベルギー、ドイツ、アメリカ、そしてロシアや日本などがあり、これらの国々は市場や原材料の供給を求めて帝国主義的政策を展開します。ただし、「後発」といっても、ドイツのように急速に工業が発展し、イギリスをしのぐ工業力をもつ国もありました。

「国際分業」の名のもとに植民地化される世界

一方、そうした経済力や技術力のベースがない国、近代化が遅れた国々は、イギリスをはじめとする資本主義国家の国々にとって、製品を売りつける市場や安価な原材料を供給する地という役割を演じ、資本主義国に従属していくようになります。

「生産と販売」を担当する資本主義国と「原料と市場」を担当する地域、という、「世界の分業」が進みます。すなわち、「産業革命」が「世界の序列化」と「世界分業」を促進させたのです。

「列強」と呼ばれた資本主義国家の国々が、アジア・アフリカ・ラテンアメリカの植民地化を盛んに進めたことで、これらの地域は次第に欧米資本主義国に従属するようになります。

次々に起きたもうひとつの「アメリカ」の独立

本国の経済的搾取に反発したクリオーリョたち

アメリカ独立革命やフランス革命の影響は、ラテンアメリカに波及して本格的な「大西洋革命」に発展します。ラテンアメリカは、スペインやポルトガルの進出以来、ヨーロッパの国々の「重商主義政策」のもとで搾取の対象となっていました。

ここに立ち上がったのが「クリオーリョ」といわれる現地生まれのヨーロッパ系の人々でした。**アメリカの独立に立ち上がった人々が、もとはイギリスからやってきた植民者をルーツにするように、「クリオーリョ」たちもヨーロッパからの植民者をルーツにしながらも、本国の経済的な搾取に対して反発し、独立に立ち上がったのです。**

その結果、コロンビアやボリビア、メキシコなどが次々に独立を達成しました。しかし、この「クリオーリョ」たちは、もともとヨーロッパ系の大農園経営者であり、先住民や奴隷にとっては変わらない搾取が続きました。その後、ラテンアメリカはイギリス、次いでアメリカの市場としての経済的従属が強まることになります。

図7-2 ラテンアメリカの独立

「鉄の時代」の到来を告げた「鉄道の時代」

またたく間に広がった鉄道網

蒸気機関を積んで自走する、「蒸気機関車」を実用化させた人物が、イギリスの**スティーブンソン**でした。「ロコモーション号」といわれた機関車が600人の乗客と積荷を載せた38両の貨車を引き、平均時速18kmで40kmの実験線を走ることに成功したのです。それまでの輸送手段が人力や馬車であった時代に、鉄道はケタ違いの輸送力があることを示した瞬間でした。

それからすぐにイギリスのマンチェスターからリヴァプール間で鉄道の営業運転が開始され、瞬く間にイギリス全土、そしてヨーロッパ全土に広がりました。営業運転が始まった１本の鉄道からヨーロッパ全土に鉄道が敷かれるまで、わずか30年ばかりの時間しかかかりませんでした。

さらに植民地の産物を輸送するため、アジアやアフリカに鉄道が敷かれ、鉄道網は世界中に広がりました。**鉄道の時代は「鉄の時代」の到来でもあります。**鉄道の建設は鉄鋼の増産をもたらし、各国の経済発展の推進力になりました。特に、アメリカとドイツはイギリスをしのぐ鉄鋼の生産力をもつようになり、世界第１位、第２位の工業国となります。

交通網の発達とともに、この時代は情報網も発達しました。アメリカのモールスが電信機を発明すると、電線さえあればどれだけ離れていても瞬時に情報を伝えることができるようになります。イギリスはヨーロッパから北アメリカ、アフリカ、インド、中国、オーストラリアを結ぶ海底電信ケーブル網をつくり、植民地帝国の拡大と保持に利用しました。ロンドンに開業した通信社のロイターは、この電信ケーブル網を利用してニュースを世界中から集め、イギリスの人々に配信しました。

切断され、結びつけられる金と紙幣の関係

一時的に停止された金との交換

ナポレオンが大陸ヨーロッパで戦争を繰り広げていたとき、イギリスはつねに「対仏大同盟」の中心として、ナポレオンに立ちはだかりました。

戦争の遂行にはたくさんの物資が必要になります。戦争のたびに物資を消費するため、その都度、補充しなければなりません。したがって、一般的に戦争のときには、輸入額が輸出額よりも多くなります。

これまでは、イングランド銀行が発行した「紙幣」は金貨と交換可能な「引換券」の役割を果たす、ということになっています。しかし、戦争状態においては、もしイギリスが戦争に負け、イングランド銀行がなくなってしまうと、金貨と交換してもらえるという保障がなくなり、紙幣はただの紙切れになってしまいます。

外国の人々も、普段は紙幣での輸出入に応じていても、戦争が始まると、「紙切れになるかもしれない紙幣よりも金そのもののほうがいい」と考え、イギリスに紙幣でなく、金での取引を要求します。また、それまで外国への支払いに使っていた紙幣もイギリスに持ち込まれ、金との交換を要求されます。結果的に、イギリスの手持ちの金が国外に大量に流出してしまいました。金が流出すると、「引換券」としての紙幣も大量に流通させられなくなり、社会全体の「カネ回り」が悪化して恐慌に陥ってしまいます。

「額面」だけの「不換紙幣」の発行

そこで、イギリス政府は法律を制定し、紙幣と金との交換を不可能にしたのです。**「金と交換できないけど、この額面で使うようにしてね」という**

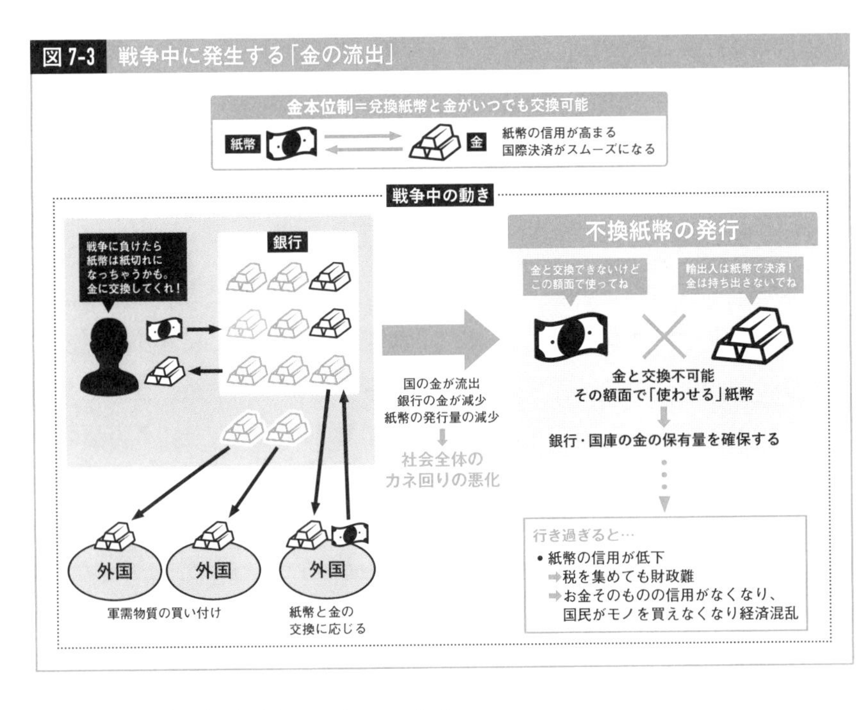

紙幣のことを「不換紙幣」といいます。

不換紙幣にすると、「金との引換券」ではないので、紙幣を印刷してお金の量を「水増し」でき、景気の悪化を防止することもできますし、海外との決済をできるかぎり紙幣で行うことで自国の金の目減りも防ぐことができます。ただし、この方法には、欠点があります。**金と交換できない「額面」だけの紙切れは、たくさん発行すると少しずつ価値を失い、本物の「紙切れ」に近づいてしまうのです。**紙幣の価値が低下し、同じモノを買うのにより多くの紙幣を用いなければならなくなり、物価が上昇するという「インフレーション」が発生する、ということになります。

金本位制への復帰

ナポレオン戦争が終わると、乱れた貨幣価値を修正し、紙幣の信用を取り戻すために、紙幣と金貨を再び交換可能にすることが求められました。

そこで、イギリスは「貨幣法」という法律を制定し、この法律に基づいて新しく約８ｇの１ポンド金貨を発行しました。この金貨を「ソブリン金貨」といいます。１ポンド紙幣はソブリン金貨１ポンドと同じ価値をもつことになり、交換がいつでも可能です**（この、金と「交換できる紙幣」のことを「兌換紙幣」といいます）**。

また、興味深いことに、ソブリン金貨を溶かして、**金属としての「金」として扱っても、同じ重量ならば１ポンドとして使うことも可能です。結果、１ポンド紙幣は金約８ｇと完全に同じ価値をもつことになります。**

金と紙幣が結びつけられ、紙幣の信用を確保するこの仕組みを「金本位制」といいます。イギリスは「大英帝国」の信用のもと、手持ちの金の何倍もの紙幣を発行し、ポンド紙幣を世界に満たすことになりました。世界各国もそれに追随し、金本位制に移行します。

国際金本位制の形成

金本位制はそのあと、戦争の前後に中断することもありましたが、第二次大戦後まで続く、国際的なシステムとなります。

この体制には国家間の決済を容易にし、貿易がスムーズになるというメリットがあるのです。たとえば、イギリスがある商品を「これは120ポンドね」と売りに出した場合、「ええと…120ポンドは…640ドルだから…１ドル金貨を640枚か」というような通貨換算を経なくても、「120ポンド＝960ｇ＝640ドル」というように金と紙幣がリンクしていれば、通貨換算を経ずにイギリスは「金960ｇください」といえばよいのです。買う側のアメリカは金の重さを量って金属のまま送ればいいので、互いに金貨や紙幣の枚数を数えるという手間がなくなり、貿易がスムーズになるのです。

また、輸入が多くなって金が海外に出ると、国内の金の量が減ります。そうすると国内の「カネ回り」が悪くなり、自然と人件費や材料費がおさえられ、「デフレーション」が発生してその国の製品が全体的に安くなります。今度は輸出が伸び、結果として金が取り戻せるという、「自動調整作用」がはたらくことも期待されるのです。

「規制緩和」を要求した資本家たち

衝突する「国の利益」と「資本家の利益」

世界で初めて産業革命が進行したイギリスでは、工場をもち、機械を導入して労働者を雇う「産業資本家」が成長しました。現代の企業も、収益を得たらその一部を設備投資などの「拡大再生産」に回し、さらに儲けを得ようとするわけですが、当時の産業資本家たちも、儲けたら、さらに儲けを増やしたいと考えているわけです。

しかし、ここまでのイギリスの方針は「重商主義」、すなわち、国家として貿易を振興して儲けていきたいという考えです。

じつは、この両者の考え方は、相いれない考え方なのです。**産業資本家は「自分たちが儲けたい」という考え方であることに対し、重商主義をとる政府は「国家の利益を優先したい」という考え方なのです。**

たとえば、「東インド会社」はイギリスがアジアの貿易における独占権を与えた会社です。東インド会社はイギリスの後押しによって、各地に拠点を築き、本国の政策と一体化して利益を得ていきます。しかし、産業資本家たちにとってみれば、「俺たちだってアジア貿易に参入したい！」「東インド会社ばかり優遇されてズルイ！」ということになるのです。

「規制緩和」を行ったイギリス議会

そこで、**国の方針に対して、もっと自由に商売をしたいという産業資本家が「規制緩和」を求めます。**議会も、その要求に応じて少しずつ自由主義的な改革を推し進めます。東インド会社の商業活動が停止されますし、イギリスの地主を守るために外国からの穀物に高関税をかける穀物法も廃止

図 7-4 重商主義政策と自由主義改革

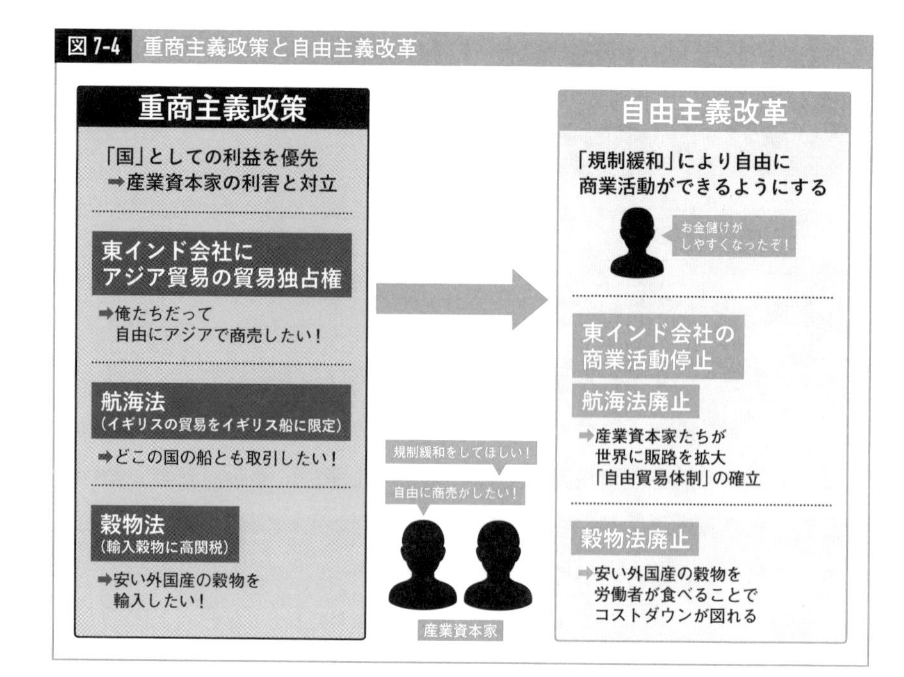

されました。

穀物法の廃止により、安い輸入穀物を労働者が食べることができ、雇用者側はさらに安い賃金で労働者を雇うことができました。その分、商品価格を安くでき、商売が有利になると期待したのです。

また、オランダとの覇権争いの中で出された「**航海法**」は、「イギリスとイギリス植民地を出入りする貿易船は、イギリスの乗組員が運航するイギリスの船でなければならない」という内容でした。しかし、産業資本家にとってみたら、「どの国であっても、条件のよい相手だったら商談したい」と考えるはずです。この法令も産業資本家の運動により廃止されました。

このような一連の**「規制緩和」により、産業資本家に「儲ける機会」が平等に与えられるようになり、自由に競争できる体制がつくられました。**

また、奴隷にも「自由な労働」をさせることで意欲が増し、生産性が高くなるという論調が強まり、人道的な奴隷反対論の高まりにも合わせて奴隷貿易が廃止されました。

大英帝国は「世界の工場」から「世界の銀行」へ

世界に商品を満たした自由貿易政策

そして、やってきたのが**ヴィクトリア女王**のもとでのイギリスの安定期です。イギリスは国内での自由主義的改革とともに、植民地を盛んに広げて貿易商や産業資本家にチャンスを与え、**世界中で「自由貿易」を展開し、安価で良質の工業製品を世界にばらまく、まさに「世界の工場」でした。**このとき、ロンドンで開かれた第１回の万国博覧会ではイギリスの繁栄と新たな産業社会の到来を各国に知らしめることになりました。

こうした、**貿易商や産業資本家たちに商売の「元手」を提供した銀行家や投資家などの「金融資本家」たちもまた、成長していきました。**

周辺の「後発資本主義」の諸国にとっては、この、安価で安定した品質のイギリス製品が国内に入ってこられたら、自国の工場でつくったものが売れなくなり、産業が衰退してしまいます。**関税などによってイギリスとの貿易に「壁」をつくり、できる限りイギリス製品が入ってこないようにして自国の産業を守ろうという「保護貿易」政策をとります。**

こうして、「自由貿易」のイギリスに対する「保護貿易」の後発資本主義諸国という構図ができ上がるのです。

イギリスの最重要植民地となったインド

この時代のイギリスの外交政策は、ヨーロッパ大陸との政治的なかかわりを避けて海外進出に集中する、「光栄ある孤立」と呼ばれる政策でした。アジアではアヘン戦争やアロー戦争によって中国市場を開き、インドを直接支配し、アフリカでは「アフリカ縦断政策」を展開するなど、積極的な

図7-5 イギリスの植民地帝国

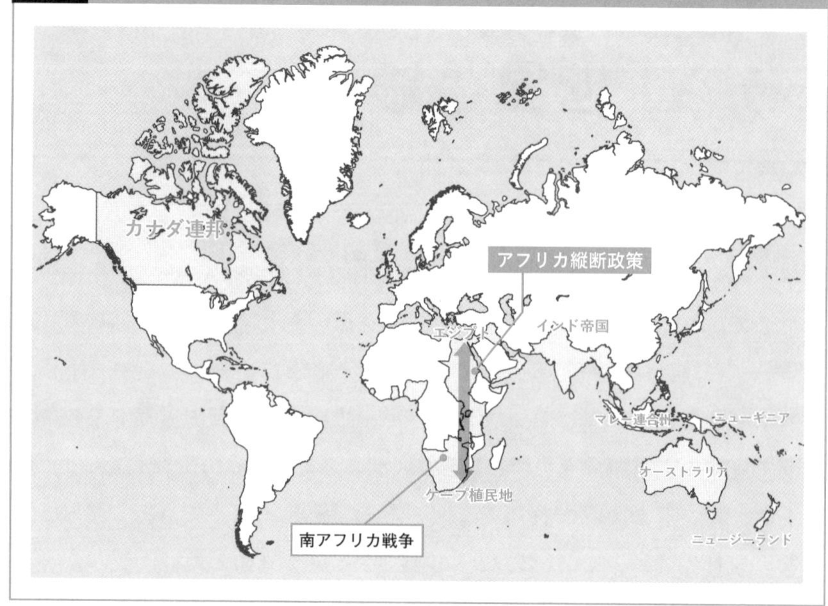

海外進出を行いました。特に**インドは「綿花をイギリスに供給し、イギリス産の綿織物の市場となる」という、イギリスにとっては非常に「おいしい」地であり、イギリスの最重要植民地となりました。**インドへの航路を短縮することをねらい、エジプトから**スエズ運河を買収**しました。

実際のところは茶やコーヒー、砂糖や綿花、ゴムや鉱産資源を輸入するため、イギリスの貿易収支はつねに赤字だったのですが、その代わりに海運業や保険、海外投資の利子や配当などの「世界の銀行」としての役割に転換することで対外収支の黒字を維持していました。

しかし、ヴィクトリア時代の終わりごろにはイギリスの栄光に陰りが見えたのも、また事実でした。世界一の工業国の座は、重工業が発達したアメリカに譲り、ドイツにも工業生産高では追い抜かれてしまいます。

対外収支が悪化し始めると、手持ちの金の目減りを防止し、「金本位制」を維持していくための金を求めて、南アフリカで長期にわたる植民地戦争を繰り広げ、イギリスの国力は次第に低下していきます。

イギリスを追った帝国主義のフランス

ナポレオン3世がつくらせた「花の都」

イギリスの「ヴィクトリア時代」にあたるフランスの時代は、**ナポレオン3世**による第二帝政と、それに続く第三共和政の時代でした。第二帝政の時代はフランスの工業が飛躍的に発展した時期であり、**パリでは大規模な都市改造が実施され、今に見る美しいパリの姿が誕生しました。**万国博覧会もパリで2度開催されています。積極的な対外進出も行われ、アジアではインドシナ半島に「フランス領インドシナ連邦」をつくり、アフリカでは「アフリカ横断政策」を展開しました。

図7-6 フランスの植民地帝国

独自の政策で力をつける ドイツとロシア

ドイツの統一と保護貿易・重工業化

かつて「神聖ローマ帝国」といわれ、多くの諸侯の寄せ集めだったドイツでは、プロイセン王国を中心とした統一が進められ、プロイセン＝オーストリア戦争やプロイセン＝フランス戦争を経てドイツ帝国が成立しました。その統一の過程で、ドイツは「関税同盟」を結成して経済的な結びつきを深め、鉄道網が整備されました。

ドイツはそれまで不統一だったものの、豊富な産出量を誇る炭田とライン川やエルベ川の水運などのベースがありました。また、不統一だった時代にもそれぞれの地域が競い合うように工業化を進めていたため、**統一さえされれば工業化が一気に促進される基礎があったのです。**

「後発資本主義国」のドイツは先行するイギリスなどの外国製品から国内産業を守る「保護貿易」政策をとりました。その戦略が功を奏して重工業化が進み、現在の工業国ドイツの基盤ができたのです。

ロシアの南下と農奴解放

ナポレオンを破った「最高殊勲選手」だったロシアは、一躍、ヨーロッパの国々の中での存在感を高めましたが、国内では農奴制が強く残っていたために農業生産性が低く、寒冷な気候のため、**冬になると多くの港が凍ってしまい、海運が滞ってしまうという不利を抱えていました。**

そこでロシアはオスマン帝国に圧力をかけつつ、バルカン半島方面に進出して、凍らない港と地中海への出口を確保する「南下政策」に出たのです。しかし、本格的な南下を図ったクリミア戦争ではイギリスとフランスに南下を阻止されました。

このクリミア戦争は、イギリスやフランスは蒸気船の軍艦であったのに対し、ロシアは帆船の軍艦であり、武器も旧式のものでした。近代化の遅れを痛感したロシアでは、その敗因を農奴制に求め、皇帝**アレクサンドル2世**は農奴解放令を公布しました。「働かされて働く」農奴では生産性が上がらないと考えたのです。しかし、**この農奴解放は農奴が実力で勝ち取ったものではなく、皇帝の命令によってなされた「上からの改革」でした。**こののち、ロシアはフランスの投資を受けて資本主義化の道をたどります。

農奴は領主の所有物から「解放」されたものの、生きる糧が与えられたわけではありませんでした。土地は領主から自分で買い取るしかなく、貧しい農奴たちには買えるわけもありません。結局、国家の土地を与えられ、細々と耕作するという、農奴とあまり変わらない暮らしが続きました。

このような「資本主義化」による労働者階級の増加や農村の困窮がのちのロシア革命の背景となったのです。

図 7-7 ドイツ・ロシアの動き

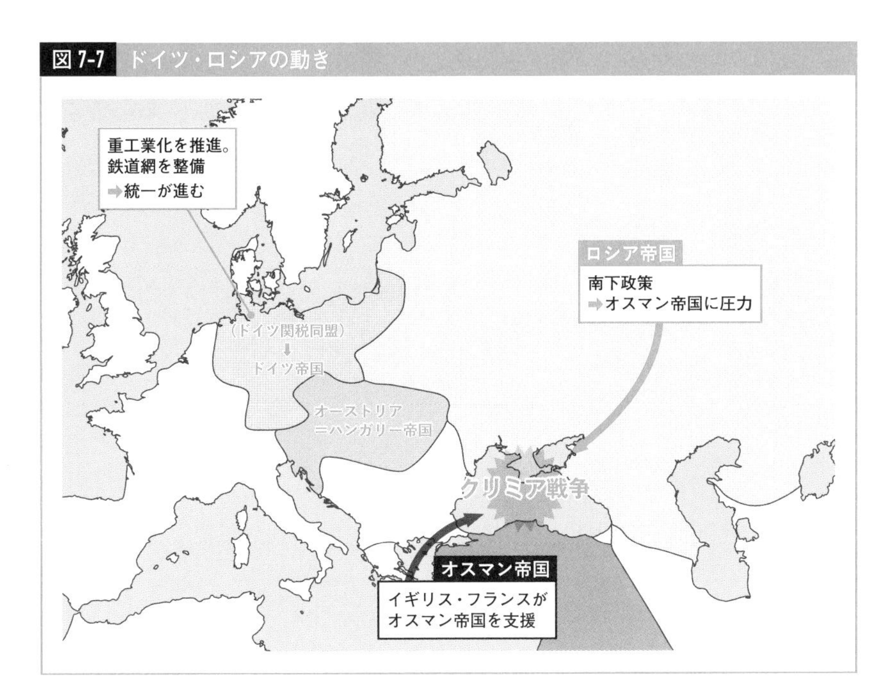

アメリカが乗り越えた大きな課題

フロンティアの拡大とゴールドラッシュ

イギリスからの独立を果たしたアメリカは、西へ西へと領土を拡大し、独立から65年後にはアラスカとハワイを除く、ほぼ現在のアメリカの領域となりました。中でもメキシコとの戦争によって獲得したカリフォルニアで金鉱が発見され、ゴールドラッシュが起きたことで、西部開拓が一気に進みました。新天地を求めた開拓者により、開拓最前線である「フロンティア」は西に進んでいきました。

アメリカの南北で広がる経済的な「溝」

こうした西部開拓によってアメリカは、北部が商工業地域、南部が奴隷を使用したプランテーション、西部が開拓農民による農業地帯、というように国内の分業が進みました。特に南部のプランテーションではイギリスなどのヨーロッパ諸国に輸出する綿花が栽培され、アメリカの経済を支えました。

しかし、このことがアメリカの北部と南部の溝を深めます。北部はイギリスとビジネスモデ

図 7-8 アメリカの西への拡張

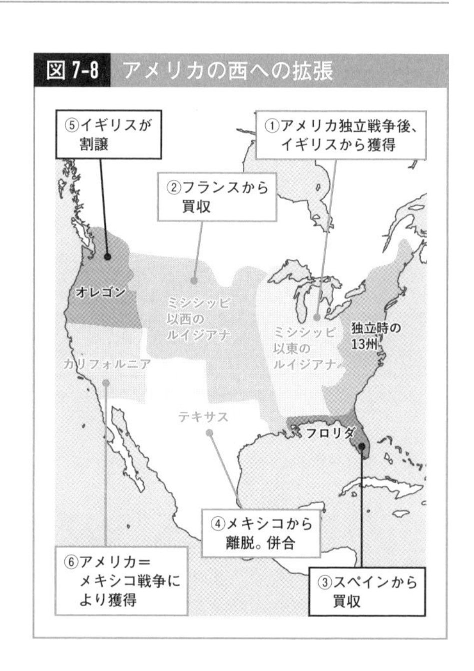

ルが「かぶる」商工業地域なので、「ライバル」であるイギリスの安価で安定した品質の商品が入ってこられると、産業は衰退してしまいます。**政府には「保護貿易」政策を要求し、イギリスとの貿易に関税や輸入制限などの障壁を設け、貿易しにくくするように要求します。**

それとは逆に、南部はイギリスをはじめとするヨーロッパ諸国に大量に綿花を輸出するビジネスモデルです。イギリスは「お客様」なので、**政府には「自由貿易」政策を要求し、イギリスとの間の関税や輸入制限などの障壁を設けないように要求したのです。**

また、奴隷政策の面でも、北部の産業資本家にとってはライバルのイギリスに負けない品質の商品をつくる必要から、奴隷ではなく、良質の「労働者」が必要であり、奴隷制の反対と奴隷解放を訴えます。

一方、プランテーション経営を進める南部は、綿花やタバコなどの生産に必要な、大量で安価な労働力の奴隷を必要としていました。

ここに、**「保護貿易かつ、奴隷制に反対」する北部と「自由貿易かつ、奴**

図 7-9　アメリカ南北戦争の構図

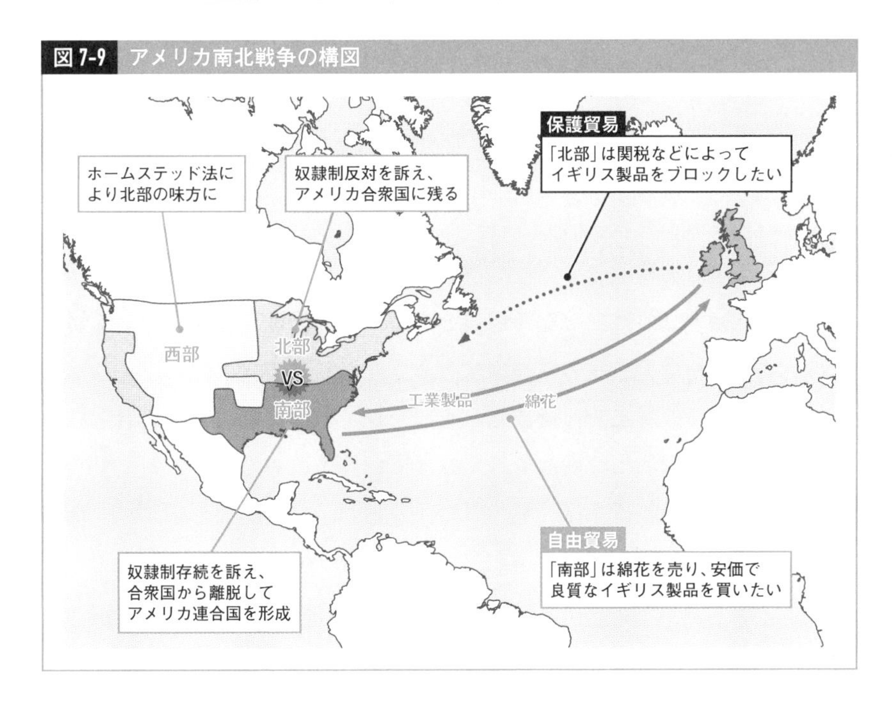

隷制の存続」を訴える南部が対立したのです。

北部で奴隷制に反対する共和党が結成され、**リンカン**が大統領になると、南部は**アメリカ連合国**を結成して対抗し、ここにアメリカ最大の内戦であった**南北戦争**が勃発します。

世界一の工業国に躍進したアメリカ

この南北戦争は北部の勝利に終わりますが、北部はこの戦争の中で「**ホームステッド法**」を発表します。これは西部の開拓者に、５年間の開拓活動を行うと約65ヘクタールの土地を無償で与えるという法令でした。小規模な西部の開拓者は、土地が与えられるという期待と、南部が勝利すれば広大な土地がプランテーション経営を行う大地主の手にわたってしまう恐れがあると考え、北部に協力することになります。

南北戦争後、このホームステッド法により西部の農業は大いに発展し、**西部の人口の増加によってアメリカ内部の商品需要、すなわち「内需」が拡大し、「南部の綿花が北部の工場で衣服となり、西部で消費される」というような好循環が生まれました。**アメリカの東西をつなぐ大陸横断鉄道も開通し、鉄鋼や綿花の消費量が増加すると、イギリスを抜いて世界一の工業国の座を得るようになりました。

クリミア戦争で財政が苦しくなって、アラスカを「売りに出した」ロシアからアラスカを買収し、さらに西部の開拓が進み「フロンティア」が消滅すると、アメリカはさらなる市場を求め、**大陸国家から海洋国家に姿を変え、太平洋や南アメリカに進出するようになります。**

南北戦争後、奴隷たちは解放されましたが、政府による土地の分配はうまくいかず、結果的には解放奴隷たちは旧奴隷主のもとでそのまま働くようになりました。奴隷主は「地主」に、奴隷は「従属的な小作人」に変化しましたが、奴隷解放は不徹底に終わり、アメリカ社会にとって深刻な社会問題が残ってしまいます。

絶え間ない「販路の拡大」を求めた資本主義国

第二次産業革命への移行

こうして、イギリス・フランス・ドイツ・ロシア・アメリカと、「欧米列強」といわれた資本主義国家が出そろいました。

産業革命は、**水力や石炭による蒸気の力で、「機械でモノを生産する」第一次産業革命から、電力や石油といった新エネルギーで、「機械を使って機械部品を生み出し、さらにその機械が物を生産する」という第二次産業革命へと移行していきます。**その結果、生産力は増大して、大量の製品が生み出されるようになります。特に、重化学工業分野ではドイツ、アメリカの躍進が目覚ましく、イギリスをしのぐ工業国となりました。

産業革命の進行により生まれた不景気

しかし、**工業化が進むこれらの国々が直面したものは、「恐慌」といわれた、深刻な「不景気」でした。**第二次産業革命でもたらされたのは「生産力の増大」です。この「増大」という言葉は、一見よい意味に思えますが、裏を返せば「売れ残りを抱える」というリスクにつながりやすくなるということなのです。

どの国の、どの産業資本家も盛んに工場を建て、人を雇って、たくさんのモノを生産します。しかし、市場の需要には限りがあります。すべて売り切ることができれば企業は大きな儲けを手にすることができますが（それが資本主義のメリットです）、それができず、他社に負けて売れ残りを抱えた企業は業績が急激に悪化していきます。

しかも、その「元手」となるお金は、金融資本家たちに前もって借りて

図 7-10 帝国主義を加速させた"経済的"な事情

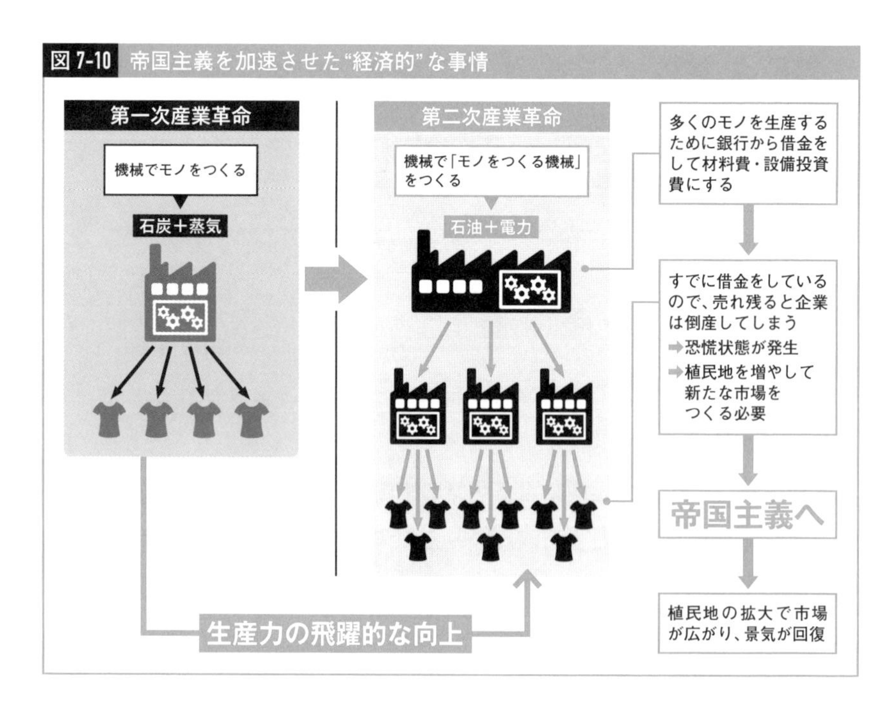

しまっています。「借金してもう商品をつくってしまっている」以上は、商品が売れ残ればその企業はすぐに倒産の危機を迎えるのです。金融資本家たちにとっても、企業に利益が出なければ、貸したお金が返ってこずに、同じく倒産の危機を迎えます。かくして、企業は生き残るため、自分たちがつくった商品を売り切るために、限られた市場をめぐって絶え間ない競争にさらされることになるのです。

第二次産業革命以降、現代に至るまでの企業の姿は、先に巨額の借金をして商品を生産し、「借金を返すため」に飽和した市場で競争し、商品が売れ残ると借金が返せずに急速に業績が悪化するという姿なのです。

独占と植民地の拡大という「生存戦略」

こうした競争に勝ち残るために、大企業は経営が傾いた弱小企業を吸収して体力をつけ、銀行の資本と結びついて巨大な独占企業となります。

同じ産業の企業が協定を結び、価格や生産量を調整してお互いの利益を

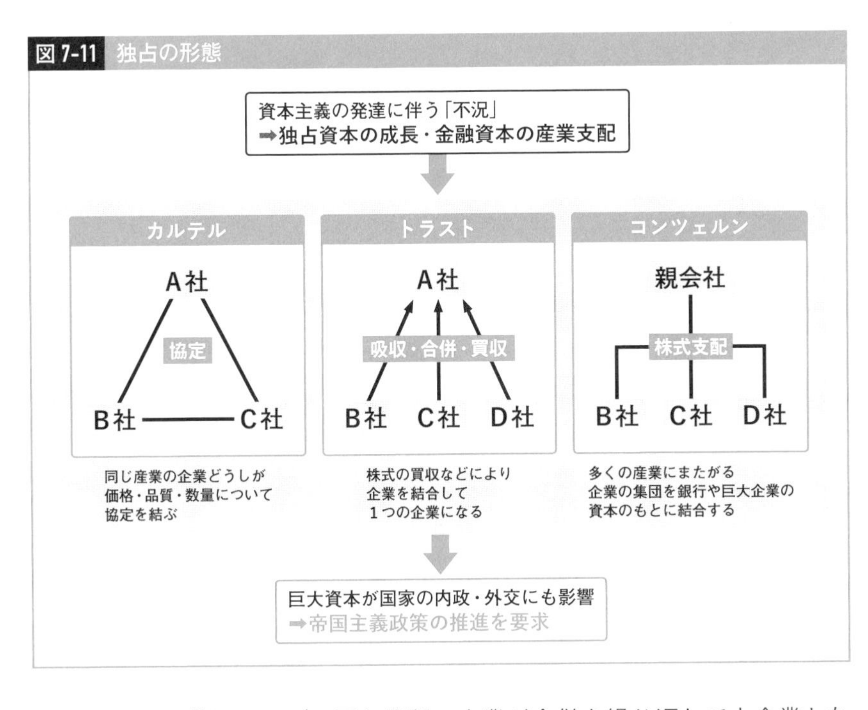

守ろうとする「カルテル」、同じ業種の企業が合併を繰り返して大企業となる「トラスト」、巨大企業が中心となり、他の企業の株式を取得して経営権を握る「コンツェルン」など様々な独占の形態が発達し、小規模な企業はこれらの大企業との競争を強いられました。

独占企業は政治にも大きな影響力を与えるようになり、国家の内政・外交を左右して、国家の政策が自らに有利になるようにしむけます。

これらの政策の代表が、植民地政策です。植民地は企業にとって在庫を独占的に売りさばく市場のみならず、安価な原料供給地にもなり、さらには海外での子会社設立やプランテーションの経営など、投資先としても魅力のある土地でした。欧米の資本主義国はアジア・アフリカに殺到し、瞬く間に世界は植民地として「分割」されていくのです。

こうして、植民地政策を推進する国々が、様々な国や民族を支配する「帝国主義」が誕生したのです。植民地を確保した国々は恐慌状態を脱し、第一次世界大戦に向かって「歴史的」といわれる成長期に移行しました。

経済発展の裏で発生した社会の矛盾

機械に置き換えられていく労働力

こうして、欧米列強各国は産業革命から帝国主義に移行し、生産力を飛躍的に拡大していきました。資本家たちは利潤追求に突き進む一方、労働者は劣悪な条件で長時間働くことを強いられました。資本家の生活は豊かになる一方、労働者たちの生活水準は低いままにとどまり、イギリスでは豊かな資本家と貧しい労働者の「2つの国民」が存在するといわれるほど格差が拡大しました。

また、産業革命前までの工業生産を支えてきた**手工業者も、機械の出現によってその仕事が置き換えられ、失業してしまいます。それまでの「職人技」はいらなくなり、機械の操作を行うだけのスキルがあれば仕事ができるようになったのです。**イギリスでは、機械に仕事を奪われた格好となった熟練工たちが機械や工場を打ちこわす「ラダイト運動」を起こして抵抗しましたが、結局は、失業した職人たちも工場労働者として工場に吸収されていきました。

その後も、**機械が進化するたびに、「それまでの仕事をしていた人々は機械に置き換えられていく」、という現象が頻繁に起こります。**

労働運動の開始

こうした、資本家と労働者の格差の拡大や労働者の労働環境の悪化に対し、労働者自らが労働条件の改善を訴える運動が起き始めます。イギリスでは労働組合の結成が合法化され、労働者が団結して経営者と交渉し、時にはストライキに訴えて労働条件の改善を求めるようになります。

フランスでは当初、労働組合の結成が認められなかったため、個人レベルで新しい社会の在り方を考えだす思想家たちが登場しました。中には「社会」そのものを１つの「会社」と捉え、国が作業所を建設して労働者に安定した仕事と一定水準の労働環境を与えてはどうだろう、と考える思想や、国家や財産などのあらゆる権威を否定する「無政府主義」という思想などが生まれました。

社会主義思想の登場

こうした背景の中で登場した思想が、土地や工場、企業などの「生産手段」を共有し、平等な分配を目指す「社会主義」です。資本家の儲けのためではなく、**社会全体で共有する「仕事場」で働き、同じだけの「分け前」を受け取れば平等な社会が実現するだろうという考え方です。**

ドイツの**マルクス**や**エンゲルス**は、資本家が労働者を雇うとき、労働者が生み出した富に比べて少ない賃金を渡し、のこりは資本家が「搾取」するという社会構造を明らかにし、様々な社会問題はそこから生じると主張しました。そこで彼らは、労働者が資本家に対して闘争を挑み、資本家と労働者の関係を断ち切って生産手段を社会全体の共有のものにすることが必要であると主張し、ヨーロッパ全体の労働者の団結を訴えました。

こうした、マルクスらの呼びかけに対し、ロンドンに各国の社会主義者たちが集まり、「第１インターナショナル」と呼ばれる国際労働者大会が開催されました。交通や通信の発達は労働者のネットワークづくりにも一役かったのです。この第１インターナショナルは生産手段の統制についての考えがマルクスの思想と無政府主義者の思想がかみ合わなかったことと、各国政府から「国家を転覆しようとする危険思想」であるとみられて弾圧を受けたことから解散に追い込まれました。

のちに、パリで「第２インターナショナル」が結成され、各国で成立しつつあった社会主義政党の緩やかな連帯組織として第一次世界大戦まで存続しました。

決定的となった オスマン帝国の衰退

支配力の低下を示したエジプトの自立

支配地域を保ち続ける「握力」が低下し始めていたオスマン帝国でしたが、ここで一挙に握力の低下を決定づける事件がありました。それが、支配下のエジプトの自立です。

エジプトはナポレオンの遠征軍によって一時的に征服されていましたが、ナポレオンの撤退後、**ムハンマド＝アリー**という人物が民衆の高い支持を受け、オスマン帝国も彼にエジプト総督の座を認めていました。

このムハンマド＝アリーは、エジプトの豊かな農業生産力と民衆の支持を背景にオスマン帝国からの自立を図ります。税制改革を行い、輸出用の主力商品の綿花栽培を積極的に推し進め、その資金をもとに徴兵制や官僚制の整備を行い、強力な陸・海軍を整えます。

オスマン帝国はその広大な支配領域を維持するためにエジプトの強力な軍隊を借りざるを得なくなりますが、それはエジプトの発言力を増し、自立に向かわせる「諸刃の剣」になってしまったのです。

オスマン帝国はエジプトに軍隊を借りてもそれに十分に報いることができず、不満に思ったムハンマド＝アリーは２度の**エジプト＝トルコ戦争**を起こして勝利し、事実上の独立を達成するのです。

エジプトをねらったイギリス

ヨーロッパの国々にとって、この、オスマン帝国からのエジプトの自立は好ましいことではありませんでした。**アジアへの進出をもくろんでいるヨーロッパ列強にとって、進出先の国々は「金づる」として「生かさず殺**

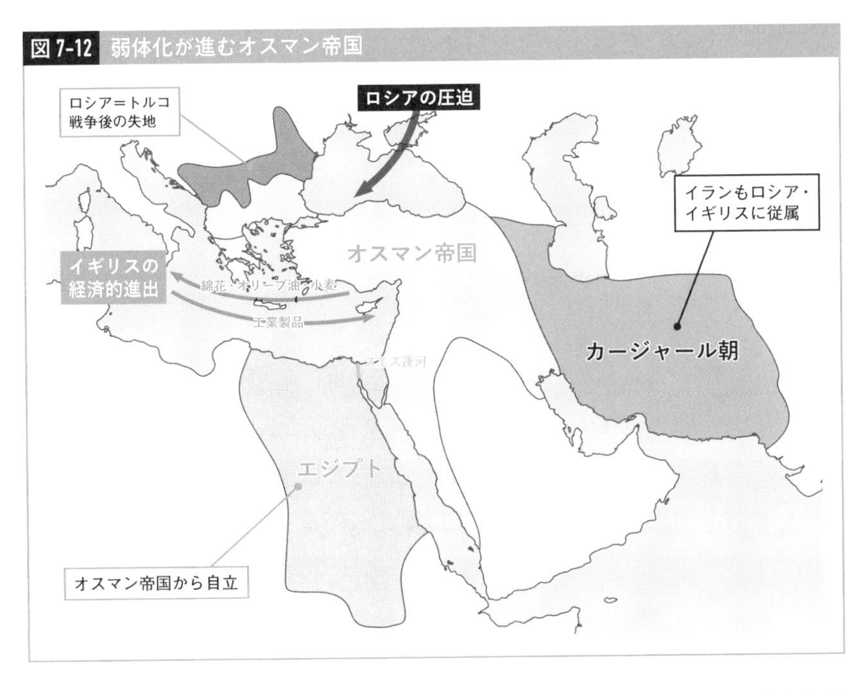

図7-12 弱体化が進むオスマン帝国

さず」の状態であってほしいのです。内政・外交・軍事に巧みな手腕を見せるムハンマド＝アリーの自立により、エジプトという強国が出現してしまうことをよく思わない各国は国際会議を開き、オスマン帝国からのエジプトの完全自立を承認せず、「オスマン帝国内のエジプト総督」という立場を残させたのです。

それに加え、イギリスは本国のオスマン帝国と不平等条約を結んでおり、この条約をエジプトにも適用することで、エジプトは関税の自主権を失い、イギリス製品の流入を受けるようになります。ムハンマド＝アリーの死後のエジプトはイギリスへの従属を深め、莫大な建設資金を投入して建設した**スエズ運河**もイギリスに買収されてしまいます。また、経済の柱が主力商品の綿花のみだったため、海外の綿花需要によって経済の浮き沈みが激しくなりました。エジプトで外国支配への反対運動が起こると、イギリスは逆にエジプトを軍事占領し、事実上の保護国としてしまいます。

列強の進出を呼び込んだ、皮肉な「改革」

列強の影響力が強まり、エジプトの自立を許したオスマン帝国は、危機感から本格的な近代化に乗り出そうとしていました。スルタンの**アブデュルメジト1世**による「タンジマート」といわれる改革は、税制改革や法制の改革を含む、大規模な西欧化改革でした。しかし、皮肉なことにこの改革がより外国からの圧力を強めることになります。

法制や税制を「西欧化」する、ということは、関税や商取引、債券や融資などを外国商人の商慣習に合わせていくということです。いわば、**「相手の土俵」で勝負する、という改革を行ったことにより、外国商人に参入しやすい条件を整えてしまい、進出を促すことになってしまったのです。**

東地中海からヨーロッパに綿花やオリーブ油、小麦などが輸出され、ヨーロッパからは大量の綿織物などの工業製品が持ち込まれます。オスマン帝国内の手工業者は衰退し、ヨーロッパ、特にイギリスへの従属がさらに進んだのです。

半植民地となったオスマン帝国

オスマン帝国をさらに悩ませたのは、クリミア戦争やロシア=トルコ戦争などの、ロシアとの戦争です。**南下するロシアの圧力を全身で受け止めざるを得なかったオスマン帝国は、債券を発行し、その莫大な軍事費を外国からの借金でまかなおうとしました。**これを境に、オスマン帝国は、借金を前提とした国家運営になっていきます。

この構造の中で、第二次産業革命の進行に伴う「不景気」がヨーロッパ諸国で発生してしまったのです。ヨーロッパの国々がオスマン帝国に貸す余裕がなくなってしまうと、オスマン帝国はとたんに資金繰りに困って完全に破産状態になりました。ヨーロッパ列強は破産したオスマン帝国内に徴税人を置き、税を直接「横取り」することで債権を回収しようとしました。オスマン帝国は列強の「半植民地」となってしまったのです。

イギリスが直接支配した「最重要植民地」

インドを統治した東インド会社

イギリスは、インドにおけるフランスとの抗争を制すると、ムガル帝国と反ムガル勢力の混沌とした争いにも介入し、インド全域の支配権を確立していきました。

イギリス本国が「自由主義改革」を行って東インド会社の商業活動を停止し、誰でも自由にアジア貿易に参入できるようにしたため、**東インド会社は「貿易会社」から「インドを治めるための機関」へと姿を変えました。**

東インド会社の利益は「貿易の利益」から「インドから徴収する税」となりました。そのときの納税法が、「東インド会社が納税者を指定し、税を納めさせる」という手法だったのですが、もともとのインド社会においては「土地は共有のもの」という認識があったため、ひとりだけの納税者を指定してしまうと、共同で耕作していた他の多くの人々は土地の権利を失ってしまうことになりました。

この税制はインド社会の分断を生み、インドの人々のイギリスに対する不満を高めたのです。

輸入先から輸出先になったインド

貿易においても、イギリスとインドの関係が変化します。それまでインドの綿織物をイギリスが輸入していたのですが、産業革命を経たイギリスが安い綿織物をインドに輸出するようになったのです。イギリスはインド国内に網の目のような鉄道を整備して、インド全域にイギリス製品が行き渡るようにし、逆にインドの各地から綿花や茶、ジュート（麻の一種）な

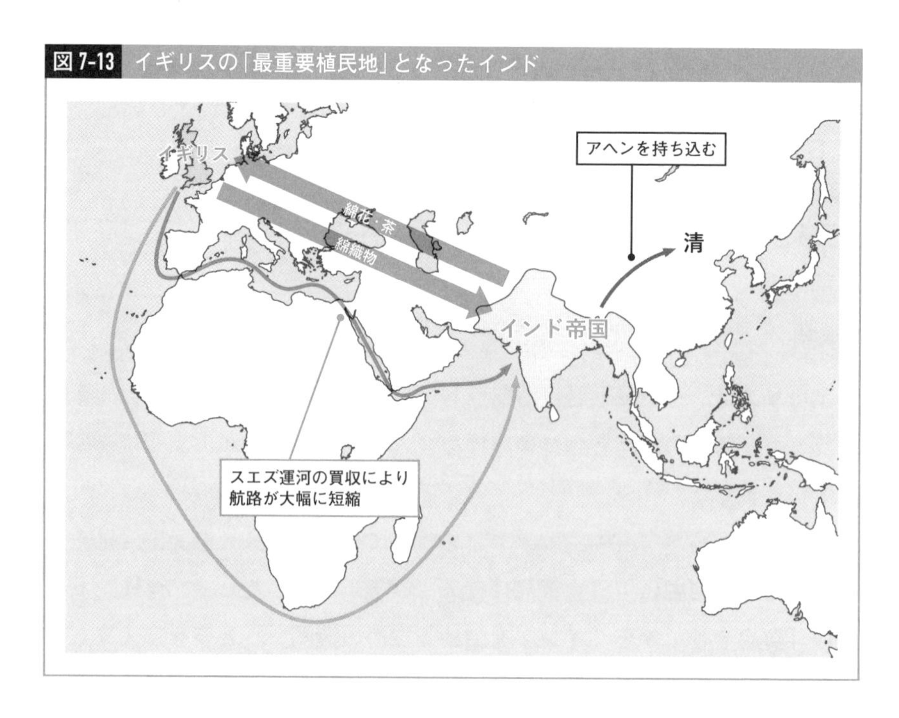

図 7-13 イギリスの「最重要植民地」となったインド

どの生産品を集めてイギリス本国に輸出させたのです。**「綿花をイギリスが買い取り、綿織物に加工して輸出する」という、イギリスの植民地政策の典型例が、インドで展開されたのです。**

じつは、この時代、インド最大の輸出品は綿花や茶、ジュートではありませんでした。それは、麻薬の「アヘン」だったのです。イギリスは中国の清王朝に対する貿易の収支を改善するため、インドでアヘンを製造し、中国に持ち込んでいたのです。

スエズ運河で深まるイギリスとインドの関係

こうして、インドの人々はイギリスの政策を通して世界の市場と結びつけられていきます。インドの人々は自分たちが豊かになるために綿花や茶、アヘンを栽培しているつもりでも、その商品を買い取ったイギリスの貿易商は、その何倍もの利益を手にすることができたのです。インドの統治にあたったイギリス人の官僚や軍人は高い給料を得ることができ、退職後もインドから年金をもらうことができました。インド経済はまさにイギリスのために存在しているようなものでした。

さらに、**スエズ運河が開通することで、よりインド経済は国際経済に直結するようになりました。**それまで、イギリス本国からインドに到達するにはアフリカ南端の喜望峰を回る航路が一般的でしたが、スエズ運河を通過することによって航路を3分の2に短縮することができました。折しも、アメリカでは南北戦争の混乱期にあり、綿花生産が衰えていたため、インドの綿花の需要が伸び、「綿花ブーム」が起きていたのです。

また、世界各地のイギリスの植民地では、イギリスに農作物や鉱物資源を供給するための安い労働力を求めていました。アフリカ人奴隷に代わる労働力として多くのインド人が安価な短期契約の移民として海を渡り、次第にカリブ海や東南アジアに住み着くようになりました。カリブ海諸国や東南アジアの諸国では各地でインド系移民の社会がつくられていくことになります。

大英帝国の「最大の宝石」といわれたインド

東インド会社が雇っていたインド人の兵士が反乱に立ち上がった「インド大反乱」ののち、インドは「インド帝国」と称され、イギリス政府によって直接統治されることになりました。形ばかりは存在していたムガル帝国の皇帝は流刑になって事実上ムガル帝国は滅亡し、ヴィクトリア女王がインド皇帝を兼任するようになります。イギリス東インド会社も解体され、代わりに「インド省」といわれる省庁が置かれ、インド大臣が本国の内閣を構成する一員となり、本国政府の政策にインドが直結されるようになります。

後発の資本主義国の追い上げを受け、赤字がかさむようになったイギリスにとってインドは、国際収支の赤字の3分の2を補う、イギリスの最重要植民地となりました。**インドはイギリスに富をもたらす、まさに「大英帝国の王冠を彩る最大の宝石」となったのです。**

アヘン戦争から始まった清の没落

銀で茶を買っていたイギリス

前半はすぐれた皇帝により黄金期がもたらされていた清王朝ですが、中盤には経済格差や官僚制の腐敗など、内部の社会矛盾が進行していきました。そして、19世紀に入り、清王朝の後半期に入ると、外圧、すなわちイギリスやフランスの進出に悩まされ続けることになります。

清朝の貿易政策は、欧米に対する貿易の入り口を広州のみに限定し、そのうえ、特権商人に貿易の独占権を与えるというものでした。**欧米の商人は「公行」といわれた特権商人たちの言い値で商品を買わざるを得ず、不満が高まっていました。**特に、イギリスにおいて人気が高かったのは中国の茶です。中国産の紅茶は上流階級のたしなみとしても流行しましたし、労働者たちに対しても、カフェインで体を覚醒させ、砂糖で疲労を回復させることができる、「労働規律と疲労回復に良い飲み物」として、アルコールに代わる飲料として積極的に推奨され、需要が高まっていたのです。

そこで、イギリス商人たちは茶を安く購入するため、広州以外の商人と

図 7-14 「片貿易」でイギリスから清へ銀が流出

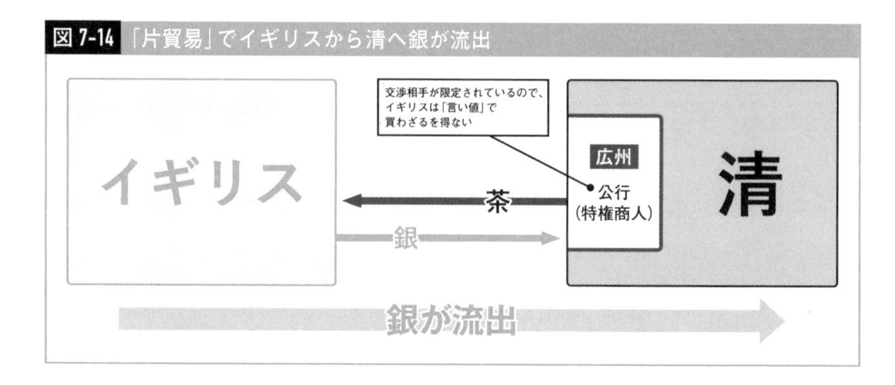

も取引ができるように清王朝に交渉したのですが、いずれの交渉も不調でした。結果的に、広州の商人から割高な茶を銀で支払って購入することが続けられ、イギリスから清へ一方的に銀が流出したのです。

アヘンで銀を取り戻したイギリス

そこで、**イギリスはこの銀を取り戻すべく、インド産アヘンを中国に持ち込み、密貿易の形で中国に売ったのです。**アヘンは禁断症状の強い麻薬ですので、ひとたび「アヘン漬け」にしてしまえば、需要が確実に見込めます。本来、アヘン貿易を取り締まらなければならない広州の役人や兵士たち、広州の商人たちが真っ先に「アヘン漬け」になり、密貿易に目こぼししてアヘンを手に入れるようになりました。こうして、アヘンは中国の内陸まで持ち込まれて売りさばかれ、イギリスはアヘンの代金として銀を受け取ったインドと綿織物貿易を行うことで銀を手に入れます。この「三角貿易」によって、茶の貿易で流出した銀を回収したのです。

図 7-15 「三角貿易」で銀を取り戻したイギリス

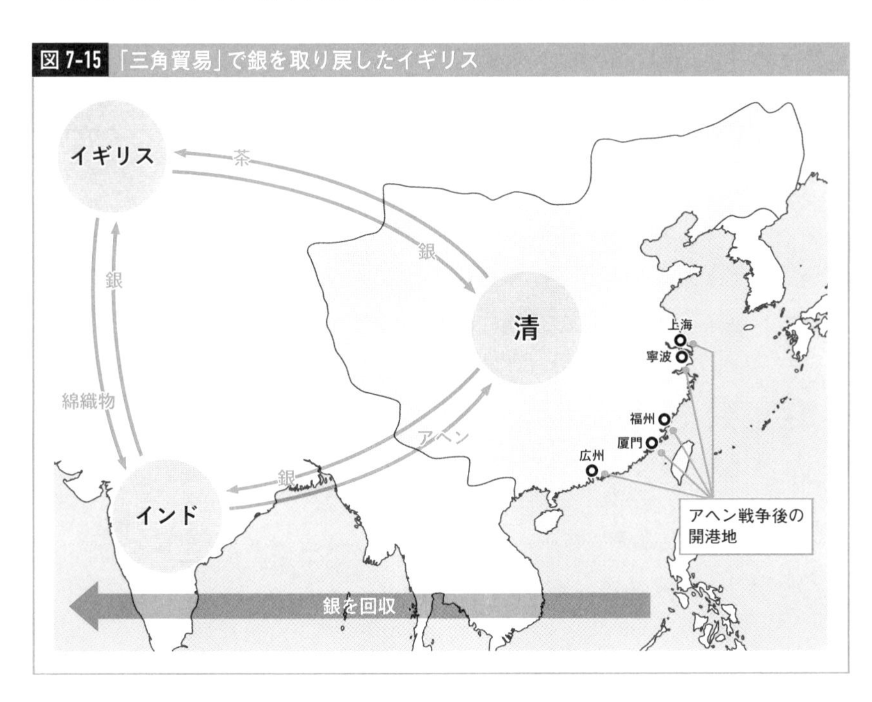

イギリスの自由主義改革の中で東インド会社の中国貿易の独占権が廃止されると、数多くのイギリス人商人がインドで買い付けたアヘンを中国沿岸部のいたるところに持ち込むようになり、清王朝にとってはますますアヘン貿易の取り締まりが困難になってしまいました。

民衆の困窮とアヘン戦争

三角貿易によって、清からイギリスに銀が流出すると、清の民衆が困窮してしまいます。なぜなら、清王朝は「地丁銀制」という、土地にかけられた税を銀で納めるという税の仕組みをとっていました。**清から銀が流出すると清の民衆にとって銀が手に入りにくくなり、割高になった銀をかき集めて納めるという、実質的な増税になってしまうからです。**大航海時代以来の銀の流入により、中国は銀を経済の基盤にした社会になっていました。銀の流出は民衆を苦しめたのみならず、中国経済全体を麻痺させたのです。苦しんだ民衆たちは「太平天国(たいへいてんごく)」に代表されるような反乱に立ち上がるようになります。

税収不足に陥った清はここで、「大ナタ」をふるうことにしました。アヘン吸飲者を死刑にするという強い方針を打ち出し、アヘンを持ち込むイギリス商人に対しても商館を封鎖し、アヘンを没収して処分したのです。イギリス商人に対して武力を伴って圧力を強める清に対し、イギリスは出兵を決定します。これがアヘン戦争です。

アヘン戦争はイギリスの圧勝に終わり、清はイギリスと南京条約を結びました。この条約にはイギリスの強い要求である広州以外の４港の開港と、貿易を独占していた公行の廃止が盛り込まれました。さらに追加された条約によって清はイギリスの領事裁判権を認め、関税自主権も失うことになりました。

進出を強めるイギリス・フランス

イギリスにとっては、中国に対する自由貿易実現のための「第一歩」を踏み出すことには成功しましたが、まだまだ十分とはいえませんでした。

イギリスが本当に売りたい「主力商品」はアヘンではなく、綿織物などの工業製品だったからです。中国の農村では「農業の手があいたときに綿織物を織る」というライフスタイルであり、イギリスの綿織物への需要は高くはありませんでした。しかし、イギリスはそこに強引に割って入ろうとしたのです。

イギリスはさらに市場を開くための口実を求め、イギリス国旗を掲げたアロー号という船に清の役人が乗り込み、イギリス国旗を引きずり下ろし「侮辱」したというアロー号事件をきっかけに「第二次アヘン戦争」といわれるアロー戦争を起こしました。この戦争はフランスも共同出兵を行い、清は再び敗北してしまいます。この戦争の結果、清は北京から近い天津の開港や、長江沿いの港を開港し、外国人が中国国内を旅行する権利やキリスト教の布教権、そして、アヘン貿易の公認など数多くの権利をイギリス・フランスに認めることになりました。これで、イギリスは北京や長江沿いの人口密集地に直接主力商品の綿織物を売ることができ、アヘンも公然と販売することができるようになりました。

十分ではなかった近代化

アヘン戦争やアロー戦争は砲火を交える戦争となりましたが、その後のイギリスやフランスをはじめとするヨーロッパ列強は清に対して武力を用いることは少なくなり、外交によって利益を引き出す政策に転換します。

アヘン貿易や綿織物の輸入によって清から依然激しく銀が流出します。そのため、清も「洋務運動」という近代化政策を推進し、軍備増強と産業振興を図ろうとしました。清側も綿織物業を振興し、イギリスからの輸入に代えて国内需要を満たそうとするなどの努力はしたのです。

しかし、この近代化は十分であったとはいえませんでした。日清戦争で日本に敗北したことで、清への欧米諸国の経済的進出はさらに強まり、清は列強に「半植民地化」されてしまうことになります。

帝国主義時代の世界に漕ぎ出した日本

ペリーの来航と開国

帝国主義が進行していった時代に「開国」し、世界に漕ぎ出したのが日本です。日本を長く統治していた江戸幕府は、年貢米を経済の基礎にした「米経済」でしたが、後半に入ると、商業の発達で貨幣経済が進む一方、米の相場は下落して武士たちが困窮し、幕府は慢性的な財政難に陥りました。ロシア・イギリス・アメリカの船など、「異国船」が日本を訪れることも多くなり、幕府は対応に苦心していました。

そのような中で日本に来航したのが、カリフォルニアを手に入れ、大西洋の国から太平洋の国になりつつあったアメリカの艦隊司令官だった**ペリー**です。ペリーは日米和親条約の締結を日本に求め、太平洋での寄港地を確保しようとしたのです。オランダや朝鮮など、対外交渉の相手を絞ってきた日本にとっては、アメリカとの条約の締結は重大な方針転換となります。対応に苦しんだ幕府はそれまで発言力を与えなかった外様大名や朝廷などにも意見を求めるようになり、幕府の権威は揺らぎました。

大名たちの中には藩の改革に成功し、特産物の専売などで経済力をつける藩も登場してきました。その藩の多くは**中・下層の有能な人材の意見を積極的に取り入れました。そのことがこれらの人材たちが明治維新政府の中核となる基礎をつくったのです。**

日米修好通商条約と「開港」

日米和親条約では寄港地としての「開国」を求めたにすぎませんが、次いでアメリカ総領事**ハリス**の要求によって「通商」のために結んだのが「日米修好通商条約」です。イギリス・フランス・ロシア・オランダとも同様の条約を結び、「安政の五か国条約」といわれたこれらの条約は、日本で罪を犯した外国人をその国の領事が裁くという領事裁判権の付与や、日本に関税自主権が認められないという不平等条項が含まれるものでした。

特に、経済においては**「関税」を自分で決められずに協定を必要とし、自国の産業を自国だけでは守ることができないという不利を抱えてしまいました**（関税とは、輸入した商品を国内で販売する際に、わざと高い値段をつけさせて海外製品を売れにくくすることです。現在でも、日本は米の輸入に対しておおむね250％以上もの関税をかけて外国産の米を「ブロック」し、日本の米農家を守るという政策をとっています）。

横浜や神戸に外国人の居留地が設けられ、西洋諸国との貿易が開始されると、日本も国際経済の中に巻き込まれました。開国してみると、日本と海外の金の価値がずれていることが明るみになり、割安の日本の金が海外に流出しました。そこで幕府は小判を小さくして金と銀の関係を修正したところ、物価が急上昇するインフレーションが発生し経済が混乱しました。

貿易に関しては同時代のアジア諸国と同じように欧米の綿織物や毛織物が日本に流入し、国内の手工業者が打撃を受けたことはマイナスでしたが、生糸や茶などは海外の需要があり、開国後の貿易額はしばらくは輸出が輸入を上回り、日本は貿易で「儲かって」いました。

しかし、「関税自主権がない」という不利が次第に経済にダメージを与え

図 7-16 関税の仕組み

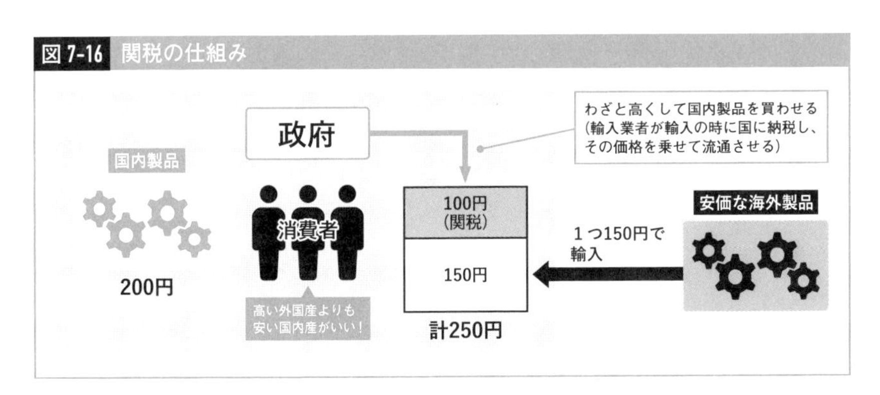

ていくことになります。

開国当初の日本は、輸出品には5％、輸入品には平均20％の関税をかけることとされましたが、諸外国は輸入関税を一律5％に引き下げることを要求しました。これを幕府が承認すると輸入が輸出を上回り、**金貨や銀貨が国外に流出することになりました。**

多額の費用がかかった改革と士族反乱

発足後間もない明治政府は不安定な米での税の徴収をやめ、財政の安定のため、廃藩置県によって全国の土地からの徴税権を得たうえで、税制を土地の価格を基準にして定額を支払わせる「地租」に切り替えました。

もとの江戸幕府時代の武士は「用済み」となったため、武士に支払っていた給料を、「退職金」にあたる一時金を渡すことで廃止します。様々な特権をはく奪された武士（士族）は西南戦争をはじめとする大規模な士族反乱を起こしました。また、政府主導により鉄道や電信の整備や製鉄所や造船所、鉱山開発などの事業を起こし、富岡製糸場など、西洋の技術を導入するための官営模範工場を建設しました。

これらの反乱の鎮圧や近代化政策には多額の費用がかかります。政府はこれを金や銀と交換ができない不換紙幣を発行することでしのいでいきました（一時は「世界標準」に合わせ、額面に対応した金と交換可能な兌換紙幣を発行しようという試みもあったのですが、失敗しています）。

兌換紙幣を発行した「松方財政」

新政府はここまで、「必要なお金について不換紙幣を印刷してまかなう」ということを続けてきました。当然、紙幣は印刷すればするほど、価値が落ちていき、お金の価値が下がるインフレが進行します。このまま放っておくと、輸入により金や銀が海外に流れる一方、紙幣は印刷して「水増し」されて、金貨や銀貨と紙幣のバランスが崩れ、紙幣は一気に信用を失い、インフレがますます急速に進むことになります。

そこで、政府の財政責任者となった松方正義を中心に、本格的な通貨体制の立て直しが行われました。増税を行う一方、支出を絞って「節約」し、銀を積み立てていきます。今まで政府が建ててきた工場や鉱山も民間に払い下げられ、お金に換えられます。一方で、今まで印刷しすぎていた紙幣を処分し、銀の量と紙幣の量のバランスがとれたところで、新たに銀貨と交換可能な紙幣を発行し、「銀本位制」を確立したのです。いつでも銀行で銀貨と交換可能な紙幣を発行したことで、紙幣の価値は持ち直しました。

それまでは**企業に投資しても、インフレ率がそれを上回っていたため、企業への投資が進みませんでしたが（たとえば、企業に100円投資しても、その間にお金の価値が半分になってしまっていたら、たとえ利子が付いて110円のお金を返済されても、もとの55円程度の価値しかない、ということになるからです）、これからはインフレがおさえられ、企業への投資が進むことが期待されました。**

一方で、紙幣が大量に処分されたことにより、社会のお金の量が減ってカネ回りが悪くなる「デフレ」が進行しました。しかし、農村の「地租」は変わらず定額のため、農民たちは手に入りにくくなったお金をかき集めて納税するほかなく、農村は非常に苦しい状況に追い込まれました。中には土地を売り払って都市に流れ込み、労働者となる者も多くいました。

進む日本の産業革命

こうした「投資」や「労働力」、そして民間に払い下げられた工場という要素が重なり、「企業勃興」というブームが起き、日本の産業革命が進められました。「カネ回りをわざと悪くした」松方財政によって、明治のはじめごろに見よう見まねでつくられた会社がつぶれ、体力のある会社だけが生き残り、その信頼を高めることにもなったのです。

加えて、日清戦争で勝利したことで、多額の賠償金を手にすることができた日本はそのお金を利用して重工業の育成に力を入れ、念願の「世界標準」である金本位制に移行することができました。

瞬く間にアフリカは列強に分割された

暗黒大陸から「資源の宝庫」になったアフリカ

ここまでは、「帝国主義」政策を展開していった資本主義諸国の動向と、オスマン帝国やインド、中国など、かつては強大さを誇り、独自の経済圏をつくっていた地域が資本主義国の影響を受けて変わっていく様子を見てきました。

ここからはしばらく、欧米諸国を中心とする帝国主義的な政策を受け、経済的な従属が進んだ地域を見ていきたいと思います。

アフリカは19世紀の半ばまで、「暗黒大陸」といわれた「未知の大陸」でした。沿岸で奴隷貿易の拠点としての植民地がつくられることはありましたが、内陸部の植民地化は進んでいなかったのです。

しかし、アフリカ内陸に探検の手が入ると、少しずつ「植民地」としての価値が明るみになっていきます。

工業化が進む西欧諸国にとって重要な資源である銅やすず、また、サトウキビやカカオ豆などの農産資源、さらにはコーヒーや茶の栽培に適した気候の地域もありました。

鉱産物から農産物まで、「資源の宝庫」として、ヨーロッパ諸国のアフリカに対しての興味が高まっていきました。

2か国を除き植民地化されたアフリカ

ここに、アフリカ内陸の植民地争奪戦が始まります。

ベルギー王が私有地としてコンゴの領有を宣言したことを皮切りに、「アフリカ縦断政策」をとるイギリス、「アフリカ横断政策」をとるフランスをはじめ、ポルトガル、ドイツ、イタリアなども参入し、ヨーロッパ列強による植民地争奪戦が激化しました。

侵攻するヨーロッパ諸国に対し、現地の国々や部族は抵抗を試みますが、軍備には大きな違いがあり制圧され、第一次大戦前にはアフリカの独立国はリベリアとエチオピアだけになってしまいます。各国は、鉱山開発や農産資源開発を盛んに行い、ヨーロッパ製品を持ち込んで新しい市場の開拓を行っていきました。

南アフリカの金をねらったイギリス

イギリスは、アフリカ進出を特に重視していました。イギリスの工業生産はドイツやアメリカに抜かれ、世界３位に退いており、海外への投資による利子、配当で儲ける「世界の銀行」というビジネスモデルに転換していたのです。

金本位制の国々にとって、「金の保有量＝お金の保有量」となり、金の量がすなわち、国の経済力の指標になります。南アフリカ周辺では金鉱の発見が相次いでおり、**イギリスにとっては、投資の「元手」をつくり、金本位制の世界をリードするためにも、南アフリカの金鉱開発が必要でした。**

そのため、イギリスは南アフリカ周辺の領土を拡大するために大規模な南アフリカ戦争を起こしたのです。

ところが、その戦争に苦戦したイギリスは国力を逆についやし、多額の戦費を使ってしまうのです。

図 7-17　列強のアフリカ分割

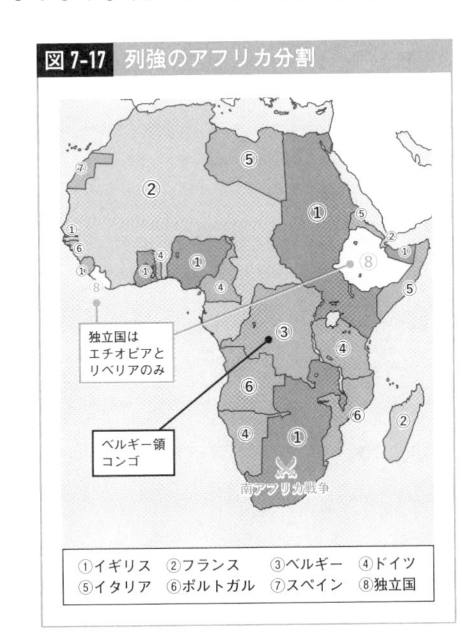

東南アジアはタイを除いて列強の植民地に

オランダの最重要植民地となったインドネシア

ポルトガル・スペイン・オランダの進出が見られていた東南アジアもこのころ本格的な列強の進出を受け、世界経済に結びつけられていきました。東南アジアは一挙に欧米列強の植民地となり、唯一の独立国はタイだけになってしまったのです。

古くから東南アジアの植民地化を手がけていたのは、インドネシアを領有するオランダでした。一時は世界の経済覇権を握ったオランダでしたが、19世紀になると、その南半分のベルギーが分離独立をしてしまうという事件もあり、もともと小国であったものが、さらに経済規模が小さくなってしまいます。

オランダも西ヨーロッパ諸国の一角として産業革命を行いたいのですが、小国のオランダがその財源をどこに求めるかといえば、植民地のインドネシアということになります。オランダはインドネシアに「**強制栽培制度**」を導入し、水田を強制的にサトウキビやコーヒー畑に転換させました。インドネシアの農民たちはこの制度によって収入を得ることができ、経済的にはやや豊かになったという側面もありましたが、米を商品作物に転換させられたため、ひとたび凶作になると飢饉に陥ることもありました。

イギリス・フランスの進出とタイ

インドに勢力圏を築き、中国との貿易拡大をもくろんだイギリスは、その中継点としてのペナン・マラッカ・シンガポールを**海峡植民地**とし、すずや天然ゴムを求めてマレーシアに進出してイギリス領とします。インドと隣り合ったビルマではイギリスが兵を出してインド帝国に編入しました。

一方、フランスはインドシナ半島に出兵してベトナムとカンボジアを保護国化するとともに、タイの支配下にあったラオスを戦争によって獲得し、**フランス領インドシナ連邦**とします。

イギリス領とフランス領に挟まれた格好となったタイは、イギリスとフランスに多くの領土を譲って妥協を図り、両国の衝突を防止する緩衝地帯として生き残ることになりました。大幅に領土は譲りましたが、タイは縮小後の領域にいち早く鉄道網を敷き、近代化を推し進めました。

アメリカの手にわたったフィリピン

フィリピンはスペインの最重要植民地でしたが、フィリピンの民族運動家がアメリカの支援を受け独立運動を起こしました。この運動によりフィリピンは一時的に独立しますが、アメリカは民族運動を弾圧する政策に転換し、フィリピンはアメリカ領に組み込まれました。

図 7-18 列強の植民地となった東南アジア

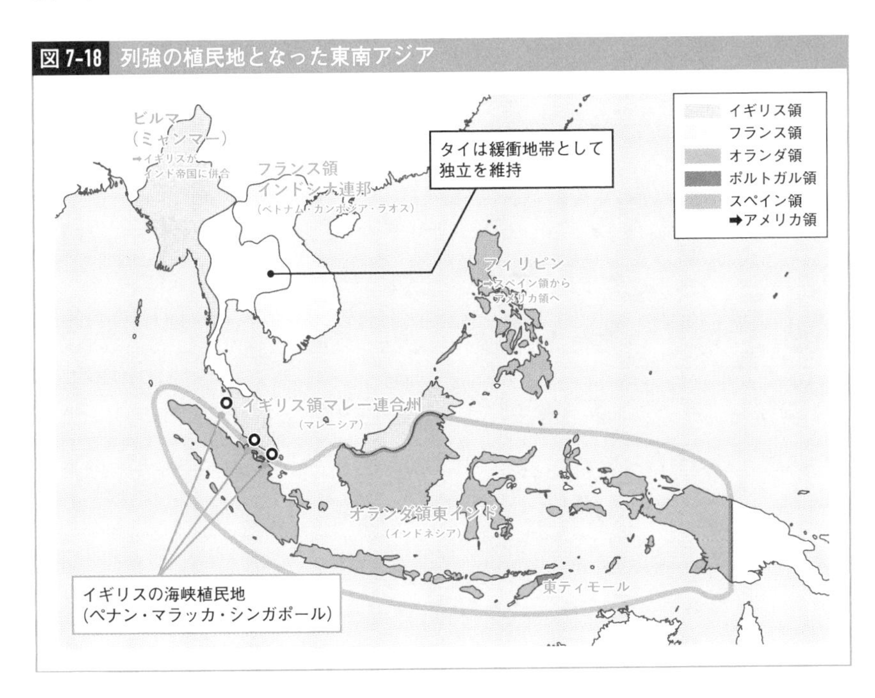

経済的な従属が深まる ラテンアメリカと太平洋

欧米の食文化を支えたラテンアメリカ諸国

「大西洋革命」の一環として独立を果たしたラテンアメリカ諸国ですが、独立はしたものの、植民地のときからの大土地所有者がそのまま経済の主導権を握っており、大土地所有の労働力を支えたアフリカ系の奴隷やその混血の人々との間に大きな経済格差がありました。

ここに新たな経済的支配層として乗り込んだのがイギリスやアメリカの資本家です。**鉄道や蒸気船、冷凍技術がヨーロッパから導入され、南米の農作物がヨーロッパに持ち込まれるようになりました。**特に、アルゼンチンの牛肉は冷凍船によりイギリスに大量に輸出され、ヨーロッパで売りさばかれるようになり、庶民の口に入るようになりました。また、チリの硝石やブラジルのコーヒーなどの輸出量も増加していきました。

一方、中央アメリカではアメリカ合衆国の影響が強まりました。アメリカは定期的に「パン＝アメリカ会議」を開催し、アメリカ大陸諸国の連帯を深めるという名目で、ラテンアメリカへの影響力を強めていきました。

太平洋も列強により分割された

太平洋諸国への進出の主役もイギリスとアメリカでした。イギリス領となったオーストラリアははじめ、犯罪者が送り込まれる「流刑植民地」でしたが、金鉱が発見されると、移民がオーストラリアに押し寄せ、鉱産資源の一大産地となります。その後、イギリスはオーストラリアの自治を認め、東西、南北をまたぐ鉄道網も整備されました。また、イギリスはニュージーランドやニューギニアの一部も領有しました。

カリフォルニアを領有し、太平洋に到達したアメリカは中国の市場をねらって東アジアにも貿易船を繰り出すようになります。日本の開国により、日本がちょうど、「イギリス・フランスの勢力圏」と「中国」と「アメリカ」の結び目に存在するような「交差点」の地となったことが、日本の近代化や産業革命が促進された原因にもなりました。

アメリカと中国・日本との貿易量の増大によって、重要度が増していったのがハワイの存在です。広い太平洋を横切る長距離航路にとって、燃料や食料の補給基地としてのハワイの位置は非常に重要であり、ハワイ側もアメリカとの貿易で利益をあげるためにサトウキビのプランテーションを始めました。いつしかハワイはアメリカの経済に依存するようになり、経済・文化の「アメリカ化」が進みました。ついにアメリカはハワイの女王を退位させ、併合して50番目の州にします。アメリカはスペインとの戦争に勝利し、フィリピンとグアムを獲得します。ドイツ、フランスも太平洋の島々を獲得し、列強による太平洋分割は進みました。

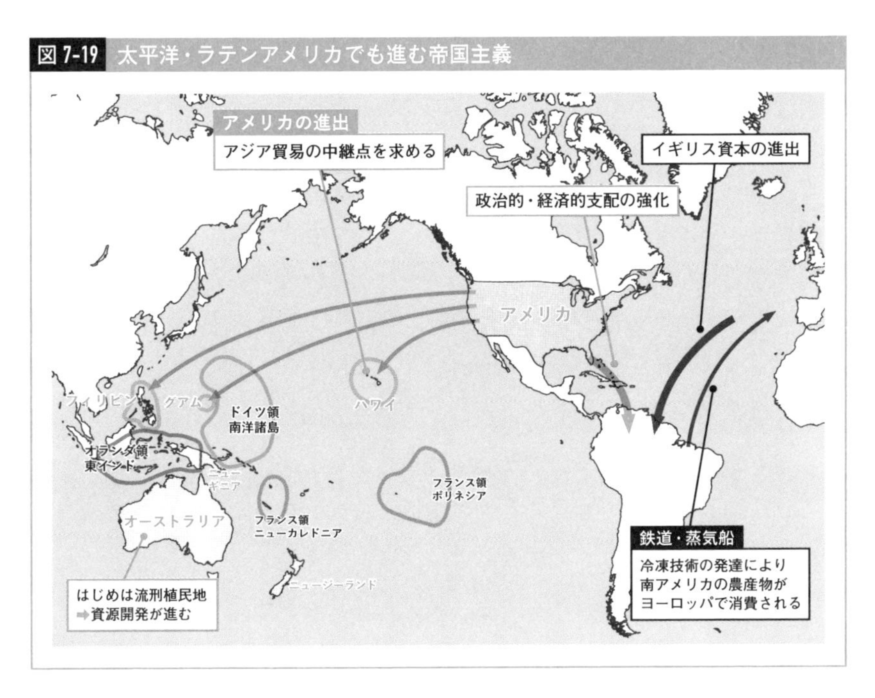

図 7-19 太平洋・ラテンアメリカでも進む帝国主義

カネ・モノだけでなく ヒトも大きく移動した

移民の最大の受け入れ先はアメリカだった

これまで見てきたように、19世紀はこれまでになく世界の「カネ」・「モノ」の結びつきが広がった時代でした。「カネ」・「モノ」の移動だけでなく、この世紀には「ヒト」すなわち「移民」も大きく移動することになります。そのため、19世紀は「移民の世紀」ともいわれます。

ヨーロッパの経済的発展は人口の急増を生みました。豊かになる人も多くいたのですが、農地不足や食料不足が起きたことと、貧富の差が拡大していったことにより、ヨーロッパでは「食べていけない」人々もまた、増えていったのです。特に経済的発展が帝国主義諸国よりもワンテンポ遅れたアイルランド、ノルウェー、イタリアなどの北ヨーロッパや南ヨーロッパ、東ヨーロッパの国々の人々の中には、国を離れてより高い賃金や農地を求め、移民となる者が多くいました。

特に、イギリスの支配下にあったアイルランドでは、穀物はイギリスへの輸出用とされていたため、貧しい農民はやせた土地にジャガイモを植えて食いつなぐしかありませんでした。そこにジャガイモの伝染病が起きたことによる「ジャガイモ飢饉」が発生し、人口の約5分の1が亡くなり、5分の1は国外に脱出したともいわれます。この国外脱出は、「移民の世紀」における移民の最も有名な例として知られています。

これらの国々からの移民の最大の受け入れ先となったのは、世界一の工業国となり、ヨーロッパの国々とはけた違いの面積をもつアメリカでした。**アメリカには工場労働者としても、農民としても、移民を受け入れる「キャパシティ」があったのです。**ニューヨーク湾に浮かぶエリス島には移民局が置かれ、ここから1700万人以上もの移民がアメリカに入国していきました。エリス島の南のリバティ島には自由の女神があり、アメリカに入国する移民たちが必ず見上げる「アメリカのシンボル」となったのです。

様々な民族が移民となった

一方、アジアからも多くの移民が世界に出ていきました。イギリスをはじめとする帝国主義諸国は奴隷制を次々と廃止しており、アメリカも南北戦争において奴隷解放宣言を出しています。**そのため、アジアからの移民は奴隷に代わって、安価な労働力として盛んに世界中のプランテーションや鉱山で用いられることになります。**

また、経済的な理由からの移民だけではなく、ロシアや東欧で起きたユダヤ人の迫害から、居住地を追いやられて難民に近い形で移民となったユダヤ人も数多くいました。これらのアジア人移民、ユダヤ人移民は賃金水準も低く、重労働に従事することが多くありました。

図 7-20 「移民の世紀」となった19世紀

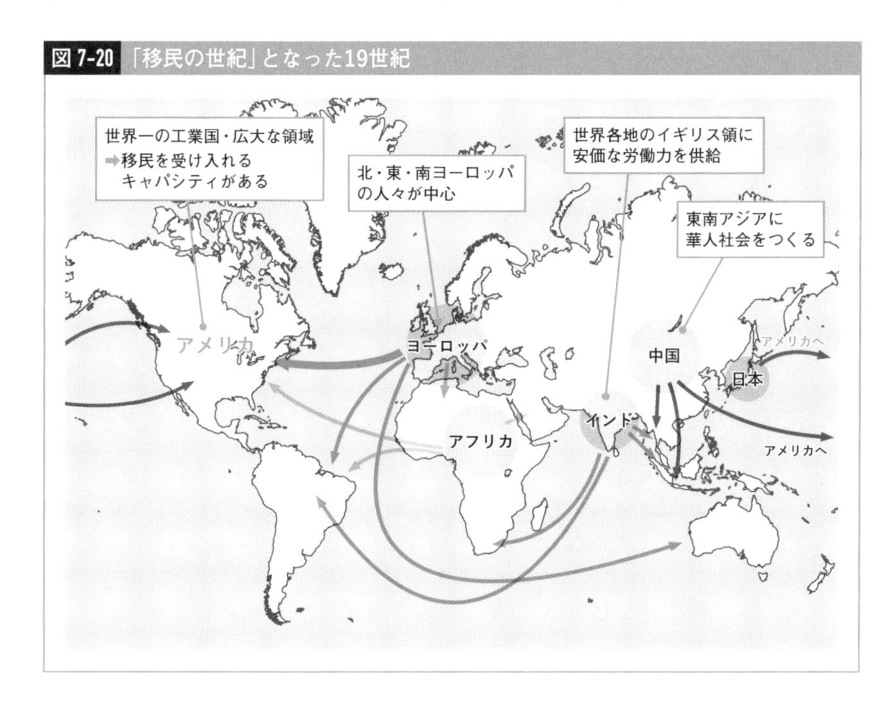

国力のショールームとなった列強各国の首都

19世紀末期の「よき時代」

帝国主義諸国をリードした国にとって、帝国主義と資本主義の時代は身近にモノがあふれ、急速に都市化が進んだ時代になりました。**イギリス・フランス・オーストリア・ドイツなどの大国は、自分の国の首都を「自国の国力のショールーム」にするため、都市計画をつくり、美しく近代的な都市に改造しました。**公共交通機関が町を走り、デパートには豊富な商品が並び、人々は高層住宅で暮らす、というライフスタイルのもと、大衆消費文化が到来するのです。

のちに人々は、第一次世界大戦、第二次世界大戦とそれに伴う激動を経験するのですが、人々は過ぎ去った19世紀末の繁栄を振り返り、「ベル・エポック」すなわち、「よき時代」と呼んだのです。資本主義の矛盾を指摘し、打倒を訴えていた社会主義者の中にも、成長をやめない資本主義と豊かになっていく人々を目の当たりにして資本主義のメリットも認め、資本主義への攻撃をトーンダウンさせ、議会主導の改革によって少しずつ平等を達成すればよい、という「修正主義」に転向する者もいました。

しかし、この繁栄の基礎になっているのは、植民地支配でした。欧米を「進んだ」地域、欧米以外の世界を「遅れた」地域とし、「文明化させてやっているのだからありがたく思え」と、植民地支配や帝国主義を肯定的に捉え、優越意識や差別意識をもつ人々も多くいたのです。

帝国主義諸国が「世界分割」をほぼ完了し、「空席」がなくなると、さらなる富の源泉を得るには植民地を「他国から奪う」しかありません。こうした新たな緊張感をはらみつつ、19世紀は暮れていったのです。

第8章

恐慌から分断へ

2つの大戦と世界恐慌

(20世紀の始まり～第二次世界大戦)

第8章 2つの大戦と世界恐慌 あらすじ

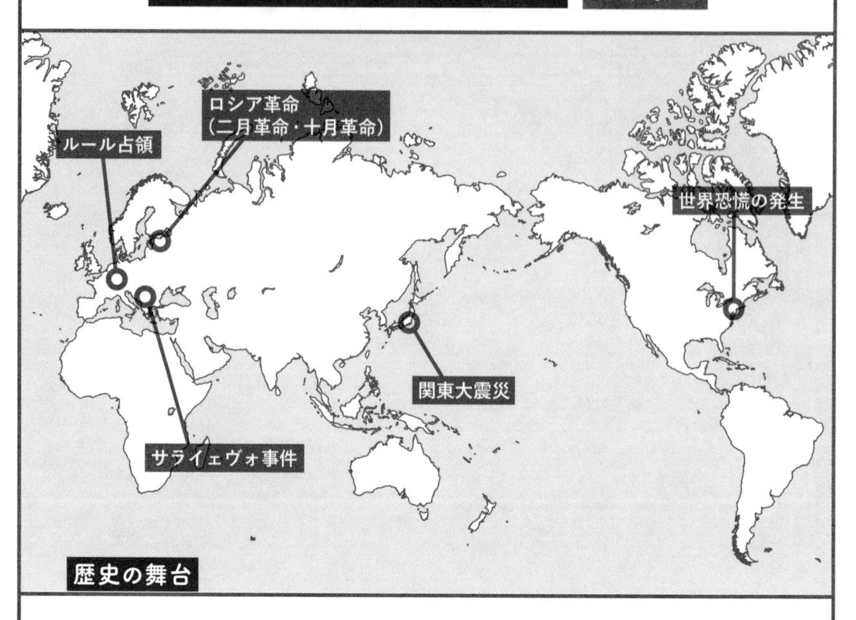

経済の世界を大きく変えた 2つの戦争と「戦間期」

本章の時代に起きた2つの大戦、そして大戦の間の「戦間期」における経済への影響は、のちの世に大きな影響を与えました。帝国主義諸国の対立が頂点に高まった第一次世界大戦から、世界初の社会主義国が成立したロシア革命、ドイツに課せられた厳しい賠償金、アメリカの絶頂と転落、ブロック経済化と世界の分断、ヒトラーの登場と生存圏の拡大と、目まぐるしく世界経済も変化します。この時代、日本も関東大震災を経験し、恐慌の連鎖から、戦争への道を歩み始めることになります。

第8章 【2つの大戦と世界恐慌】の見取り図

17
18

第6章 オランダ・イギリスの繁栄と大西洋革命

19
20

第7章 産業の発展と帝国主義

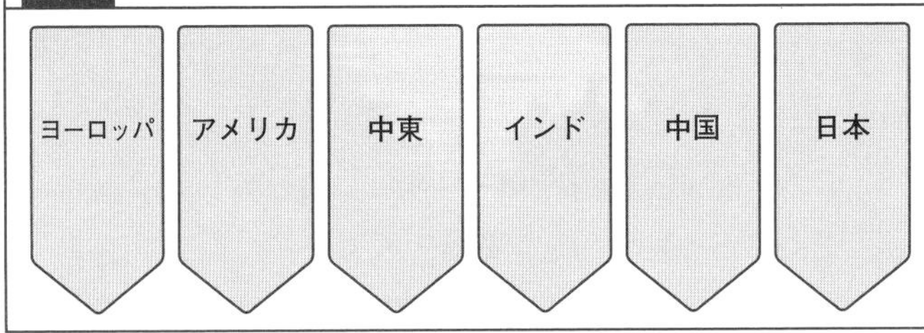

1945

第9章 冷戦下の経済

1990

第10章 グローバリゼーションと経済危機

アメリカ

第一次世界大戦の戦勝国となったアメリカは、「永遠の繁栄」といわれた経済発展を見せますが、一転、世界恐慌の震源地になりました。

ヨーロッパ

第一次世界大戦の戦後処理の中で、ドイツが厳しい賠償金に苦しみます。世界恐慌のあおりを受けたドイツは戦争への道を突き進むことになります。

中国

列強の半植民地化の中、中国では清王朝が滅亡し、中華民国が成立します。中華民国は路線の違う2つの政党の対立の場となりました。

日本

第一次世界大戦で日本は戦勝国となり、一時的な好景気が訪れますが、その後は恐慌が連鎖し、状況の打開のために満州、中国へ進出する道をたどります。

列強により分割された「眠れる獅子」

列強による清の分割と滅亡

「眠れる獅子」といわれ、潜在能力ではヨーロッパの列強級と見られていた清ですが、**日清戦争の敗北によって「日本より格下」とみなされるようになり、列強が遠慮なく清に進出するようになります。**

列強は清の領土を強制的に借り上げて鉄道を敷設し、自国製品の市場を内陸まで押し広げました。清も列強の圧力を排除しようと列強に宣戦布告をすることもありましたが、逆に清への攻撃の口実を与えてしまうことになり、かえって進出を許すことになりました。

特に進出に積極的だったのがロシアで、この時代に勢力圏が大きく南に広がりました。満州方面に進出するロシアと、朝鮮半島へ進出する日本との利害が対立するようになり、**日露戦争**が勃発します。その後、清王朝は**孫文**(そんぶん)らを中心とした**辛亥革命**(しんがいかくめい)の動きによって滅亡します。

南北戦争やアメリカ=スペイン戦争などによって中国進出に「出遅れた」アメリカは、「**門戸開放宣言**」により、「市場」としての中国への経済的進出の機会を与えるように訴えました。

図 8-1 「半植民地化」が加速する中国

経済的思惑も絡む「ヨーロッパの火薬庫」

「世界政策」に転換したドイツ

19世紀末と20世紀初頭に、ドイツの宰相だったビスマルクとイギリス女王ヴィクトリアが相次いで亡くなります。ビスマルクは国どうしの利害の調整役となって、ヨーロッパのバランスをとる外交政策を行っており、ヴィクトリア女王はイギリスのみならずドイツ、ロシア、フィンランド、ノルウェー、スペインの王家に血縁をもつ、「ヨーロッパの祖母」として無視できない存在感をもっていました。**ヨーロッパを安定させてきた2人が亡くなったことで、世の中は急速に戦争に近づいていくのです。**

その変化の中心にあったのが、ドイツです。ビスマルク亡き後のドイツを主導した人物であり、また、ヴィクトリア女王の実の孫でもある、ドイツ皇帝の**ヴィルヘルム2世**が「世界政策」を唱え、帝国主義的な拡大政策をとろうとしたのです。

ドイツはイギリスより遅れて工業化したものの、**「後発」のアドバンテージを生かし、「利幅」の大きな鉄鋼・電機・化学などの重工業に集中して合理的な生産を行っていました。**工業生産額はすでにイギリスを追い抜き、工業製品をヨーロッパ中に売ることで利益をあげていたのです。

しかし、工業の発展は、さらに多くの市場を求めるものです。企業は通常、儲けの一部をさらなる生産拡大のための「拡大再生産」にあてるわけですが、**拡大再生産した以上はその売り場がなければ、利益どころか損失を出してしまいます。**工場労働者は増え続け、国として「食わせて」いかなければなりません。そこでドイツは「植民地帝国」の座をイギリスやフランスから奪い取り、市場を拡大しようとしたのです。

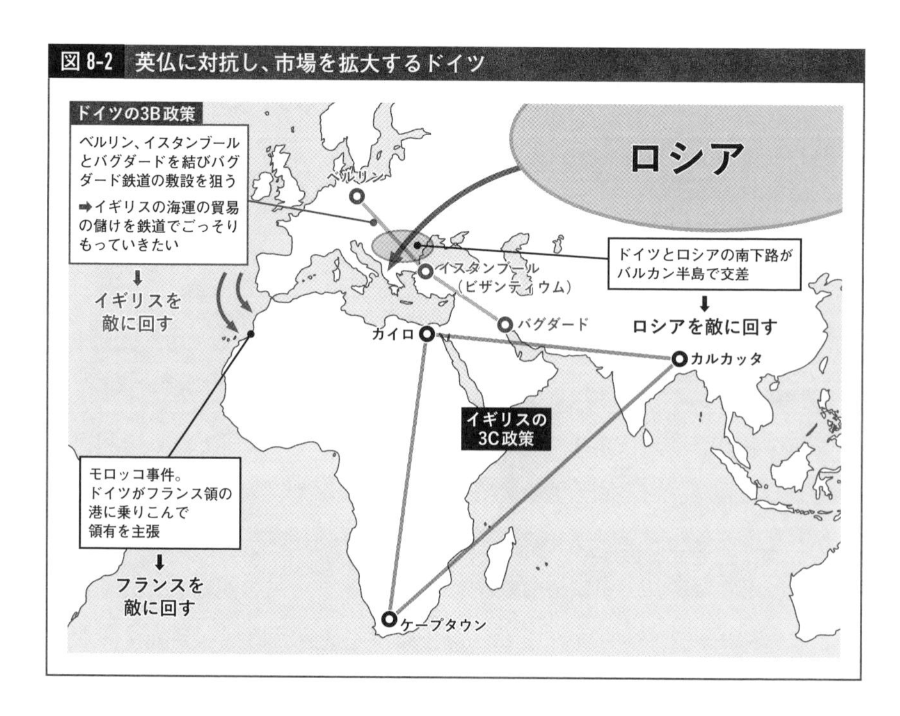

図 8-2　英仏に対抗し、市場を拡大するドイツ

ドイツは海軍力を増強し、オスマン帝国から「**バグダード鉄道**」の敷設権を手に入れます。この鉄道が完成し、ドイツとその同盟国のオーストリアを通る鉄道と接続すれば、イギリスが利権をもつアジアへの進出が容易になります。**ベルリン**、**イスタンブール**（古い名をビザンティウム、といいます）、**バグダード**を結ぶドイツのこの政策を「**3B政策**」といい、**カイロ**、**ケープタウン**、**カルカッタ**を結ぶイギリスの「**3C政策**」に対抗するものと認識されていました。また、このルートはロシアの南下ルートと交差する「**バルカン半島**」を通過するルートでもありました。

「三国協商」側の思惑

こうしたドイツの進出に、**イギリス**、**フランス**、**ロシア**の３か国は「**三国協商**」といわれる関係を構築します。**イギリスは「南アフリカ戦争」の苦戦により、それまでの「光栄ある孤立」といわれたような「金持ち喧嘩せず」の態度のままではいかなくなり**、ドイツの膨張をおさえるためにフランスやロシアに歩み寄るようになっていましたし、フランスはロシアに対して盛んに投資を行い、関係を深めていました。

ロシアはフランスの資本により鉄道建設や工業化を進めることができるようになりました。ドイツの南下ルートを排除して「悲願」の南下に成功し、冬季に凍結しない地中海の港が手に入れば、ウクライナの小麦やカザフスタンの綿花などを輸出する販路が確保できます。

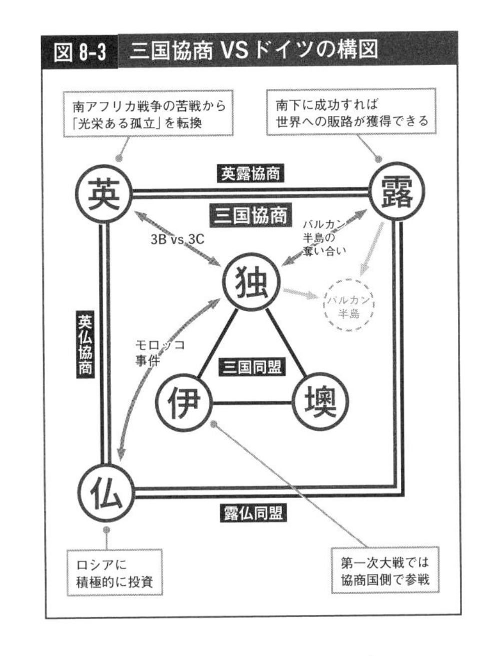

スラヴ民族の盟主だったロシアはオスマン帝国が「手を引いた」バルカン半島のスラヴ民族の小国家たちを味方につけて同盟関係を結び、バルカン半島への進出を図るドイツと対立します。

オスマン帝国・アメリカの思惑

イギリスに次第に従属し、「半植民地」状態になっていたオスマン帝国はドイツに歩み寄り、バグダード鉄道の敷設を承認します。当時、オスマン帝国は「クリミア戦争」や「ロシア＝トルコ戦争」など、ロシアの南下と戦った戦争のときにイギリスやフランスから借りた莫大な借金がありました。**ドイツとの協力関係を築くことは、「借金の踏み倒し」と「ロシアの南下阻止」という２つの効果が狙えるのです。**オスマン帝国は第一次世界大戦に参戦後、すぐに借金への支払い停止を一方的に宣言しました。

一方、アメリカ大陸とヨーロッパはお互いにかかわり合わないことを国是としていたアメリカは、ラテンアメリカや中国市場への経済的進出に軸足を置き、第一次世界大戦前夜の列強の対立には距離を置きました。

世界中を巻き込んだヨーロッパの戦争

第一次世界大戦の開戦

こうした、様々な国の思惑が絡む中、「ヨーロッパの火薬庫」と呼ばれたバルカン半島で、セルビア人がオーストリアの帝位継承者を暗殺した事件、「**サライェヴォ事件**」が発生します。オーストリアはセルビアに宣戦布告し、セルビアの同盟国のロシア、オーストリアの同盟国のドイツ、ロシアと協調関係にあったイギリスとフランス、ドイツと協調関係にあったオスマン帝国と、数週間でヨーロッパの主要国がすべて参戦し、イギリス・ロシア・フランスを中心とする「連合国」とドイツ・オーストリア・オスマン帝国

図 8-4 イギリスが動員した世界の兵士・物資

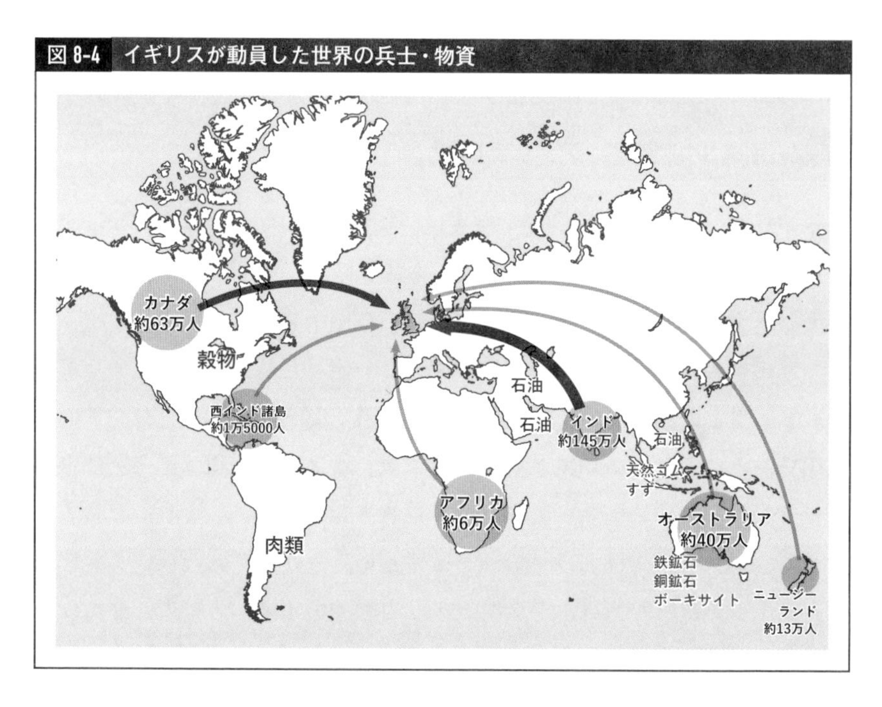

を中心とする「同盟国」との「**第一次世界大戦**」に発展しました。

「ヨーロッパの主要国」のすべてが参戦する、ということは、アフリカやアジアの国々も無縁ではないことを意味します。当時のヨーロッパの主要国が植民地としていた面積は世界の半分以上、その人口は当時の世界人口の３分の１以上でした。戦争に勝つために、それぞれの国が「グローバルネットワーク」をフルに使っていくことになります。

イギリスを例にとってみても、その戦場にはインドやカナダ、オーストラリア、ニュージーランド、南アフリカなど、様々な地域から動員された兵力も投入されましたし、オーストラリアの銅、マレーシアの天然ゴム、オマーンの石油など、資源も結集して戦争を行いました。**それらの地域もまた、戦争に巻き込まれた地域だといえます。**

相次ぐ金本位制からの離脱

戦争による「お金」面での変化は、それまで「世界標準」としてヨーロッパの「列強」の各国が整備してきた「金本位制」を、第一次世界大戦中に各国が相次いで中止したことがあげられます。

以前にも説明しましたが、イギリスが確立し、各国が後を追うように採用していた「金本位制」は、金貨の額面と同じ額面の紙幣を発行し、いつでも交換できることで、紙のお金に信用を与える仕組みです。

金本位制は輸出入を行う際にも、同じように金本位制をとっている国と決済するときに非常に都合がよく、貿易がスムーズになります。たとえば、イギリスの１ポンド金貨の重量は約８ｇ、ドイツの20マルク金貨の重量も約８ｇなので（「純金」ではなく、22金でつくられているので、実際の金の重量はそれよりもやや少なくなりますが）、１ポンド＝20マルクと、金によって相場が「固定」され、貿易の決済は金貨の枚数を数えることなく、「金の重量」だけ量って取引すればいいのです。

しかし、この仕組みはやはり、「戦争」には向かない仕組みです。戦争に負けて国が消滅し、紙幣と金貨との交換を保証する銀行もなくなってしまうと、紙幣は「紙切れ」になります。人々は「紙」より「金」そのものの形で持ちたがるため、紙幣の金貨への交換を求めます。一方、軍需物資の買い付けで輸入が増大し、金は海外にも流れます。国の保有する金がどんどん減少すると、国の「カネ回り」が悪くなって恐慌となり、軍需物資の調達もできません。**金本位制の国において手持ちの金がなくなることは、国の財政が破綻し、戦争遂行能力を失うことを意味するのです。**

また、金本位制においてはお金が大量に必要なときに、紙幣を臨時に大量発行できないというデメリットがあります。先ほどの例でいえば、20マルク金貨は約８ｇですから、仮に国が８トンの金を保有していれば、「いつでも交換できる」という建前のもとでは2000万マルクの紙幣の発行が限度であるということです（実際には手持ちの金よりもかなり多めの紙幣が印刷されていましたから、金に換えてくれという人が多くなれば、それと交換できる金がはじめから存在しないため、国家財政は信用を失い破綻することになります）。**戦争中に急にお金が必要となり、大量に印刷して紙幣を「水増し」したくても、金本位制ではそれがしにくいのです。**

そこで、列強諸国は金本位制をやめ、金と交換できない「不換紙幣」を発行して紙幣と金の交換を不可能にし、さらに金の輸出（金での貿易の決済）も禁止して、国が保有する金の量を維持し、さらなる戦費の増大に備えようとしたのです（金での決済ができないので、貿易は「不換紙幣」で行うか、モノとモノの交換で行うか、戦争後の「出世払い」にするか、ということになります）。

しかし、**不換紙幣は金の裏付けがない「みなし」ルールの紙幣なので、発行されればされるほど「紙切れ」に近づいて価値が落ちてしまいます。**

参戦国は戦費をまかなうために大量に紙幣を発行したため、フランスでは紙幣の価値が5.5分の１、ドイツでは15分の１、と、大幅に下落しました。それまで紙幣１枚で買えたものが15枚必要になったわけなので、貨幣の価値が落ちた代わりに、物価は跳ね上がったことになります。こうして、「貨幣の価値が下落し、物価が上昇する」インフレーションが進行していったのです。**戦争によるモノ不足と貨幣価値の下落が同時進行し、国民にとっては「働いた給料を紙幣でいくらもらっても食べるものが買えない」というような混乱が生じていきます。**

金本位制に踏みとどまろうとしたイギリス

南アフリカ戦争などに苦戦し、勢いに陰りが見えていましたが、「金本位制」の「元祖」であり、海運や投資による金の蓄積があったイギリスは、流出防止策を講じながらも、国際決済では金を用い続けて「金本位制」をなんとか「持ちこたえよう」としていました。

しかし、軍需物資の購入に金を使えば、手持ちの金はどんどん減っていきます。国内では金本位制をとりながらも金の保有量を上回る紙幣がすでに「水増し」されており、イギリスの紙幣の価値は戦争中に約８分の１に落ちていたのが実態でした。第一次大戦終結後、疲弊をきわめたイギリスも金本位制の維持が不可能となり、金本位制を離脱しました。

図 8-5　金本位制の停止・再開・再停止

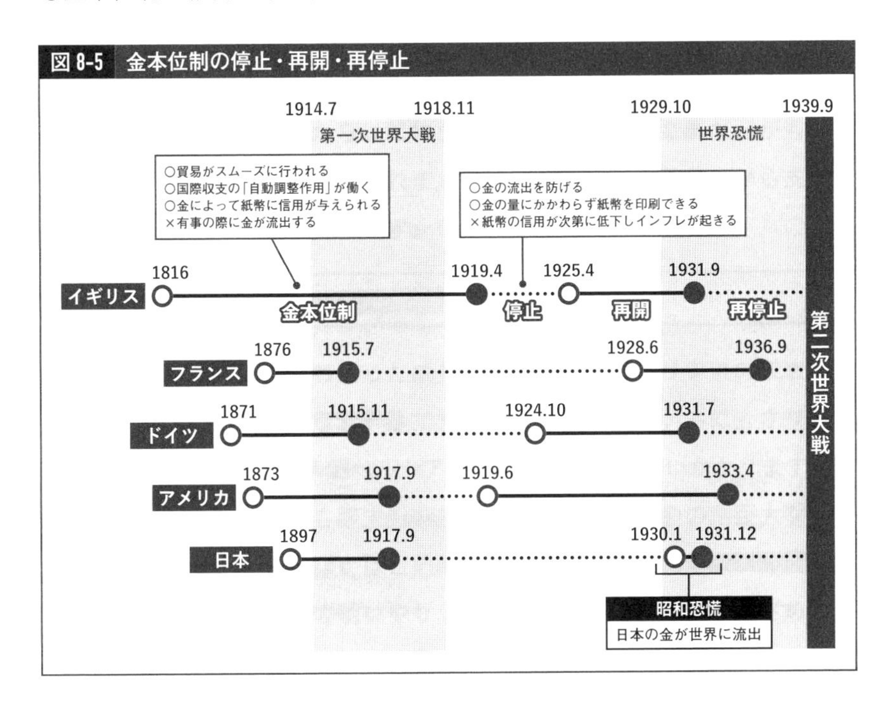

戦争により技術が発展し、世界が一体化した

「総力戦」と「新兵器」

第一次大戦は長期化し、工業、農業などあらゆる生産力が戦争優先で投入されて本格的な「**総力戦**」となりました。総力戦を勝ち抜くためには戦場で兵士を倒すだけでは十分ではありません。**その背後にある生産力そのものを削っていかなければならないのです。**こうして、一般市民をも攻撃対象にすることになり、戦争は兵士に匹敵する非戦闘員の犠牲者を出すようになります。食料や物資は前線に送られ、市民生活は苦しくなっていき、実際に餓死者が出ることもありました。

また、それまで**「明るい未来の象徴」だった科学技術が、次々と軍事技術に転用されました。**ライト兄弟が世界で初めて有人動力飛行に成功した飛行機は、その11年後の第一次大戦には「戦争のための道具」として戦場に投入されています。日露戦争のころから盛んに使われ始めた**機関銃**は、戦線のほぼ全域で使われ、多くの死傷者を出しました。農業用トラクターをもとに**戦車**が開発され、海では「大西洋の狼」といわれたドイツのUボートに代表される**潜水艦**が次々と艦船を沈めました。また、化学の発展は**毒ガス**などの化学兵器を生みました。産業革命後発達した**鉄道網は、兵士を前線に次から次へと補充するという役割も果たしたのです。**

アメリカの参戦とスペイン風邪の流行

長引いた戦争を打開するため、ドイツは潜水艦「Uボート」を用いて商船を攻撃する作戦に出ます。ドイツは「**無制限潜水艦作戦**」と称し、敵のイギリスやフランスに向かう船は、中立国の商船であっても無差別に攻撃

したのです。

イギリス・フランスの物資不足をねらった作戦でしたが、ドイツにとってはこの作戦が「裏目」に出てしまいました。多数の商船を沈められたアメリカの反ドイツ感情が高まり、連合国側で参戦したのです。**それまで中立を維持していた無傷の「世界一の工業国」が敵に回ったことで、ドイツの劣勢が決定的になります。**劣勢を立て直すために無謀な出撃を繰り返した結果、兵士たちの不満が高まって革命が起こり、皇帝ヴィルヘルム２世が亡命して戦争が終わりました。

アメリカがヨーロッパの戦場に軍を派遣したことによって、思わぬものが世界中に広がることになりました。それが、アメリカで流行し始めていたインフルエンザです。

第一次世界大戦では、世界中から兵士や物資が集まりました。瞬く間にその経路を逆にたどって世界中にインフルエンザが広がり、少なく見積もっても当時の世界人口の４分の１にあたる５億人が感染し、5000万人以上が犠牲になった、世界的な大流行、「パンデミック」が発生したのです。大流行のニュースを伝えたのは中立国スペインだったため、各国は、この流行を「スペイン風邪」と呼びました。

日本にとっての第一次世界大戦

日本は「日英同盟」を結んでいたことから、イギリス・フランス・ロシア側で参戦し、ドイツが中国での勢力圏としていた山東半島やドイツがもつ太平洋の島々を攻撃しました。第一次世界大戦の「主戦場」がヨーロッパにあり、参戦国はヨーロッパに注目していたため、ヨーロッパ諸国からいわば「ノーマーク」になったアジアで、**日本はイギリス・フランス・ロシアの３か国の支援を受けながら中国に進出できるという絶好の機会を得たのです。**元老のひとり、井上馨（いのうえかおる）はこれを「天祐（天の助け）」と表現しました。ヨーロッパの工業生産が軍需物資に集中していたため、日本の繊維製品や商船が世界で売れ、「成金」になる者も登場しました。

世界初の社会主義国家の多難な幕開け

工業大国となっていたロシア

第一次世界大戦は様々な国に大きな影響を与えましたが、その中でも最も大きな影響は、帝政ロシアの崩壊と、初の社会主義国家である**ソヴィエト連邦**ができたことでしょう。

長い間経済的にも社会的にも他のヨーロッパ諸国から大きく立ち遅れていたロシアでしたが、第一次世界大戦を迎えるころのロシアは鉄鋼生産で世界第4位、石油生産は世界の総生産量の約半分を占める大国になっていました。クリミア戦争の敗北をきっかけにして「農奴解放令」を出し、近代化に舵を切ったロシアは、フランスの投資を積極的に受け入れ、工業化を推進していたのです。

民衆のデモが帝政を打倒した

ところが、見た目は大国であったものの、皇帝の治める「帝政」のロシア」はすでに末期的な状況でした。ロシアはインフラ整備の資材や産業振興のための機械を輸入するための費用を稼ごうと穀物を輸出していました。しかしこれは、国民が食べる分の食料も輸出に回した「飢餓輸出」であり、次第に人々は困窮していきました。また、**「農奴解放」とはいっても、元の農奴は国の土地を耕作して重い税が課せられ、見た目には「国の農奴」となっていたのです。**そして、民衆の困窮が政治不信を招いたのです。

日露戦争の際には、苦しんだ民衆の大規模なデモに皇帝の軍隊が発砲するという「**血の日曜日事件**」事件が起きます。その後、「**第一次ロシア革命**」といわれる一連の反政府暴動が発生しました。

この「第一次ロシア革命」の動きに対し、政府は国会の開設を行ったり、憲法を制定したりと、一定の譲歩を見せたものの、皇帝独裁は続き、政府は改革に消極的でした。

第一次世界大戦が始まると、経済状況の悪化は決定的になります。食料不足が蔓延し、労働者はストライキや暴動を起こして平等な分配を資本家に求め、兵士の中には暴動に加わり、武器を労働者に供給する者まで現れ始めました。

皇帝は、自らの強大な権力を支えてきた兵士たちが反乱の中心になっていることを知り、退位を決意します。この「第二次ロシア革命」の「**二月革命**」によって、ロシアの皇帝独裁の長い歴史が終わったのです。

皇帝に代わり、それまで皇帝独裁のもとで不満を感じていた政治勢力が結集して「**臨時政府**」を組織し、政権をにぎりました。

二月革命後も戦争を続けた臨時政府

皇帝を退位させ、権力を握った臨時政府ですが、臨時政府を支持する層には資本家が多く、彼らは民衆の期待を裏切って、戦争をこれまで通り続けるという方針を打ち出しました。

資本家にとって、戦争は１つの「ビジネスチャンス」であり、また、**ロシア企業の多くがフランスからの融資を受けているため、戦争から「おりて」、ロシアとイギリス・フランスとの関係が悪化してしまうと、融資が引き揚げられ、企業の運転資金がなくなってしまう恐れがあったのです。**一方、飢えた民衆は「パンと平和」を求めました。

レーニンが率いた社会主義革命

「パンと平和」を求める民衆の期待は、社会主義を掲げる政党である**ボリシェヴィキ**を率いる**レーニン**に集まりました。レーニンは民衆の理事会である「**ソヴィエト**」に権力を集中させ、民衆たちが国を動かしていくことと、戦争の即時停止を訴えて武力蜂起に立ち上がります。内部分裂を抱えて不安定だった臨時政府は倒れ、ソヴィエト政権の樹立が宣言されました。これが「**十月革命**」です。

内外に敵を抱えたソ連

こうして、ボリシェヴィキが中心になって政治を動かすソヴィエト政権が成立します。ボリシェヴィキは**「生産手段を共有し、同じだけ働いて同じだけの分配を受け、貧富の格差をなくす」**ことを目指した社会主義政党なので、政権を握ると、早速、地主から土地を没収して国有化を行い、企業の国有化が進められました。

また、ソヴィエト政権は民衆の期待に応え、戦争を「おりる」交渉をドイツと行いました。しかし、戦争を「おりる」といっても、タダではおろさせてもらえません。敵対していたドイツに広大な領地を譲り、賠償金を払って「おろして」もらったのです。また、イギリス・フランス・アメリカ・日本などの連合国側の国々は、苦しい戦いをしている最中に自分たちのチームであったロシアが勝手に戦争をおりてしまったことに怒りをあらわにしました。

ソヴィエト政権はこうした圧力に対抗して、逆に各国の社会主義勢力に「みんなの国でも革命を起こして政府を倒し、労働者政権をつくろう」と呼びかけたため、連合国側の各国は「ソ連つぶし」のための出兵を行います。これを**干渉戦争**といいます。

干渉戦争にロシア内の反ソヴィエト勢力も同調したため、内外に「革命の敵」を抱えたソヴィエト政権は、「**戦時共産主義**」といわれた体制をとり、反革命勢力を弾圧して国を強い統制のもとに置き、内外の敵から革命を守ろうとしました（この後も、**一党独裁を掲げる社会主義国においては「革命の敵」をつくり出し、「闘争のため」と称して強い権力を政府が握ることを正当化するパターンが多くあります**）。農産物の強制徴収や強制労働を行ったことから、革命によって「平等な」世の中が訪れると期待していた民衆たちは失望し、労働意欲は衰えました。

ようやく内外の戦争をしのいだソヴィエト政権は、ウクライナなどのソヴィエト政権とも連合し、**ソヴィエト社会主義共和国連邦**（ソ連）を形成します。また、ソヴィエトの中核となったボリシェヴィキは「**共産党**」と呼ばれるようになりました。

第一次世界大戦に続く干渉戦争や内戦は、「平等な国づくりを進めるため」とはいいながらも、民衆にとっては戦争が続いていたことに変わりはありません。民衆の困窮は頂点に達し、餓死者も多数発生しました。

スターリンのもとで始まった計画経済

そこでレーニンは**新経済政策**（ネップ）といわれた一時的な資本主義経済をとり、企業が外国から融資を受けて儲けることや、余った農産物を販売することを許可し、自由なお金儲けができるようにします。

依然、表向きは社会主義の理想を掲げていたのですが、「改革のための一歩後退」と称したこの方針転換により、勤労意欲が回復しました。そして再び資本主義が復活し、富裕層が登場します。**皮肉にも、社会主義の看板を下ろしたことで生産力が第一次世界大戦前の水準まで回復したのです。**

この「ネップ」の推進中に、レーニンは亡くなります。ライバルたちを追い落としてレーニンの次にソ連の実権を握ったのが、**スターリン**という人物です。スターリンはネップを否定し、ソ連に本格的な社会主義経済を建設するための「五か年計画」を実施します。国家の計画のもと、重工業を起こし、農民に国の土地を割り当てて「平等な分配」を目指していきました。

計画経済によって重工業を中心とした特定の産業は発展しますが、国民生活を豊かにする「消費財」に向かわなかったことや、自分たちの土地や家畜が取り上げられ、愛着のない土地や家畜が割り当てられた農村で勤労意欲が低下し、生産水準は低迷しました。こうした人々の不満に対して、スターリンは徹底的な弾圧と「粛清」に乗り出し、1000万人ともいわれる人々が処刑されたり、強制収容所で亡くなったりしたといわれています。

図 8-6　ロシア革命の進行

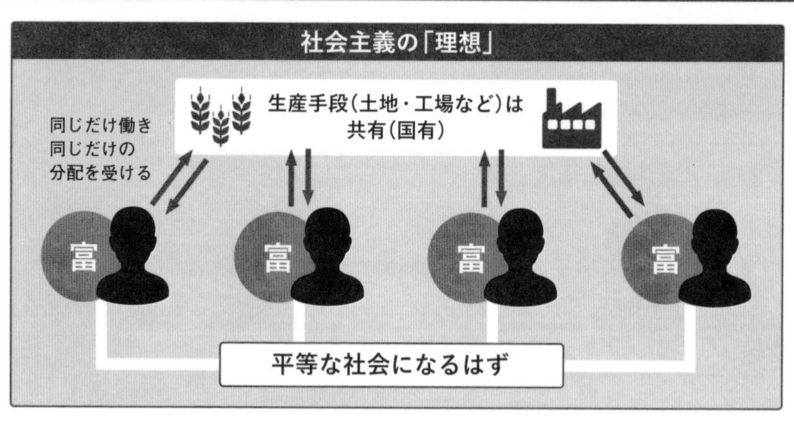

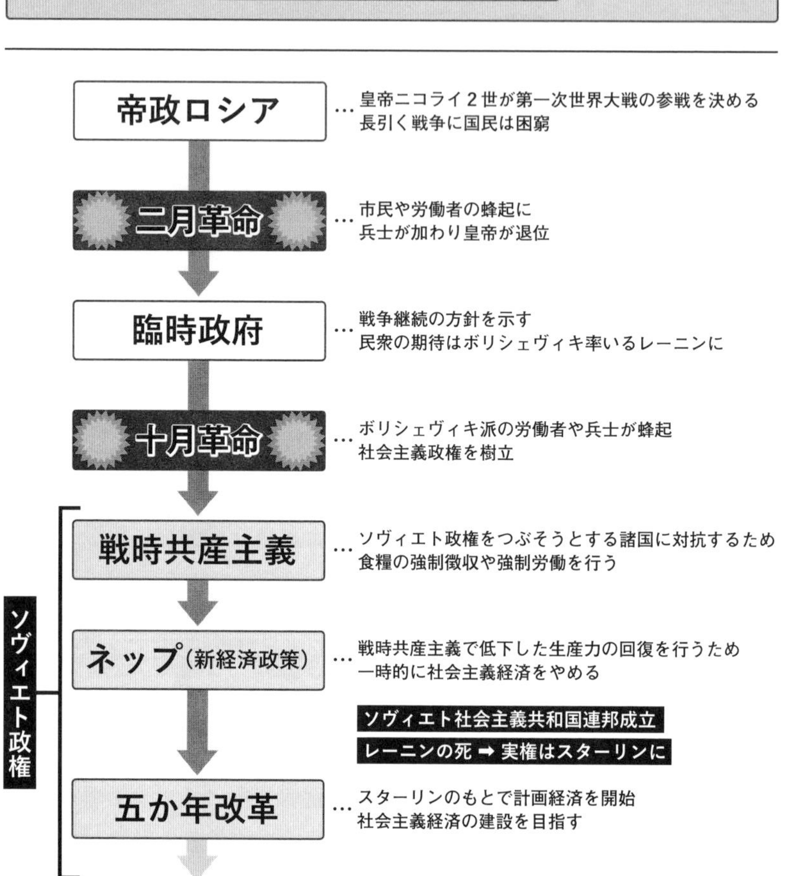

大戦後のドイツを苦しめた莫大な賠償金

ドイツに課せられた「天文学的」な賠償金

第一次世界大戦が終わったヨーロッパはもはやボロボロの状態でした。敗戦国のドイツやオーストリアはもちろんボロボロですが、勝利したイギリスやフランスも国土が荒れ果て、戦争遂行のためにアメリカに借りた重い借金の返済に苦しむようになります。

財政の極端な悪化と借金の返済のために、**戦勝国は敗戦国に莫大な賠償金を要求しました。**ドイツに課せられた賠償金は「1320億金マルク」という、現在の日本円に換算すると数百兆円に匹敵する、「天文学的」といわれた莫大な金額でした（この「金マルク」というのは、「金に裏付けられた」マルクという意味で、先ほど例に挙げた、20マルク＝８ｇの金貨に換算した額で払え、という意味をもちます。すなわち、賠償金支払いのために臨時に印刷した紙幣でごまかすことはできないよ、ということです）。これは、国家財政の次元を飛び越えた、常識外れの金額だったのです。

ルール地方を差し押さえたフランスとベルギー

ドイツは、３年間は賠償金をまともに支払おうと努力したものの、次第に支払いが滞ります。この滞納に対し、フランスとベルギーはドイツ西部の大規模な工業地帯の**ルール地方**を占領し、その生産品を差し押さえて「賠償金のカタ」にとろうとしました。

しかし、ルール地方の人々もドイツを愛する「ドイツ人」ですから、フランスのためにわざわざ頑張ってモノを生産するようなことはしません。仕事の手を抜いたり、ストライキを起こしたりと、「消極的な抵抗」を行いま

図 8-7　ルール占領とドイツのインフレ

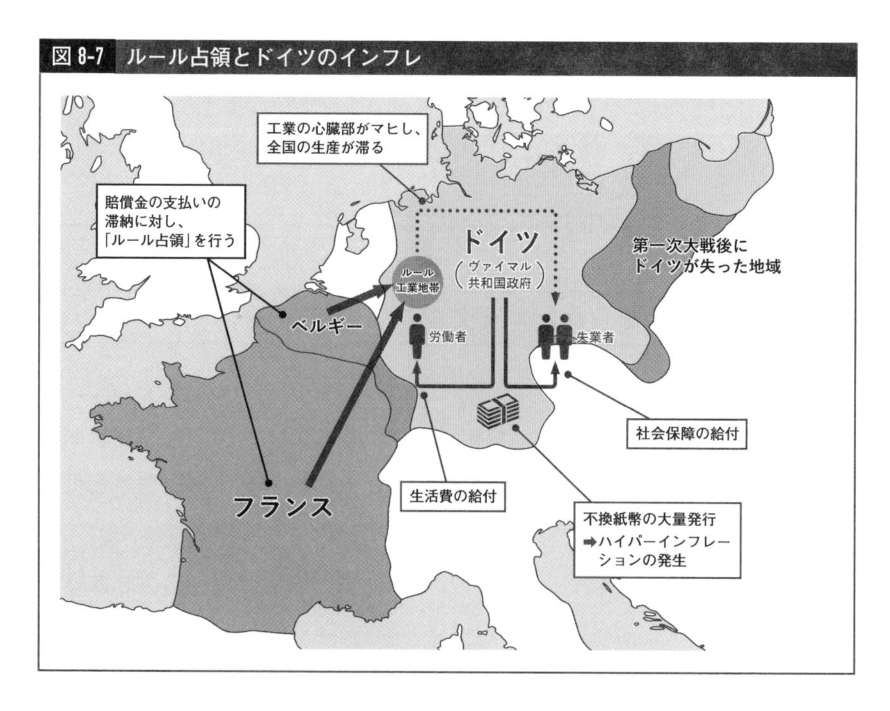

す。ドイツ政府はフランスに外交官を派遣して賠償金の減額を要請しながらも、ルール地方の人々には国から生活費を給付し、この「消極的抵抗」を背後から後押ししたのです。

ハイパーインフレーションの発生

当時、ルール地方はドイツの石炭の約７割、鉄鋼の約８割を生産する、文字通り「ドイツ工業の心臓部」でした。**ルール地方の生産停止の影響はその地方だけにとどまらず、石炭や鉄鋼を利用するドイツ全土の関連産業にも及びます。**国内のあらゆるところで生産がマヒしたドイツの国民は苦しみ始めます。

「**ヴァイマル共和国**」と呼ばれた第一次世界大戦後のドイツは「最も民主的な憲法」といわれた憲法のもと、社会保障制度を充実させる政策をとっていましたが、それもあだとなり、生産がマヒして失業した国民の生活の保障もしなくてはなりませんでした。

ここでドイツはやむを得ず、大量の紙幣を増刷して「緊急輸血」を行い、社会保障にあてるようになります。大量の、金の裏付けがない「不換紙幣」が供給されて、紙幣がより「紙切れ」に近づいたことに加え、企業の操業停止による「モノ不足」が重なり、「カネ」と「モノ」のバランスが著しく崩れ、紙幣の価値の下落と物価の急上昇が進行し、「破壊的」といわれた「ハイパーインフレーション」が発生したのです。**第一次世界大戦開戦時から比較したドイツの物価は１兆2000億倍に達し**、ドイツ経済は大混乱を起こしてしまいました。

フランス、ベルギーも、ドイツの状況が賠償金をとるどころではなくなり、また、両国が一方的にドイツ領を占領したことで国際的な非難も受けたことから、ルール占領を中止することになりました。

危機的なインフレーションの収束

ドイツの危機的なインフレーションは、「レンテンマルク」という新紙幣を発行したことで一応の落ち着きを見せます。レンテンマルクと従来の紙幣は１：１兆で交換され、１兆分の１に「デノミ（通貨切り下げ）」を行ったことになります。レンテンマルクは金や銀ではなく、「土地からの収入請求権」と交換可能という特殊な方法で信用を保とうとした紙幣でした。

また、新しい紙幣は無制限に発行されるのではなく、量を調整しながら市場に流したため、インフレーションは収束していきました。

ドイツに差し伸べられたアメリカ発の「助け舟」

ただし、インフレが収束しても**「戦後の復興と借金の返済をしたい戦勝国が、敗戦国ドイツにとてつもない賠償金を押し付け、払うあてがないドイツが払えず、戦勝国は戦後の復興も借金の返済もできない」**という悪循環は依然続きます。これでは、イギリス・フランスはいつまでたってもアメリカに借金を返せませんし、ヨーロッパにはギスギスした雰囲気が充満し、またルール占領のようなことが起こりかねません。

そこでアメリカは、事態の収拾のために銀行家のドーズという人物をヨーロッパに派遣し、「**ドーズ案**」というドイツの賠償金支払いメカニズムを提案します。

「ドーズ案」は、まず、アメリカがドイツ企業に積極的な融資を行います。そしてドイツ企業はそのお金を元手に生産を行います。ドイツの経済が回るようになれば、税収から賠償金の支払いに回せるようになり、賠償金を受け取ったイギリス・フランスはアメリカに借金の返済を行うことができます。この流れは「アメリカの資金が一周回ってアメリカに戻る」というような輪を描くので、「賠償環」といわれます。

ドイツはもともと重化学工業に高い生産性があったわけですから、資金さえ供給されれば、生産の回復は軌道に乗るのです。国際経済は安定し、イギリス、フランスも復興と借金の返済を行えます。この仕組みによってヨーロッパの状況は安定し、ドイツの賠償金の減額と返済期間の延長が認められたこともあり、世界は安定に向かっていきました。

図 8-8 「賠償環」の成立

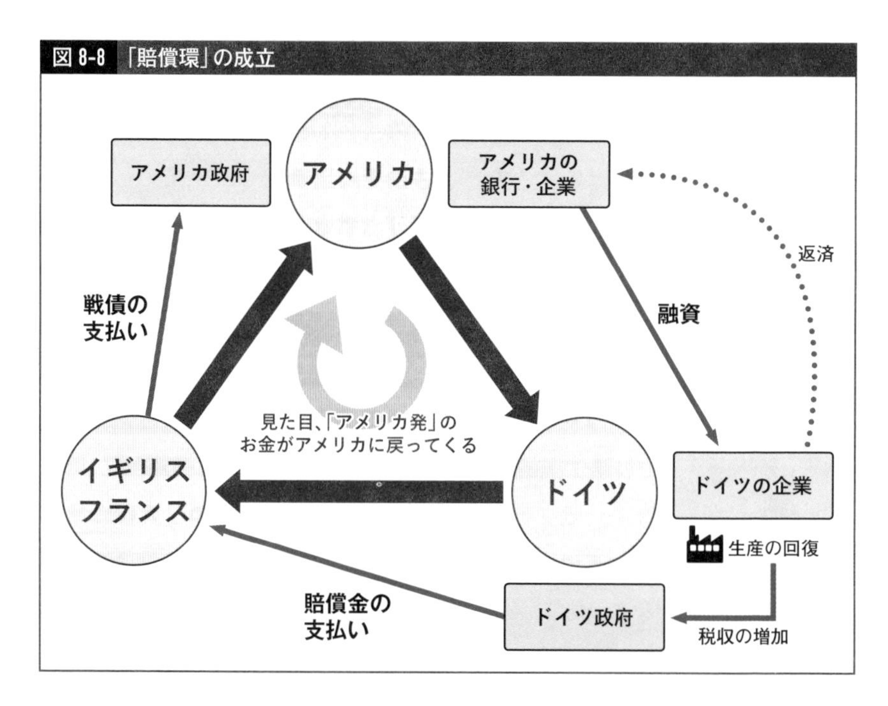

「永遠の繁栄」と豪語されたアメリカの姿

アメリカは「債務国」から「債権国」へ

第一次世界大戦で最も「得をした」のは、アメリカ合衆国でしょう。開戦前のアメリカは世界最大の工業国でありながら、外国に借金をしていた「債務国」でしたが、第一次世界大戦が始まると、参戦する前には中立国ながらもイギリスやフランスに資金を貸し付け、参戦後には連合国側の勝利を決定づける働きをします。しかも、ヨーロッパでの戦争だったため、アメリカの国土はほぼ無傷です。**こうして、大戦後のアメリカは世界でほぼ唯一の「債権国」となり、国際金融の主導権を握るようになったのです。**

大量生産・大量消費のライフスタイル

ずば抜けた工業力と経済力をもつアメリカでは、市民生活も変化していきました。それが、大量生産と大量消費にもとづく新しいライフスタイルです。

「**T型フォード**」に代表される大衆車や電気冷蔵庫やオーブンなどの家電製品などの商品が生活を満たし、ラジオ放送や町中の広告が購買意欲を刺激しました。通信販売やローンによる分割払いなど、手に入れたいモノがどこでも、いつでも手に入るという仕組みもできました。

ニューヨークには繁栄のシンボルのように「摩天楼」といわれるような高層ビルが立ち並び、ショービジネスや映画、ジャズなど「アメリカ大衆文化」が花開きました。アメリカの繁栄を中心に世界経済が上向くと、アメリカを皮切りにして再び「金本位制」に戻す動きが起きました。

大戦の影響を受けたアジア諸国の「変化」

戦間期のアジア諸国

第一次世界大戦は、アジアの国々にも大きな影響を与えました。

オスマン帝国は敗戦国となり、領土の大部分を失いますが、**ムスタファ＝ケマル**という人物が軍を率い、連合国に反転攻勢に出て領土を一部回復します。ムスタファ＝ケマルはトルコ革命によりオスマン帝国を滅ぼし、現在につながる**トルコ共和国**を建国しました。もとのオスマン帝国領だったイラクやシリアはイギリスやフランスが統治を任され、イギリス・フランスが盛んに石油開発を行いました。

インドは、イギリスから戦争に協力する見返りに大幅な自治を約束され、第一次大戦世界では150万人の兵を戦場に送りました。しかし、戦後の自治はおろか、逆に独立運動に弾圧が加えられるようになり、イギリスへの協力が無駄になったインドでは、**ガンディー**のような民族運動家を中心とする、イギリスに対する抵抗運動の波が起こります。

中国では第一次世界大戦による「アメリカの経済的勝利」と「ロシア革命によるソ連の成立」の２つの事件に影響を受け、財閥や資本家などが支持する民主主義政党の**国民党**と、ソ連の影響を受けた労働者や農民層などが支持する社会主義政党の**共産党**という２つの政党が成立し、対立を始めるようになります。

日本は、第一次世界大戦中、ヨーロッパ諸国が戦争で手薄になったアジアの市場に工業製品を売ることによって好景気が訪れました。しかし戦後に戦後恐慌が発生し、続く**関東大震災**のダメージが企業、そして銀行へと連鎖し、「震災恐慌」「金融恐慌」「昭和恐慌」と、恐慌状態が続きました。

崩壊した借金まみれの「砂上の楼閣」

「農業不況」が崩壊の予兆だった

「永遠の繁栄」とまでいわれた第一次世界大戦後のアメリカ経済ですが、じつは見えないところですでに崩壊の予兆がありました。

１つは、農業の不振です。第一次世界大戦中、アメリカは食料品を増産してヨーロッパに輸出していましたが、戦争が終わると、ヨーロッパの生産が回復して、アメリカの輸出量が減少し、農作物が余るようになります。

しかし、一度作物を増産し始めてしまった農村は、なかなか生産量を絞れません。トラクターなども次々と改良されたため、農産物の生産量は増加していきます。**つくればつくるほど農作物が売れ残って損をする「豊作貧乏」になって、農村の経済力は次第に下降線をたどっていきました。**

借金まみれの「永遠の繁栄」

もう１つは、工業の生産過剰です。「永遠の繁栄」の大量生産と大量消費の中で、モノがどんどん売れていきます。企業は銀行から融資を受けて資金を調達し、さらに多くのモノを生産します。企業の業績が上がれば、株価も上がるので、人々も盛んに株を買います。人々はさらに儲けるため、銀行や証券会社からお金を借りてまで株を買うようになりました。競うように株が買われ、株価は急上昇しました。また、人々がモノを買うのにも、銀行からのローンが盛んに借りられていたのです。

つまり、「永遠の繁栄」は、**「企業が借金してモノをつくり、人々はその企業の株を借金して買い、人々はその企業のモノを借金して買う」**という、借金という砂の上に築かれた「砂上の楼閣（ろうかく）」だったのです。人々の需要をおおむね満たした後は、企業はつくりすぎた在庫を抱えることになります。

大恐慌の発生

企業は生産するときにはすでに銀行から借金をしていますので、売れ残ると返済ができなくなり、すぐに倒産の危機に陥ります。

企業の業績不振から株価が下がり出すと、人々は「さらに下がるかもしれない」という不安から株をできるだけ早く手放そうとします。一度下がり出した株価の下落は止まらず、「暗黒の木曜日」といわれる株価暴落が起きてしまいました。

安値で株を手放した人々に残ったのは、株を買うために銀行から借りた借金の山でした。そして、貸し付けたお金が戻ってこなくなった銀行の経営も悪化することになります。銀行が倒産する前に「自分の預金だけはおろしておこう」という人々が銀行に殺到する**取り付け騒ぎ**も起きました。

こうして、企業も銀行も連鎖的に倒産する大恐慌がやってきたのです。

図 8-9 世界恐慌の発生

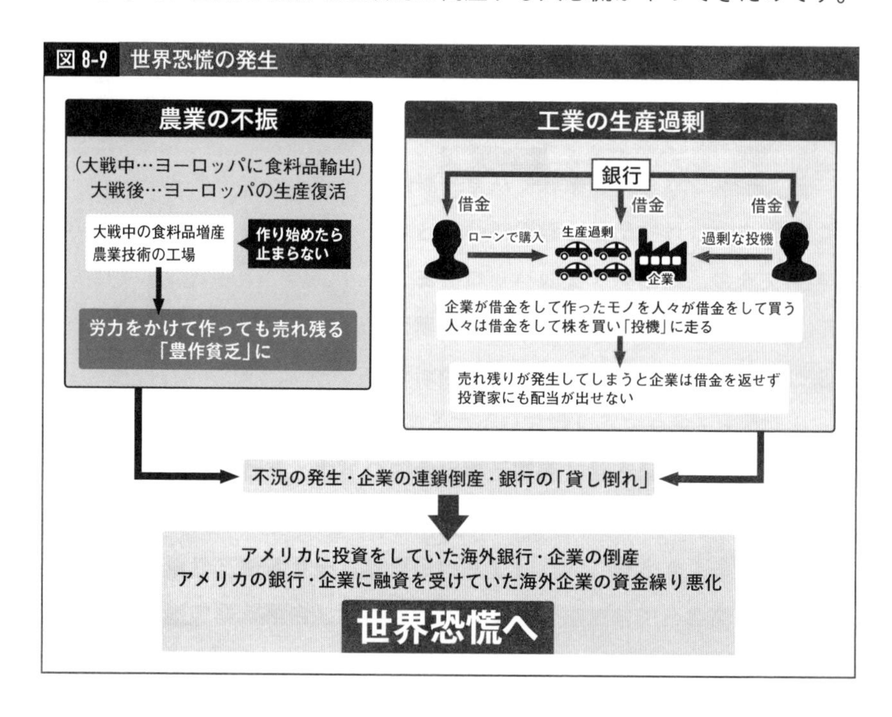

世界に広がった大恐慌

さらに、この恐慌は世界にも影響を与えます。アメリカの銀行や投資家たちは「俺たちも苦しいんだから貸した金を返せ」と、**それまで融資をしていたドイツ企業から手のひらを返したように貸金を回収にかかります。**ドイツの企業の資金繰りはたちまち悪化し、ドイツ経済が壊滅します。

ドイツを救済するために時のアメリカ大統領、**フーヴァー**はドイツのイギリスやフランスに対する賠償金の支払いを１年間猶予し、イギリスやフランスに対してもアメリカへの借金の返済を猶予して様子を見ようという「**フーヴァー＝モラトリアム**」を発表しました。ところが、状況は１年で打開されるほど生易しいものではありませんでした。積極的にアメリカやドイツなどへの投資を行っていたイギリスやフランスの銀行も、相次いで業績が傾き、恐慌状態は世界中に連鎖していったのです。

戦争中と同じように、国の中央銀行が破綻しそうなときに金本位制をとっていると、人々は「紙切れになるかもしれない紙幣よりも金そのものがよい」と考え、紙幣は金に交換されて国の手持ちの金が減り、国全体の「カネ回り」が悪くなり、不況が進行します。そのため、各国は再び金本位制を捨て、紙幣の水増しができる「不換紙幣」に切り替えたのです。

「金との交換の裏付けがない不換紙幣」は当然、「金といつでも交換可能な兌換紙幣」に比べて価値が低下するので、自分の国の貨幣価値が低下する実質的な「通貨切り下げ」になります。**「通貨を切り下げる」と、外国から見れば同じ額を払っても多くのモノを輸入できるので、「バーゲンセール」のようになり、売れ残りを抱えた企業が救える**という効果があるのです。

一方、各国は外国からの輸入のときには高い関税をかけ、自分の国の企業を助ける「保護貿易」的な政策をとりました。輸出では「バーゲンセール」をする一方で、お互いに高い関税をかけ合って輸入を阻止し合うという状況が生まれ、「売りたいけど、買わない」各国が、貿易関係を互いに閉ざし合う閉鎖的な状況が生まれたのです。

恐慌対策の中で分断される各国の関係

アメリカのニューディール政策

恐慌の「震源地」であったアメリカの恐慌の収拾にあたったのが、フーヴァーを破り、大統領に就任した**フランクリン＝ローズヴェルト**です。彼はそれまでの好景気に支えらえた「自由放任」の経済政策を転換し、**ニューディール政策**という、一連の恐慌対策をとりました。**国が生産をコントロールしてつくりすぎを防ぎ、巨額の公共事業を起こして雇用をつくり出し、貧窮者の救済のために予算を割くなど、政府が積極的に経済に介入したのです。**アメリカはラテンアメリカ諸国やカナダと協定を結び、お互いの関税を引き下げ、「ドル＝ブロック」といわれる経済的な結びつきを強くしてイギリスやフランスの「ブロック経済」に対抗しようとしました。

イギリス・フランスのブロック経済

イギリスやフランスは豊富な植民地をもつために、植民地と本国の間で関税を引き下げ「自給自足的」な経済圏をつくりました。これを「**ブロック経済**」といいます。

イギリスはインド、オーストラリア、南アフリカなどの植民地や自治領と協定を結び、関税を引き下げ、その中で経済を回すようにしたのです。

結果、イギリスは工業製品をブロック内の各国に輸出し、ブロック内の国々はイギリスに原材料や食料を輸出するという、国際分業体制がとられて経済は持ち直し、ブロック内の生産は回復に向かいました。この、イギリスのブロック経済を「**ポンド＝ブロック**」といいます。

フランスは自国の植民地とオランダ、ベルギーなどの諸国とともに、「**フ**

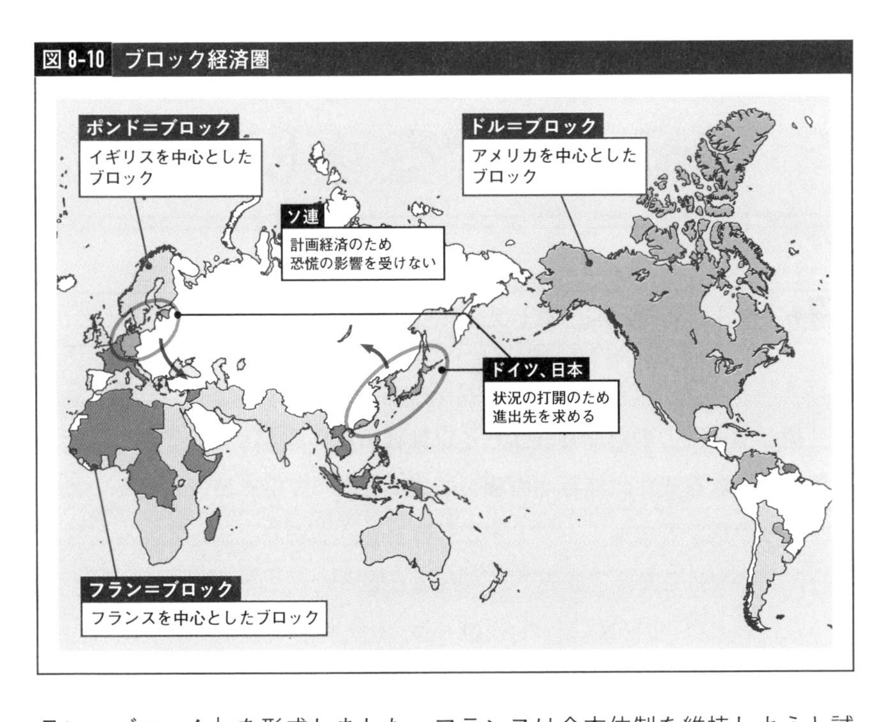

ラン=ブロック」を形成しました。フランスは金本位制を維持しようと試みていたので、金本位制を残そうという諸国とブロックを結成し、その他の地域には高関税をとったのです。相場が安定し、貿易が促進される金本位制のメリットをこのブロック内だけでも維持しようとしますが、ブロック内の国々との貿易は伸びず、ズルズルと景気が後退していったことからブロックは崩壊していきました。

ソ連の計画経済

世界恐慌が発生したとき、ソ連は**スターリン**が主導していた「**五か年計画**」の最中でした。計画経済の最中で、「見た目」には恐慌の影響を受けずにソ連の経済が発展していったことから、ソ連は社会主義による「計画経済」が資本主義よりも優れていることを盛んに宣伝しました。しかし、その裏では無理な計画に動員される民衆や、スターリンに反する人々の弾圧や処刑、強制的な労働などの多くの犠牲が隠されていたのです。

恐慌がドイツを襲い、ヒトラーが登場した

恐慌の影響が直撃したドイツ

アメリカからの投資が途絶えるのみならず、さらに貸金を引き揚げられる「貸しはがし」の目にあったドイツは経済が壊滅し、非常に苦しい状況に追い込まれます。工業製品の輸出が生命線だったドイツにとって、各国がブロック経済圏をつくってドイツ製品を輸入しなくなったことも打撃でした。ドイツは工業製品を売る市場となる植民地もない、「持たざる国」であったため、「自給自足」ができなかったのです。

お金がないドイツが初めにとった策は支出の削減でしたが、不況のときに支出を引き締めたことで、社会のカネ回りが悪くなり、不況はさらに深刻になってしまいます。失業者は、当時の人口の約10%にあたる、600万人に達しました。そこでドイツ政府は政策を転換し、「アウトバーン（高速道路）」に代表されるような公共事業を拡大しようとしますが、予算の捻出ができず、なかなか進みません（のちにヒトラー政権がアウトバーンの建設を強く推進します）。

ヒトラーによる「生存圏」の拡大

こうした状況の中、**ナチ党**を率いて独裁的な権力を握ったのが**ヒトラー**です。ヒトラーはドイツ国民の団結を訴え、公共事業や軍備拡大を盛んに推進し、失業者を救済しました。ドイツの工業生産は回復し、景気は押し上げられ、失業者はほぼゼロになりました。

公共事業や軍備拡大にかかる膨大な予算は、様々な形で発行された「手形」によって「ツケ払い」にされ、数年ののちにその「ツケ」を国が払う

という「ツケを先送り」する手法でまかないました。

しかし、最後にツケを払うのはドイツ政府ですから、決済前に「何か」の手段を講じなければなりません。お金を大量に印刷し、無理に決済に間に合わせようとしても、ハイパーインフレーションが起きて経済が破綻してしまいます。それを避けるためには、アメリカやイギリス、フランスなど、海外に借りていた借金を踏み倒すか、近隣諸国を併合したり、軍事的に制圧したりしてドイツ経済に組み込んでいくというような、「武力に訴える」道を選ぶことになります。

もとからヒトラーは「生存圏」の拡大を求めて近隣諸国への軍事的膨張を訴え、軍備を整えていましたが、**その背景にはこうした「ツケを払う」ための打開策が必要であったという、経済的な面もあったのです。**ヒトラー率いるドイツは、オーストリアやチェコを併合し、その経済をドイツ経済に組み込んでいきます。そして、ポーランドへ侵攻したドイツに対し、イギリスとフランスが宣戦布告して**第二次世界大戦**が始まるのです。

図 8-11 ドイツの「生存圏」拡大

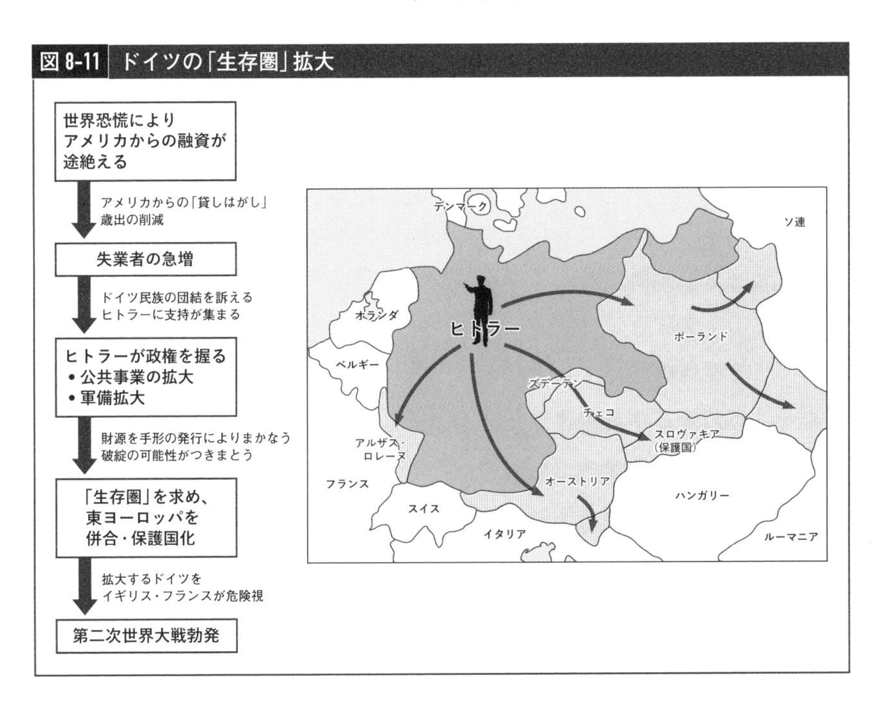

日本を戦争に向かわせた「恐慌の連鎖」

恐慌の連鎖と大陸への進出

関東大震災以後、恐慌が続いていた日本は、本格的に重化学工業を盛んにし、輸出を振興して儲けようとしていました。その準備として、貿易をスムーズにするために、第一次世界大戦のときに中止していた金本位制に復帰しました。

しかし、世界はそのタイミングで「世界恐慌」を迎えており、**世界恐慌で世界の国々が金本位制をやめていったところで、日本だけが金本位制に復帰したのです。**しかも、日本は金の価格を比較的安めに設定したため、貿易を振興するどころか、日本の金が大量に流出してしまいました。金本位制をとる国で金が流出してしまうと、カネ回りが悪くなります。ここに「最悪の不景気」と呼ばれた「昭和恐慌」が起きたのです。

そこで、日本は再び金本位制をやめてお金を増刷する「緊急輸血」を行い、市場の拡大をはかって、満州での軍事行動を拡大して「満州国」を建国します。次いで日中戦争では首都の南京を占領し、南京に親日派の政権を打ち立てます。

こうした軍事行動によって日本は国際社会から孤立し、同じような状況に置かれていたドイツやイタリアと接近し、軍事同盟を結びました。中国を重要な市場と考えていたアメリカとイギリスは日本に対して抵抗する中国（中華民国）の蒋介石に対して支援を行い、日本とアメリカ・イギリスの対立が深まりました。アメリカが日本に対する石油の輸出を禁止すると、状況の打開のため、日本はアメリカ・イギリスとの戦争に踏み切り、**太平洋戦争**が始まったのです。

第9章

超大国の綱引き

冷戦下の経済

（第二次世界大戦～1980年代）

第9章 冷戦下の経済 あらすじ

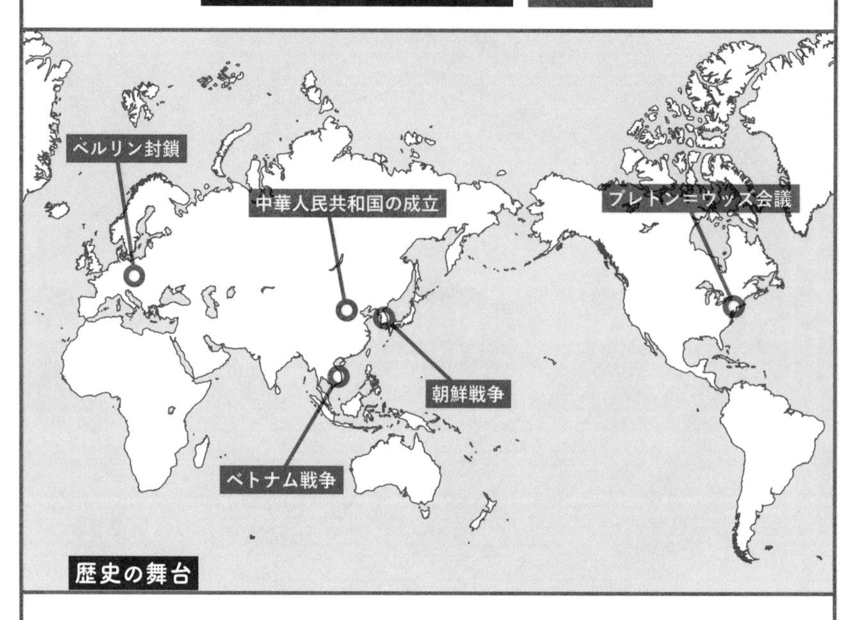

東西がしのぎをけずった冷戦構造の「綱引き」

アメリカとソ連、資本主義国と社会主義国という別々の経済体制を代表する二大大国が、ベルリン封鎖、朝鮮戦争、ベトナム戦争など、主導権を握るための「綱引き」を繰り広げます。しかし、その影響力が次第に低下すると、第三世界といわれたアジア・アフリカの各国やヨーロッパが独自の動きを模索するようになります。そして、社会主義諸国における経済の停滞が明らかになると、冷戦構造は崩壊に向かいます。日本は、朝鮮戦争をきっかけに経済が好転し、高度経済成長期を経験しました。

第9章 【冷戦下の経済】の見取り図

17
18
第6章 オランダ・イギリスの繁栄と大西洋革命

19
20
第7章 産業の発展と帝国主義

第8章 2つの大戦と世界恐慌

1945

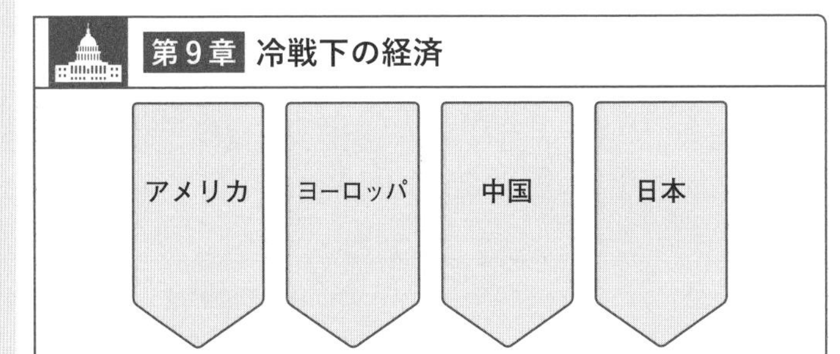

1990

第10章 グローバリゼーションと経済危機

アメリカ	西側諸国でドルを基軸通貨とした経済体制がとられ、アメリカは「資本主義国の盟主」として君臨することになりました。
ヨーロッパ	冷戦の「最前線」として、ソ連やアメリカの影響力を受け続けますが、EECやECの結成など、次第に独自の動きを模索し始めました。
中国	中華人民共和国が成立し、社会主義体制がとられました。ソ連との接近や対立の中で、中国独自の社会主義体制の構築が図られました。
日本	戦争の直後は混迷していた日本経済ですが、朝鮮戦争によって好景気がもたらされたのちは、目覚ましい経済成長を遂げました。

「盟主」アメリカを中心とした新しい経済体制

「冷戦」の時代のおとずれ

第二次世界大戦後の「二大強国」として世界の主導権を握ったのは、アメリカとソ連でした。アメリカはヨーロッパ戦線と太平洋戦争ともに大きな役割を果たし、ソ連はヨーロッパ戦線においてドイツ軍と激しく戦うとともに、太平洋戦争においては終戦直前に参戦し、日本の降伏を決定づける働きをしました。戦後の世界は、この2国が核兵器を持ち合い、激しく対立する「**冷戦**」の時代となりました。政治的、経済的にまったく違う仕組みを持つ2国が、冷戦の世界において優位に立つべく、同盟国を巻き込みつつ資本主義「陣営」、社会主義「陣営」を形成していきます。

主導権を握る「資本主義国の盟主」アメリカ

第二次世界大戦中から、アメリカは資本主義陣営の「盟主」として主導権を握りつつありました。**ドイツも日本もまだ降伏していないころから、連合国の代表をアメリカのブレトン=ウッズというところに集め、戦後の国際経済や金融の枠組みを話し合っています。**この会議をもとにした戦後の国際金融体制を**ブレトン=ウッズ体制**といいます。

この体制を支えるために設けられた機関が**IMF（国際通貨基金）**と**IBRD（国際復興開発銀行・世界銀行）**で、国際貿易のルールが**GATT**です。

IMFは各国の通貨の為替相場を安定させるためにつくられ、**国際収支が大幅に赤字となった国に短期的にお金を貸し出したり、各国の為替政策の調整を行ったりする機関です。**

第二次世界大戦前は、世界恐慌によって世界各国が勝手に金本位制を放棄し、通貨を切り下げて自分の国の製品を売れるようにしたり、お金を貸している国から融資を引き下げて「貸しはがし」を行ったりしていました。その結果、苦しい立場に陥った国が軍備拡大や勢力拡大に走り、戦争につながりました。その反省からIMFには、各国の為替相場を調整し、安定させる「調整役」としての役割が与えられたのです。

また、IBRDは**戦争でダメージを受けた国々の復興のために長期の資金を貸し付ける機関です。**たとえば、この貸付によって日本は東海道新幹線の建設費用の一部をまかなうことができました。当初はヨーロッパや日本の復興費用のために設けられた機関ですが、現在では開発途上国への融資を行う機関に性格が変わり、日本も出資国の上位に名を連ねています。

ドルを基軸通貨とする固定相場制度

ブレトン＝ウッズ体制の要である**「為替相場の安定」に中心的な役割を果たしたのが、ドルを「基軸通貨」とする固定相場制**です。第一次世界大戦、第二次世界大戦を通して「ひとり勝ち」したアメリカには世界の金の7割が集中する一方、ヨーロッパ諸国は戦争で荒廃し、金本位制に復帰するのが難しい状況にありました。そこで、アメリカドルのみを1ドル＝金約0.8gの「金本位制」にし、ドルと各国通貨を「固定相場」にしたのです(たとえば、日本円は「1ドル＝360円」、イギリスのポンドは「1ドル＝0.25ポンド」と「固定」するのです。こうすれば、円とポンドは「1ポンド＝1440円」と、こちらも固定されます)。

円はアメリカドルを経由して金と結びつけられ、ポンドもアメリカドルを経由して金と結びついているために、紙幣の信用が得られ、相場が固定されていることから貿易がスムーズであるという金本位制のメリットも得られます。また、貿易赤字によって国家財政が破綻してしまうというデメリットについては、各国の経済状況に応じて為替相場を見直し、変更することで可能としたのです（もちろん、信用のおおもとであるアメリカの金が流出してしまい、アメリカの国家財政が破綻する可能性もありましたが、

図9-1 ブレトン＝ウッズ体制

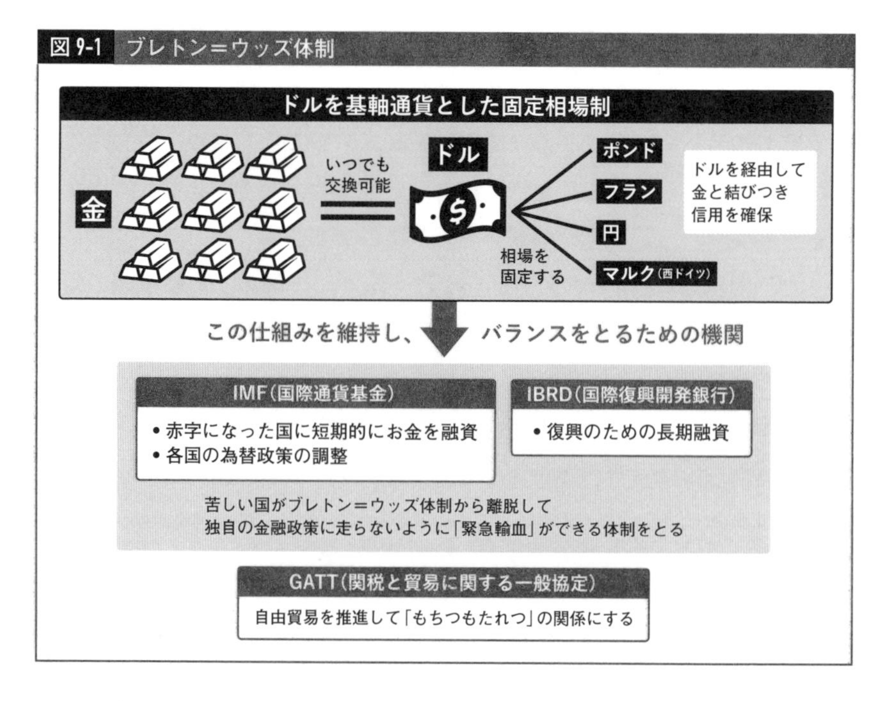

この時点ではまさかベトナム戦争でアメリカが財政危機に陥るとは想像されていなかったのです)。

「もちつもたれつ」を目指したGATT

IMFに並ぶブレトン＝ウッズ体制の柱が**GATT**（関税と貿易に関する一般協定）です。第二次世界大戦の反省のもう１つが、「ブロック経済化」でした。世界恐慌の中で自分の国の経済を守るために高関税をかけ、外国製品の流れ込みをお互いにブロックし合った結果、イギリスのような豊富な植民地を持つ国とドイツのように植民地が乏しい国の間で明暗が分かれ、ドイツは自国の「生存圏」をつくるために拡張政策に走ったのでした。

この反省から**GATTの参加国は、関税率を引き下げ、できるだけ「自由貿易」に近づけていこうと取り決めたのです。**

一般的には、**「自由貿易」は、国際分業を促進し、世界全体により多くの富をもたらし、世界全体が「もちつもたれつ」になるために世界は平和に**

向かうとされます。たとえば、穀物の生産が得意な国と工業製品の生産が得意な国があるとすると、片方は穀物の生産に特化し、もう片方は工業製品に特化して自国にとっての「得意分野」に集中し、お互いにとって苦手な分野のモノを輸入し合うことで「分業」を行えば効率がよくなります。また、もしその2国が戦争を起こせば、片方は穀物、片方は工業製品という「必需品」が手に入らなくなります。このように、「もちつもたれつ」の状態になるため、お互いに戦争を避けようとするだろう、という考えです。

そこで、GATTでは自由貿易を促すために（それも、「2か国間」でなくオープンに）関税の引き下げや各種貿易制限の撤廃を行う交渉の場を設けたところ、数十万品目に及ぶ関税の引き下げが実施されるという効果がありました。のちにGATTは発展解消され、その理念は**WTO（世界貿易機関）**に引き継がれます。

しかし、各国は自由貿易の意義は感じつつも「守りたい産業は守りたい」ため、GATTやWTOの理念通りにはならない現状もあります。

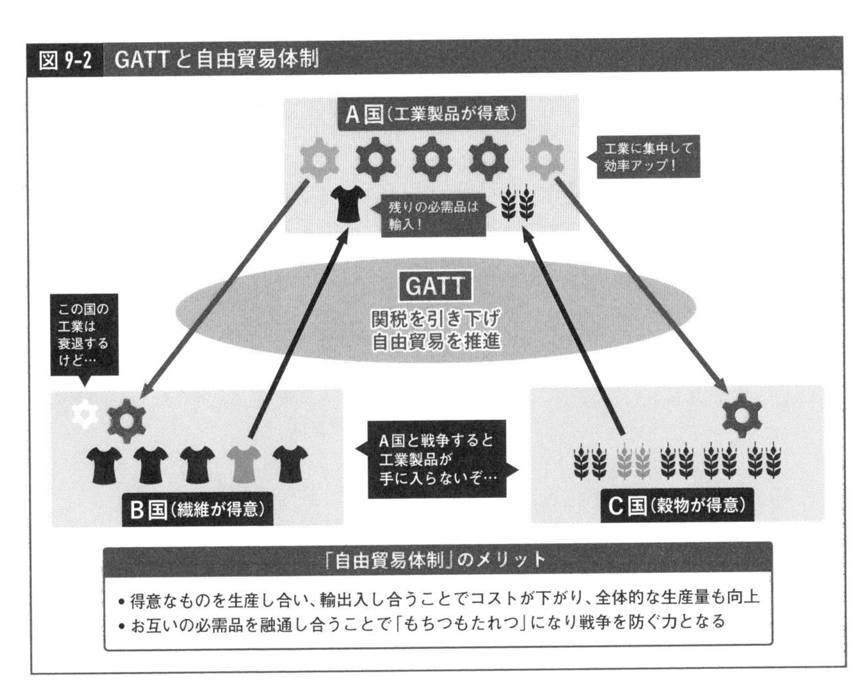

図 9-2 GATTと自由貿易体制

ソ連がおろした「鉄のカーテン」

社会主義諸国の「盟主」となったソ連

アメリカが資本主義国の「盟主」としてブレトン＝ウッズ体制を推進していることに対し、ソ連は、はじめは協調的な姿勢を見せたものの、すぐに社会主義国の「盟主」としてアメリカとの対立姿勢を明確にします。

そして、**終戦時にソ連軍が占領していた地域にあったポーランド、ルーマニア、ブルガリア、ハンガリーなどの東ヨーロッパの国々を次々に取り込み、社会主義的な計画経済体制をつくらせていったのです。**

こうした、東ヨーロッパがソ連に取り込まれて西ヨーロッパやアメリカ

図 9-3 ヨーロッパの「鉄のカーテン」

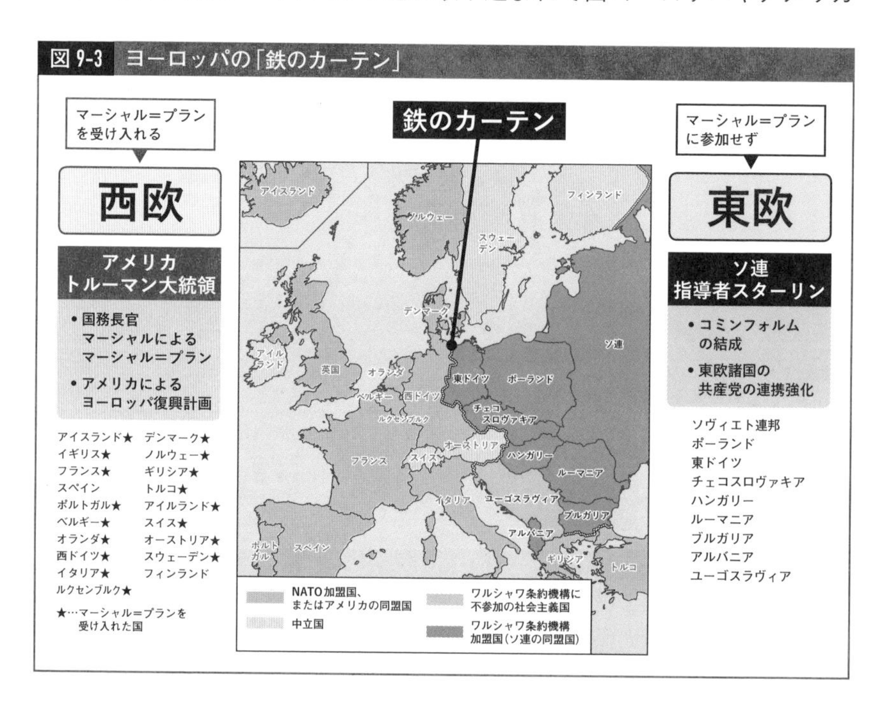

に対して「閉鎖的な」態度をとったことを、当時のイギリスの首相**チャーチル**は「**鉄のカーテン**」がおろされている、と称しました。

社会主義のメリット・デメリット

社会主義は、土地や工場などの生産手段を「共有（国有）」化し、労働者が国家の「計画」のもとに「同じだけ働き、同じだけもらう」ことで平等をもたらそうという仕組みです。

一方、資本主義は生産手段が「私有」なので、生産手段を多く持つ者と少ししか持たない者の間に「格差」が生じ、生産手段を特に豊富に持つ「資本家」が、生産手段を持たず、時間と労働力を切り売りする「労働者」を雇って働かせるようになります。

しかも、労働者が生み出した富から資本家は「ピンハネ」をするため、つねに労働者の給料は自分たちが生み出した富よりも少なくなります。

社会主義者たちは、この資本主義による**貧富の差がもたらす「階級」を**

図 9-4　資本主義と社会主義の「理念」

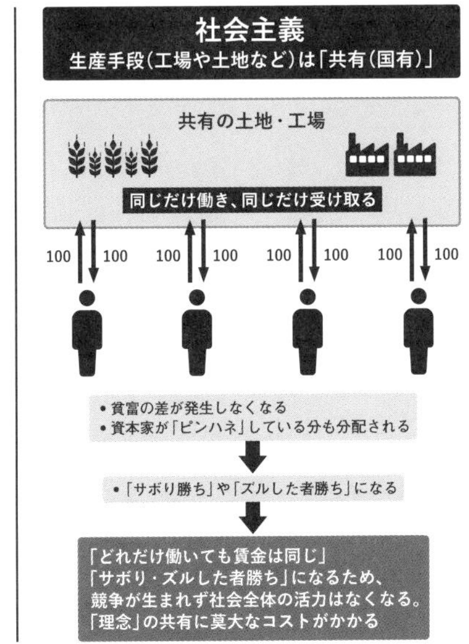

壊し、資本家が労働者からピンハネする「余剰生産物」の分を労働者に分配すれば、労働者はより多くの富を得ることができると考えたのです。

したがって、社会主義においてはこの「理念」の共有こそが重要になってきます。この資本家の「ピンハネ」分を分配すれば皆が豊かになるというメリットを全員が理解し、「同じだけ働き、同じだけもらう」という「理念」を全員が「信じ」て、すべての人が生産力の向上のために頑張って働けば、社会全体の富が少しずつ増えていき、蓄積された社会の富を誰でも必要に応じて十分に受け取れるようになるだろうという考えです。

しかし、**「平等」な社会の大きな欠点は、「同じだけの分配を受けるのならば、サボったほうがトクだ」と考える者や「自分だけはズルして儲けてやろう」と考える者が発生してしまうことです。**社会主義の理念に従わずにズルをして生産物をヤミで売って儲けたり、サボったりする者がいたりすると、「平等」の建前はすぐに崩れてしまいます。

そのため、**社会主義国はその「理念」を守るために、国の強い統制を要するのです。**街中のいたるところに「労働者の団結」や「理想社会の建設」などのスローガンを掲げ、国の計画にきちんと国民を従わせ、理念を共有しない者を政治犯として逮捕する、ということが行われるのです。

こうした「理念の共有」に多大なコストがかかることや、平等はある意味「サボり勝ち」になる仕組みのため、社会主義体制は次第に社会の活力が失われ、内部から徐々に崩壊していく道をたどります。

一方、資本主義における労働者は資本家に「ピンハネ」され、競争原理により「勝ち負け」も発生するものの、自分が資本家になることもでき、努力や能力によって手にするモノを多くすることも可能なので、社会の活力が生じ、一般的に国家財政や国民生活は豊かになっていく傾向があるのです。

20世紀は、こうした社会主義国と資本主義国の対立の時代となり、次第に資本主義国に経済的な軍配が上がるようになるのです。

ヨーロッパで展開された米ソの「綱引き」

ソ連に対抗したアメリカの「戦術」

ソ連が東ヨーロッパに「衛星国」をつくり、存在感を高めるにつれて、西ヨーロッパの各国でも社会主義勢力の影響力が強くなります。イギリスでは労働党内閣が成立し、フランスでは共産党が第一党を占め、イタリアでも共産党が連立内閣に加わっていきました。戦争で様々な産業がダメージを受けていたため、困窮した西ヨーロッパの労働者が平等な分配を求め、社会主義寄りの政党を支持したのです。

これに警戒を強めたのがアメリカです。同盟国にソ連の影響が広がれば、アメリカが孤立する恐れが出てきます。アメリカの**トルーマン**大統領は伸びてきた社会主義国勢力に対して、**トルーマン＝ドクトリン**といわれる「封じ込め」政策を発表し、ソ連との対決姿勢を明確にします。

この「封じ込め」政策をヨーロッパで展開したものが、ヨーロッパ経済復興援助計画、いわゆる「**マーシャル＝プラン**」です。ヨーロッパの復興のために多額の援助をアメリカが行うというこのプランは、産業や経済システムが破壊されたヨーロッパの国々に対しては非常にありがたい「助け舟」になります。また、ヨーロッパの国々は「金と交換できる」アメリカドルを国内に保有することで、「金と交換できるドルといつでも交換できる」自国の紙幣の信頼性を高めることもできます。

アメリカにとっては、この「戦術」でヨーロッパ世界をソ連から引き離してアメリカの味方につけようとしたのです。アメリカは第二次世界大戦のときの同盟国のみならず、イタリアやオーストリア、西ドイツ、トルコやギリシアなどにもマーシャル＝プランの支援の手を広げました。

チェコスロヴァキアで示したソ連の影響力

アメリカは東ヨーロッパの国々やソ連にもマーシャルプランの受け入れを呼びかけました。戦争によるダメージが特に激しかった東ヨーロッパの国々にとってアメリカからの援助は「喉から手が出るほど」ほしかったことでしょう。しかし、**アメリカと対抗するソ連は受け入れを拒否し、東ヨーロッパ諸国にも拒否をするようにしむけました。**

ここで、注目を集めたのがチェコスロヴァキアでした。チェコスロヴァキアは東ヨーロッパの国々の中にありながら、アメリカ、ソ連どちらの陣営にも属さない独自の姿勢をとっていました。このチェコスロヴァキアがマーシャル＝プランの呼びかけに対し、受け入れを決めたのです。

しかし、背後から受け入れ拒否を強く「助言」したのがソ連でした。チェコスロヴァキアはその「助言」に屈するように、その受け入れを取り消したのです。そして、ソ連の息がかかったチェコスロヴァキア共産党が大規模なデモを起こし、マーシャル＝プランの受け入れを推進していた大統領は辞任に追い込まれます。その結果、チェコスロヴァキアは共産党が支配することになり、ソ連型の社会主義が導入されました。

マーシャル＝プランの受け入れを一度は決めていた国が、一気に社会主義に転じたことで、アメリカや西ヨーロッパ諸国はソ連の影響力の大きさに衝撃を受けました。

ソ連がこのように影響力を行使できたのも、傍から見ると、ソ連が急速に経済発展していた、ということがあります。平等を実現しながらも経済成長を続けるソ連は東ヨーロッパの国家の１つの「理想」の形でした。

しかし、その経済発展は重化学工業とアメリカ側の諸国に対抗するための軍事産業に偏っており、国民の消費生活や食糧事情の向上にはつながっていませんでした。戦後約20年間にわたり、急速な発展を見せていたソ連経済でしたが、その後は停滞していくことになります。

ベルリンで起きた東西の「意地の張り合い」

戦後のヨーロッパ

ソ連の影響下に入った東ヨーロッパ諸国に対し、西ヨーロッパ諸国はアメリカの影響下にありながら、アメリカ発の世界恐慌に悩まされた経験から、**政府が極力経済に介入せずに自由競争に委ねる「小さな政府」ではなく、どちらかといえば政府が積極的に経済をコントロールしようという「大きな政府」的な政策をとることが多くありました。**

西ドイツの通貨改革とベルリン封鎖

アメリカとソ連による衝突の舞台となったのが、敗戦を迎えて占領状態にあったドイツです。戦後、ドイツの土地は4つに分けられ、アメリカ・イギリス・フランス・ソ連の4か国がそれぞれ占領しました。そして、首都のベルリンも4か国に分割占領されます。

アメリカ・イギリス・フランスが占領した地域は資本主義のアメリカ側、ソ連が占領した地域は社会主義のソ連側に組み込まれます。

特に、ベルリンの西側地域（西ベルリン）は、ソ連側の中に浮かぶアメリカ側の「浮き島」のようになっていました。

この、占領地域の西ドイツと西ベルリンに「**通貨改革**」をしかけたのがアメリカです。チェコスロヴァキアを社会主義化させたソ連の次の狙いがドイツの社会主義化だと見たアメリカは、ソ連の影響がドイツ全域に及ぶ前に、イギリスとフランスを誘って占領地域の西ドイツと西ベルリンに新しい通貨を発行しました。ナチス時代の通貨は信用を失い、物々交換状態に戻っていたため、この新しい通貨は経済に秩序をもたらすものとして歓迎されました。タバコや靴下が貨幣の代わりになっていた状況では、売るにも売れなかった高額な商品などが商店に並ぶようになり、工場の操業が再開した西ドイツは「経済の奇跡」といわれる経済回復を見せました。

一方、これに反発したのがソ連です。**相談もなく通貨改革を断行され、西ドイツがどんどんアメリカ側になびいていくことに反発したソ連は、アメリカに取り込まれそうになっている西ベルリン地区に対して、「ベルリン封鎖」を断行します。**

東ドイツの中の「浮島」になっている西ベルリンの周囲の鉄道、道路を遮断し、東ドイツから送電している電気の供給もストップさせ、文字通り「陸の孤島」にしたのです。

アメリカの物量を示したベルリン空輸

ソ連は200万人もの人口を抱える西ベルリンを「兵糧攻め」にすれば、アメリカ側の通貨改革を中止させる圧力をかけることができ、困窮した西べ

図 9-5　ベルリン封鎖とベルリン空輸

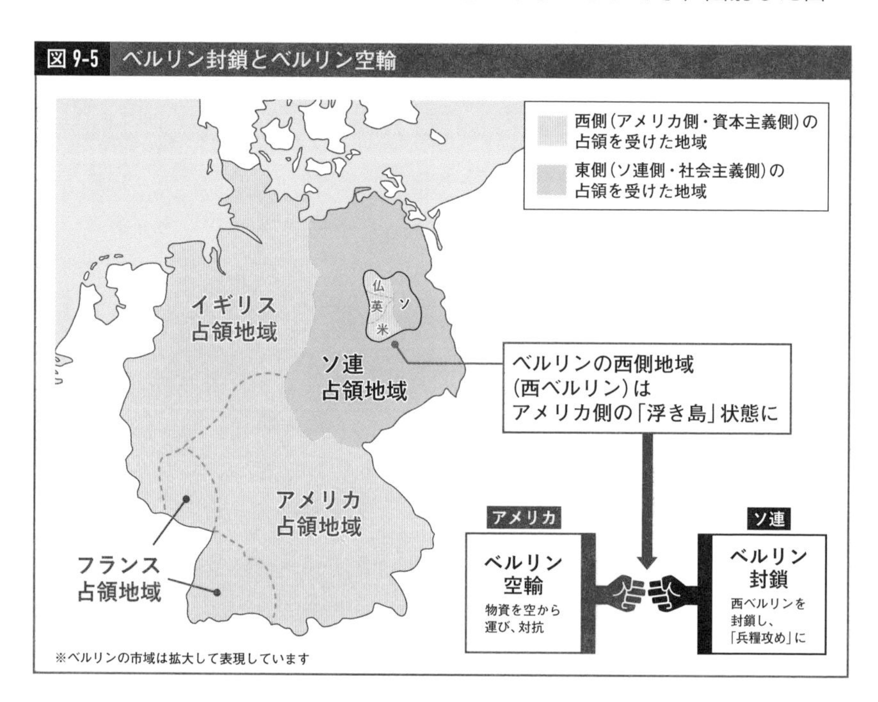

ルリン市民が社会主義革命を起こして、手を焼いたアメリカ側に西ベルリンを放棄させられると考えたのです。

しかし、ここでアメリカは世界をあっと驚かせる手に出ます。**空から200万人分の物資を西ベルリンに運んで、人々を飢えから救ったのです。**輸送機が次々と西ベルリンの空港に降りたって物資を供給し続けた結果、ベルリン市民は約１年間、飢えをしのぐことができました。この「**ベルリン空輸**」はアメリカの圧倒的な物量の優位を示す事件となりました。

ソ連の思惑は打ち砕かれ、西ベルリンの市民を命の危険にさらしたソ連は国際的な非難を浴びてしまいます。

その結果、ソ連は封鎖を解除せざるを得なくなり、「米ソの意地の張り合い」はアメリカの勝利に終わります。

深まる東西の対立

ベルリン封鎖後、ドイツの分裂はもはや決定的になり、西ドイツはアメリカ陣営、東ドイツはソ連陣営に加わり、完全に別々の国になりました。

アメリカ側についたヨーロッパの「西側」諸国はマーシャルプランを受け入れ、これを調整する機関としてヨーロッパ経済協力機構（OEEC）を設置し、これにアメリカ、カナダも参加しました。ヨーロッパの復興が進むと、この機構は参加各国の経済協力のための**経済協力開発機構（OECD）**へと発展し、「先進国クラブ」といわれる性格をもつようになりました。**日本も高度経済成長の中でOECDへの加盟が認められ、「先進国」の仲間入りを果たします。**

一方、チェコスロヴァキア、次いで東ドイツを勢力圏に組み込んだソ連側はベルリン封鎖の後、**経済相互援助会議（COMECON）**を設立しました。

ソ連共産党は東ドイツやチェコスロヴァキアには工業国としての、ブルガリアやルーマニアには農業国としての、ハンガリーやポーランドにはその中間的な役割を与え、国際分業関係の構築が目指されました。

内戦によってできた「2つの中国」

共産党が制した国共内戦

「アメリカ」と「ソ連」、「資本主義」と「社会主義」という理念の異なる２つの超大国の対立は、アジアの国にも大きな影響を与えました。

中国（中華民国）では、進出を強める日本と共同して戦うため、一時的に資本主義を志向する**中国国民党**と社会主義を志向する**中国共産党**が手を組んでいましたが、第二次世界大戦が終わると再び対立を始めました。

この対立は内戦に発展し、勝利したのは中国共産党でした。長い日中戦争の中で経済的にも大きなダメージを受けた中国で、困窮していた貧しい農民や労働者の支持が**毛沢東**（もうたくとう）率いる中国共産党に集まったのです。

資本家や市民層を主要な支持基盤とする蒋介石（しょうかいせき）率いる国民党は共産党勢力に対抗しますが敗北し、国民党勢力は台湾に逃れることになりました。

社会主義化が進む中国

毛沢東のもとで共産党は、北京を首都として**中華人民共和国**の建国の宣言をします。新政府はソ連や東ヨーロッパの陣営に属することを決め、社会主義化を進めます。折しも朝鮮戦争が勃発し、中国は同じく社会主義化を志向する北朝鮮側に立って戦争への介入を始めたため、一層共産党のリーダーシップが強化されました。農業や工業の国有化が進み、ソ連型の計画経済が導入されていきました。

台湾の国民党は中華民国時代からの「国民政府」を維持し、アメリカも台湾の「中華民国」を中国の正式な政府と認めます。**中国本土の中華人民共和国と台湾の中華民国のどちらも「正統な中国政府」と主張する構造が**

図 9-6　拡大する社会主義陣営

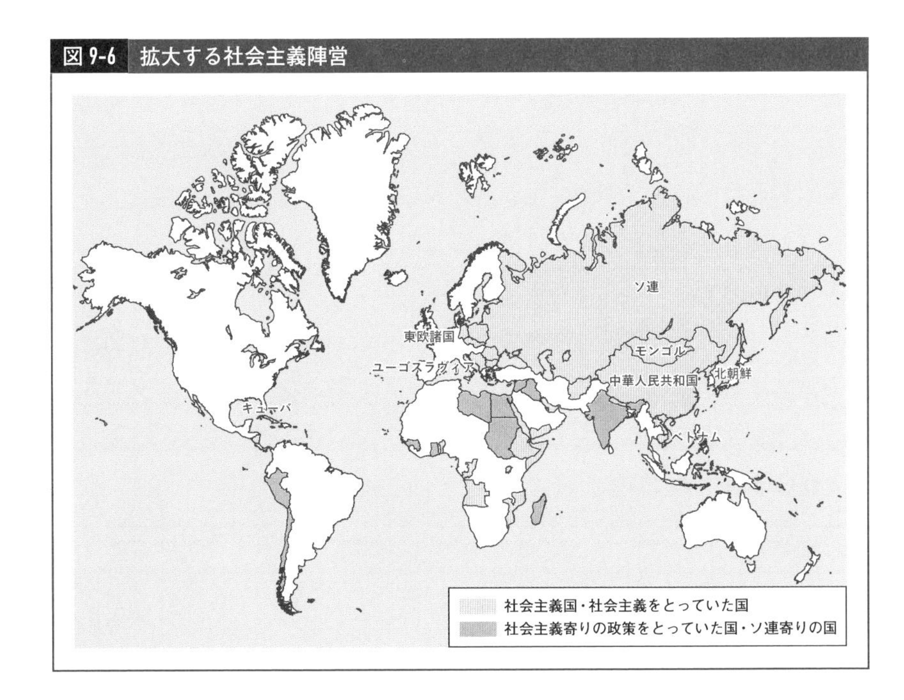

できたのです。

中華人民共和国の社会主義化とソ連への接近に対し、アメリカは台湾と韓国の資本主義化を進めることで対抗しました。台湾や韓国と軍事同盟関係を結ぶとともに、**アメリカが積極的に経済援助を行い、台湾や韓国の工業製品を輸入することで、台湾や韓国は短期間のうちに工業化への道筋をつけることができました。**

旧植民地の独立

列強に植民地化されていた南アジアや東南アジアの諸国は第二次大戦後、次々と独立を果たします。イギリス領だったインドやパキスタン、ミャンマーなどは比較的早く独立を認められますが、インドネシアではオランダが、ベトナムではフランスが独立運動に対して武力を用いて押さえ込もうとしていました。

特に、ベトナムでは**ホー＝チ＝ミン**がベトナム北部に**ベトナム民主共和**

国を建て、独立宣言をしたところ、フランスはベトナム南部にベトナム国を樹立させ、これに軍事支援をしてベトナムの独立を阻止しようとしました。このようにして始まったのが**インドシナ戦争**ですが、**独立する側のベトナム民主共和国はソ連や中国から武器の提供を受け、独立を阻止するフランスはアメリカの援助を受けていました。ここでも冷戦の影が確実に落ちていたのです。**

こうして、アジア諸国は冷戦のもとで再編成が進み、**アメリカを盟主とする資本主義陣営（西側）には日本、韓国、台湾、フィリピン、タイなどが、ソ連を盟主とする社会主義陣営（東側）には中国、北朝鮮、ベトナムなどが含まれるようになります。**

西側諸国は産業を盛んにし、外国から輸入していた製品を自国で生産し、できるだけ自国で経済を回してお金が出て行かないようにする「**輸入代替型工業**」を目指し、それを達成したのちは製品を海外に販売する「**輸出志向型工業**」にシフトチェンジし、外貨を獲得するという戦略をとります。

一方、東側諸国はソ連型の計画経済を導入し、世界経済から国内経済を切り離す自給自足的な政策をとり、特にアメリカを中心とする西側諸国の市場には閉鎖的な態度をとり続けます。

中東の石油をねらった巨大資本

中東の国々では、第二次世界大戦前に密接な関係にあったイギリスの影響が遠のき、その代わりに「**石油メジャー**」といわれるアメリカを中心とした巨大資本の影響力が強まっていきます。

また、パレスチナでは聖地イェルサレムをめぐるユダヤ人とアラブ人の対立の中、**アメリカはユダヤ人国家のイスラエルの支援に回ったため、アラブの諸国家がアメリカとの対決姿勢を強めます。**しかし、サウジアラビアはこれらのアラブ国家とは距離を置き、アメリカとの共同歩調をとりました。サウジアラビアの安全保障とアメリカの資源確保の相互のニーズが両国にあったための歩みよりと考えられています。

終戦を迎え冷戦構造に組み込まれた日本

戦後すぐに行われた財閥解体と農地改革

日本の戦後はポツダム宣言を受け入れ、敗戦国となったことから始まりました。日本はアメリカを主とする連合国の占領を受け、その司令部のGHQの指示や勧告に従うことになりました。GHQははじめ日本に徹底的な非軍事化と民主化を指示し、その中でも**財閥解体**と**農地改革**という2つの主要な経済政策をとりました。GHQは財閥や大地主の存在が日本を戦争の道に向かわせたと考え、財閥や大地主を解体し、小規模な経営者や自作農をつくろうとしたのです（様々な会社のオーナーである財閥が、その商品の売り場を求めて軍や政府に大陸への進出を要求し、地主はその財閥に株式という形で資金を供給していました）。財閥が抱えていた株式は分割されて安く売却され、地主の土地は国によって買い上げられ、小作人に売り渡されました。

急激なインフレとデフレを経験した日本

戦後の日本は極端なモノ不足に陥り、いくらお金があっても買うモノがないため、お金に対してモノが極端に少ないことからくるインフレーションが進行します。

その状態で戦後の復興に必要な資金の融資やアメリカからの資金援助により通貨の供給量が増えたため、**4年間で約100倍という急激なインフレーションが進行していきました。**

しかし、アメリカとソ連の対立が深まる中で、アメリカは占領政策を転換します。日本の復興を急がせ、ソ連や中国、北朝鮮に対しての「防壁」

として利用したいと考えるようになったのです。

そのためにアメリカが用意したのが「超均衡予算」と「1ドル＝360円の単一為替レート」でした。日本政府に支出を節約させ、インフレを抑制することと、日本製品の輸出に有利な、品目ごとに差をつけない円安の為替レートを設定することで、資金援助や融資に頼らずに、輸出でお金を稼げるようにして日本に経済的な「ひとり立ち」を促したのです。

財政は安定したものの、金融の引き締めによる急激なデフレーションが進行し、「カネ回り」が悪くなった企業の倒産が続出し、大量の公務員に対して賃下げや解雇が行われ、不況が進行していきました。

朝鮮戦争によってもたらされた好景気

ところが、この**金融引き締めと円安の為替レートが思わぬところで日本の急速な復興をもたらすことになります。それが、朝鮮戦争の勃発です。**

戦争に使う物資の需要が一時的に高まる**特需景気**が発生し、繊維品や金属、機械の輸出が一気に伸びたのです。先ほどの金融引き締めによって企業が「採算がとれない事業をカットして儲かる部門に集中する」体質になっていたことと、輸出に有利な円安の為替レートであることから輸出が促進され、一気に日本の経済危機は解消されました。

また、この朝鮮戦争の勃発によって、アメリカは日本を「占領地」から「同盟国」とするための講和を進めました。その結果、**サンフランシスコ平和条約**によって日本はアメリカをはじめとする西側諸国との講和が成立し、独立を回復しました。それとともに**日米安全保障条約**が結ばれ、日本はアメリカの防衛体制に組み込まれました。

その後も日本は円安を背景に、繊維製品から鉄鋼、鉄鋼から電化製品や自動車、電子製品と輸出を拡大し、世界史的にも類を見ないような「**高度経済成長**」を遂げました。経済的成長という前提のもとでの、年功序列や終身雇用などの日本的な雇用制度もこの時代に生まれています。

刻々と変わる冷戦のステージ

スターリンの死に揺れたソ連

ここまで見てきたように、戦後の世界はアメリカとソ連という超大国の影響を受けながら様々な国が復興を模索した時代でした。

アメリカ、ソ連が強い「握力」で自分の陣営を固め、時にはベルリン封鎖や朝鮮戦争、インドシナ戦争のような「つばぜりあい」が各地で発生する、という時代だったのです。

このような状況に変化が訪れたのは、ソ連と東ヨーロッパの国々を強力に指導し、アメリカに対抗していたスターリンの死去という事件です。

スターリンの死後、ソ連を主導した**フルシチョフ**はスターリンの個人崇拝ともいえる政治指導の手法や数十万人単位に及ぶ粛清の実態を明らかにする「**スターリン批判**」を行い、アメリカとの対話も行おうという「平和共存政策」を打ち出したのです。

ソ連とアメリカの「握力低下」

このスターリンの死の時期を境に、ソ連、アメリカ双方が自分の勢力圏を握る「握力」が低下したのです。

東ヨーロッパの国々は、「親分」のソ連自身がそれまでの方針を批判し、転換したため、これを**「ソ連の締め付けが緩くなった」ととらえ、ソ連の影響から離れようとする試みが見られました。**ポーランドでは反ソ連の暴動が起き、ハンガリーは中立を宣言し、チェコスロヴァキアは市場経済を導入するというような一連の動きがありました。しかし、ソ連はこの動きの多くを軍事的に制圧し、その「勢力圏」自体は放棄するつもりがないことを明らかに示しました。

また、東ドイツでは西ベルリンを経由して西ドイツへの脱出を図る市民が増加しました。特に社会主義に不満を持っていたのは医師やエンジニアなど、高度な知識や技術をもつ層や勤労意欲の高い若者です。彼らは「西側に行けば高給とりになれる」との期待をもって西ドイツへの亡命を行いました。**知識階層が流出することで、東ドイツの経済は停滞してしまいます。そこで、東ドイツ政府は「陸の孤島」状態の西ベルリンをぐるりと包囲するように、「ベルリンの壁」を築いたのです。**

フルシチョフはスターリン批判を行い、アメリカと対話姿勢を見せたものの、間もなく再びアメリカとの対決姿勢を強め、「再緊張」といわれる時期に突入します。水面下でソ連は核実験を次々と行い、宇宙開発では世界初の人工衛星を打ち上げ、その技術を転用したミサイル技術をアメリカに先がけて開発するなど、軍事拡大の競争を仕掛けていたのです。

本格的な全面核戦争の脅威が頂点に達した事件が「キューバ危機」でした。革命によってソ連寄りの政府が成立したキューバにソ連がミサイル基地を建設し、それに対しアメリカがキューバの海上封鎖を行い、米ソがにらみ合ったのです。危機は回避されたものの、「起これば最後、どちらも破滅」という核戦争の脅威が現実のものになったことで、もはやアメリカもソ連も絶対的な優位を持ち得ないことが明らかになり、軍事的優位を背景にしたアメリカの西側諸国に対する「握力」も低下していきます。

ヨーロッパが模索した独自の在り方

東西陣営の緊張緩和と再緊張による米ソの「握力低下」の中、アメリカの強い影響下にあった西ヨーロッパでも、ヨーロッパ独自のありかたが模索され始めていました。このスタート地点がフランスの外務大臣、シューマンが発表した「**シューマン=プラン**」です。シューマンは、その宣言の中でフランスと西ドイツが石炭と鉄鋼の生産を共同管理するべきだと訴えました。フランスとドイツは長い歴史の中で「宿敵」ともいえる存在でし

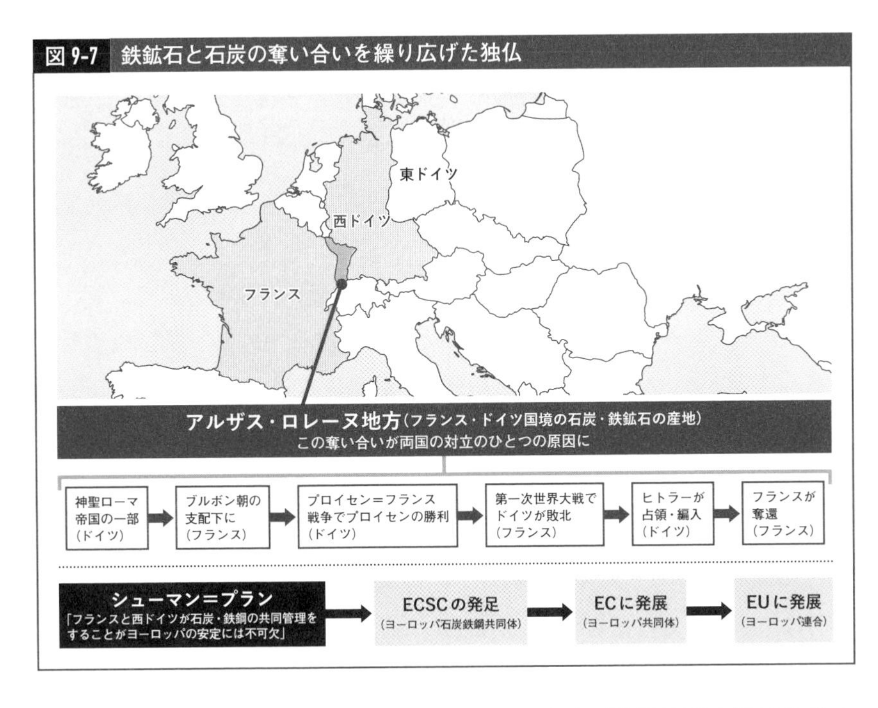

たが、その対立の大きな要因が、フランス・ドイツ国境付近の炭田や鉄山の資源をめぐる争いでした。**「フランスとドイツが石炭と鉄鋼の奪い合いをやめれば、ヨーロッパが安定するだろう」という考え方は、現在のEUの市場統合の出発点となったのです。**そのため、EUはこのシューマン=プラン発表の5月9日を「ヨーロッパの日」としています。

シューマン=プランの考えに基づき設立された石炭と鉄鋼の共同管理のための組織である**ECSC(ヨーロッパ石炭鉄鋼共同体)**、そしてその6年後に設立された加盟国間の関税の撤廃と自由貿易を図るための**EEC(ヨーロッパ経済共同体)**と、原子力産業の開発や資源管理を共同で行う**EURATOM(ヨーロッパ原子力共同体)**の3つの組織ができました。この3つの組織の加盟国はフランス、西ドイツ、イタリア、そしてベネルクス(オランダ・ベルギー・ルクセンブルク)の6か国でした。

フランスと西ドイツが主導権を握っていたことや、アメリカとの関係を重視したイギリスはEECへの参加を拒み、一歩離れたスタンスをとりました。イギリスはEFTA（ヨーロッパ自由貿易連合）の結成を呼びかけ、EECに対抗しようとしますが、呼びかけに応じた加盟国は経済規模の小さな国が多く、次第にEECの優位が明らかになっていきました。**ECSC、EEC、EURATOMの３つの機構は統合され、EC（ヨーロッパ共同体）となります。**ECは工業国の西ドイツを中核として、戦略的な工業製品の輸出入や農業政策、運輸政策を展開し、順調に経済規模を拡大しました。

一方、イギリスは労働党内閣を中心として高福祉政策を展開し、「ゆりかごから墓場まで」といわれる高い社会保障制度を実施しました。しかし、その代わり累進課税の最高税率が80％以上という典型的な「高福祉、高負担」国家となり、「働いてもどうせ税金にとられてしまう」「失業してもセーフティネットが充実している」ということから、人々の勤労意欲が低下し、「英国病」ともいえる長期の経済の停滞期に入りました。そこで、イギリスはこれまでの政策を転換し、ECに加盟することを選択します。盟主のイギリスが脱退したEFTAは力を失い、加盟国も減少していきました。

図 9-8　ヨーロッパ統合の動き

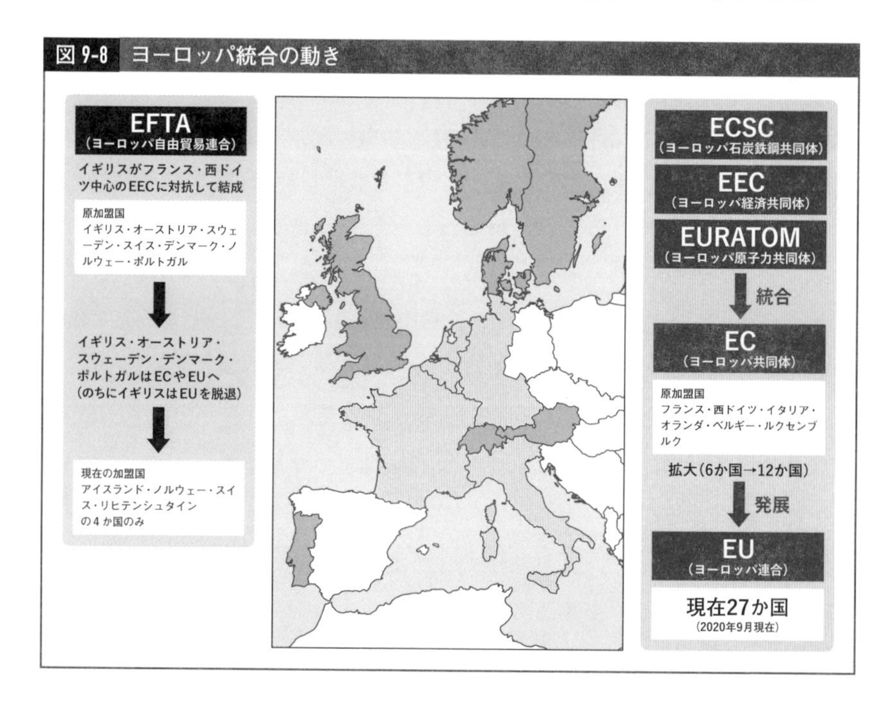

独自の路線を模索したアジア・アフリカ諸国

中ソ対立と文化大革命

中華人民共和国はソ連としばらく同盟関係にあり、ソ連のスターリンの政治手法や計画経済を模倣していました。しかし、ソ連が「スターリン批判」を展開し、それまで「敵」とみなしてきたアメリカとの対話路線に転換したことを知ると、ソ連のフルシチョフに対して社会主義国の「盟主」の資格を欠いていると厳しく批判したのです。

ここに、**中国とソ連という社会主義陣営の二大国が対立する「中ソ対立」という状況が生まれました。**互いの国境に数十万人の兵力を配置して軍事衝突が生じ、危険な状況になります。ソ連とアメリカが「再緊張」に入ると、中国はソ連との対立関係から、アメリカに接近します。

中国共産党の主席、**毛沢東**はソ連と共同歩調をとっていた経済モデルを転換して中国単独での急速な農業、工業の成長を目指す「**大躍進政策**」を展開しました。しかし、不可能とも思える高いノルマが掲げられたために粗悪な鉄鋼が大量生産され、やせた土壌への農作物の大量植え付けが行われたことから大失敗に終わり、結果として引き起こされた深刻な飢饉により3000万人以上が餓死してしまいました。

当然、批判の矛先は毛沢東に向かいますが、**毛沢東はこの批判をかわすどころか「逆ギレ」し、批判勢力を資本主義に走った「反革命勢力」として粛清、弾圧しました。**毛沢東の死去まで続いたこの「**文化大革命**」では、死者は数百万人、弾圧を受けた者は1億人以上に達したといわれ、社会、経済、文化の崩壊は大きいものがありました。毛沢東の死後は**鄧小平**が実権を握り、毛沢東路線を修正した経済の近代化が行われます。

「第三世界」の連携とベトナム戦争

アメリカ、ソ連両大国の握力が低下する情勢は、そのどちらにも属さない、いわゆる「第三世界」の連携を生み出すことになりました。インドネシアのバンドンにアジア・アフリカ諸国が参加して**アジア・アフリカ会議**が開催され、植民地化された多くの国の経験から、帝国主義的侵略の排除と紛争の平和的解決などがうたわれました。また、米ソの対立に対しても積極的に中立の立場をとる意義が確認されました。

この流れにユーゴスラヴィアなどの国も加わり、**非同盟諸国首脳会議**が開催され、参加国は米ソのどちらにもつかず、反植民地や反帝国主義をとることを確認します。しかし、旧植民地の独立のたびに、独立を果たしたその国がアメリカとソ連のどちらの影響下に入るのか、そこの資源が最終的にはどちらの陣営に流れるのか、という綱引きは続いていきました。

こうした「綱引き」の最大のものが**ベトナム戦争**でしょう。ソ連の支援を受け、フランスとのインドシナ戦争を優勢に終えた北部ベトナムの**ベトナム民主共和国**が社会主義陣営に完全に取り込まれてしまうことをおそれたアメリカは、南部ベトナムのベトナム共和国を支援し、ソ連の支援を受けた北部ベトナムとその勢力に対して徹底的な攻撃を加えました。**米ソの代理戦争となった、このベトナム戦争は泥沼の戦いとなり、アメリカは大きな軍事的、経済的な損失を受けて撤退することになりました。**

図 9-9　ベトナム戦争

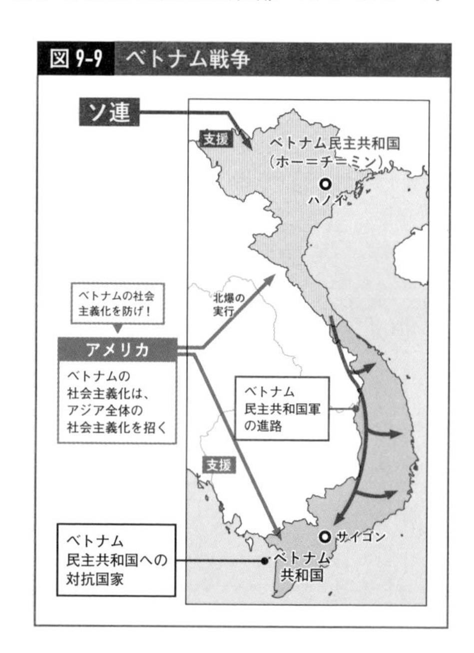

世界に激震が走った2つの「ニクソンショック」

方針転換に迫られたアメリカの消耗

泥沼化したベトナム戦争により消耗したアメリカは、大統領ニクソンのもと、２つの大きな政策転換を行います。この２つの転換はいずれも「**ニクソンショック**」と呼ばれます。

１つは、**ニクソン大統領が電撃的に中華人民共和国を訪問し、関係改善を行ったことです。**長期に及ぶベトナム戦争の終結の糸口をアメリカが探ったことや、中ソ対立の中で米ソの両方に敵対することを中国が避け、アメリカに接近したことなどが双方の理由と考えられています。この訪問と関係改善の結果、中華人民共和国が台湾の中華民国に代わって国連の代表権を得ました。**アメリカに追随し、日本も中華人民共和国との国交を樹立し、台湾との正式な国交を断つことになります。**

もう１つの「ニクソンショック」が「**アメリカドルと金との兌換停止**」です。ベトナム戦争の戦費や日本やヨーロッパの経済成長による貿易赤字からアメリカのもつ金が流出し、金の保有量がアメリカドルの信用を保てないまでに減少するという「ドル危機」が発生したのです（第二次世界大戦直後に世界の金の約７割を保有していたアメリカの金の保有量は、「ドル危機」のときに世界の２割強まで低下してしまいました）。**そこで、ニクソン大統領はアメリカドルと金との関係を断ち切り、金の流出を防止しようとしたのです。**金との交換ができないアメリカのドル紙幣はすべて「不換紙幣」となり、その価値は低下する一方、アメリカは保有する金の量にかかわらず紙幣を供給する「緊急輸血」もできるようになります。一方、ドルに固定されていたフランスのフランやイギリスのポンド、日本の円は、アメリカドルの価値が一方的に低下したことから、それまでの固定相場が崩れ、通貨どうしの供給量や需要などの相対的な関係によって刻々と為替相場が変化するという「変動相場制」に移行します（金の価値に頼らず、各国が互いに通貨の量を調節することで貨幣価値や物価、国際収支を調整する仕組みを「**管理通貨制度**」といいます）。

オイルショックと貿易摩擦

また、中東ではイスラエルを支援するアメリカに対抗して、イスラエルと敵対するアラブ諸国が石油価格を大幅に引き上げ、アメリカやその同盟国への原油輸出の制限や停止に踏み切る「**石油戦略**」をとります。**石油危機**（オイルショック）の発生によって、石油化学や自動車を柱にしていた先進工業国は軒並み打撃を受けました。各国はオイルショックに加え、ニクソンショックによるドル安でアメリカへの輸出不振となり、「低成長」状態になりました。狭くなった市場をめぐり、貿易摩擦も生じます。

図 9-10　固定相場制と変動相場制

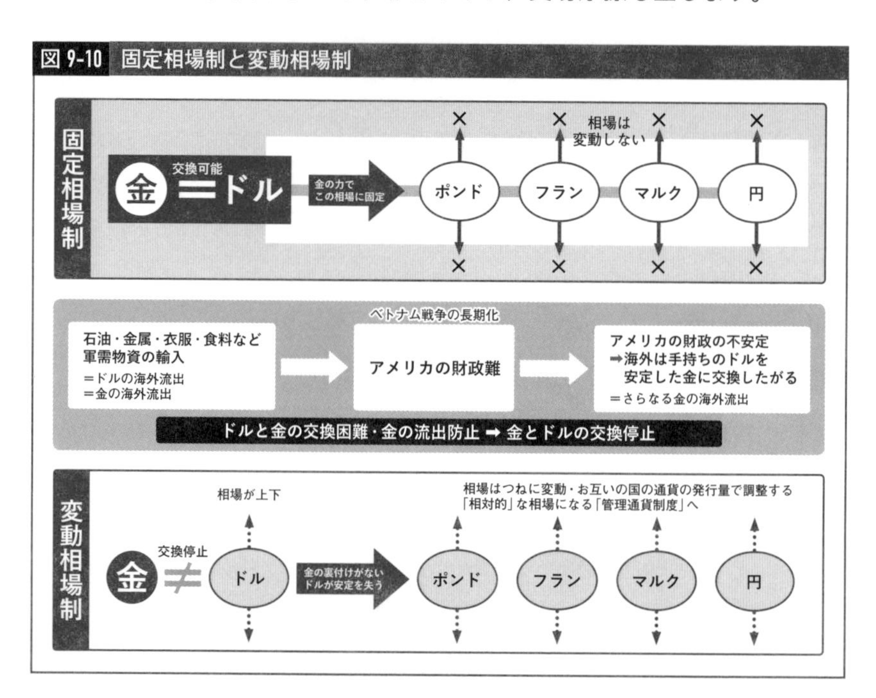

躍進するアジア経済と「プラザ合意」

成長の原動力となったリーダーシップ

日本がアジアの中で目ざましい経済発展を遂げる中、アジア諸国も日本に追随して経済発展に向かいました。冷戦構造の中なので、それぞれが社会主義寄り、資本主義寄りなど様々なスタンスをとっています。

中でも特徴的なのが、「開発独裁」です。**軍事政権や独裁政権が強力なリーダーシップを発揮し、国民の表現の自由や政治的な自由などの基本的人権を犠牲にしても経済成長を優先する**という政治・経済体制のことで、韓国の李承晩や朴正熙、フィリピンのマルコス、インドネシアのスハルト、シンガポールのリー＝クアンユーなどが代表例です。汚職や癒着など、独裁につきものの弊害が発生した国もありましたが、これらの国々は強力なリーダーシップのもとで経済的な急成長を遂げました。このうち、インドネシア、マレーシア、シンガポール、フィリピンにタイが加わり、**東南アジア諸国連合（ASEAN）**が結成され、政治・経済面での相互協力が図られるようになりました。現在ではベトナムやミャンマーなども加わり、10か国となっています。さらに時代が進むと、**韓国、台湾、香港、シンガポールが電子産業や金融業などで際立った発展を遂げ、「新興工業経済地域」（アジアNIEs）と呼ばれるようになります。**

プラザ合意を「飲まされた」日本

ニクソンショックとオイルショックに見舞われ、低成長時代に入った日本でしたが、日本の輸出増大は続きました。鉄鋼や造船、石油化学のような昔ながらの重化学工業は停滞しますが、自動車や半導体などの新しい産業が代わりに伸長したのです。**日本車をはじめとした、小型で高品質な日本製品はオイルショック以後の世界で歓迎されたのです。**

しかし、この輸出の拡大はアメリカとの「貿易摩擦」を生みます。「ニクソンショック」で変動相場になって以後、為替相場は１ドル＝360円という円安水準から１ドル＝240円程度までの円高ドル安に推移していました。

ドル安と円高は、本来、日本製品を「割高」にするので輸出が鈍るはずですが、それにもかかわらず自動車をはじめとする小型高性能の日本製品が売れたことにより、日本の貿易黒字は伸び続けたのです。一方でアメリカは軍事費の拡大によって財政赤字になっており、日本との貿易赤字も合わせた「**双子の赤字**」を抱えていました。

この状況を立て直すため、アメリカは規制の緩和や減税により自由な競争を促し、経済の立て直しを図る「新自由主義」という政策をとるとともに、円高に動いた日本円がまだまだ「不当」に安いと訴え、イギリス、西ドイツ、フランスに日本を加えた会議を行います。そして、**さらに大幅な円高に為替相場を誘導するという「プラザ合意」がなされました。**

米英独仏という経済大国４か国の協調介入によって、日本はこの合意を飲まされた結果、日本円は合意後の２年間で1ドル＝120円という２倍の値上がりになり、輸出が不振になる「円高不況」が訪れます。

バブル経済の始まり

そこで、日本は「低金利政策」をとりました。銀行からの貸し出し金利を下げ、企業がお金を借りやすくして企業に資金を供給しようとしたのです。企業はこの資金で工場の海外移転などを行い、不況を脱することができました。ところが、金利の引き下げにより、**企業のみならず、誰でも低金利でお金を借りられるようになったため、低金利でお金を借りて、土地や株式や債券などの資産を買い、値が上がったら売って借金を返すという、行き過ぎた「投機」が日本中で行われるようになりました。**土地や株価が実際の資産価値以上に高騰する「**バブル経済**」が始まったのです。

行き詰まりを迎えた社会主義の「理念」

社会主義のたそがれ

ニクソンショックやオイルショックなどで資本主義諸国が「低成長」に突入していたころ、社会主義国はさらに深刻な経済の停滞に見舞われていました。**社会主義では競争が生まれないために品質や機能の向上が進みません。また、体制を維持するための軍事産業に生産力を割いたため、モノ不足に陥り、生活水準で資本主義側に大きな遅れをとっていました。**

階級や格差を否定し、平等な分配が行われるはずの社会主義でしたが、政治的な地位によって権限や役得が濫用されて分配に大きく格差が生じ、事実上は階級社会になっていました。加えて、モノ不足は、ヤミ市やヤミ取引を活発化させ、社会主義の経済システムに代わる「裏の経済」として機能していきました。特に、資本主義諸国の製品は密輸され、高値で取引されました。**社会主義は、実質的には内部から崩壊していたのです。**

これに対し、東側各国の政府は思想統制や市場の管理を強化したため、人々の不満はさらに高まり、自由化や情報の開示を求めました。そして、一部の国の政府はこの要求に少しずつ応じるようになるのです。

ベルリンの壁の開放

そうした中、ハンガリー政府が東側諸国の人々のオーストリアへの越境を黙認します。中立国のオーストリアからは西ドイツへの入国が可能なので、ハンガリーに旅行と称して入国し、それから西ドイツに亡命するというルートが東ドイツ国民に開けたのです。**大量の東ドイツ国民が西ドイツに押しかけ、「ベルリンの壁」が有名無実化したことから、ついにベルリン**

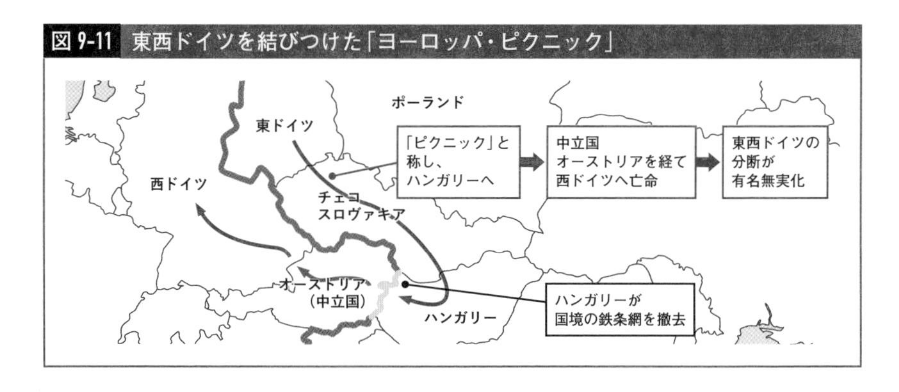

図 9-11 東西ドイツを結びつけた「ヨーロッパ・ピクニック」

の壁と東西ドイツを分ける壁は開放されたのです。西ドイツもこの開放を歓迎し、ドイツの統合が急速に進むことになります。ポーランド、ハンガリー、チェコスロヴァキアなどでも民主化が進みました。

ソ連でも、共産党の書記長に就任した**ゴルバチョフ**が改革に向けて動き始めますが、その矢先にチェルノブイリ原子力発電所での事故が起こりました。ソ連政府に情報が集まらないほど体制が古くなってしまっている状況に、ゴルバチョフは抜本的な改革の必要性を認識し、**ペレストロイカ**（立て直し）や**グラスノスチ**（情報公開）などの政策を展開しました。

市場経済に舵を切った中国・ベトナム

文化大革命による混乱と経済停滞に見舞われた中国では、毛沢東の死後、実権を握った**鄧小平**により文化大革命の終結が宣言され、農業、工業、国防、科学技術の「**四つの近代化**」が提唱されました。鄧小平は「改革開放政策」を打ち出し、国有企業の民営化や個人企業や個人農家を容認するようになり、市場経済へと大きく転換しました。沿岸部では**深圳**（しんせん）をはじめとする**経済特区**が指定され、外国資本を積極的に受け入れるようになります。中国の民衆は経済的な自由化の他にも政治的な自由化も期待しましましたが、**天安門事件**によって学生の民主化運動は武力によって鎮圧されてしまい、共産党の一党支配は続けられました。ベトナムでも、**ドイモイ**（刷新）をスローガンに、市場経済への移行が行われました。

第10章

一体化する世界

グローバリゼーションと経済危機

（1990年代～現代）

第10章 グローバリゼーションと経済危機 あらすじ

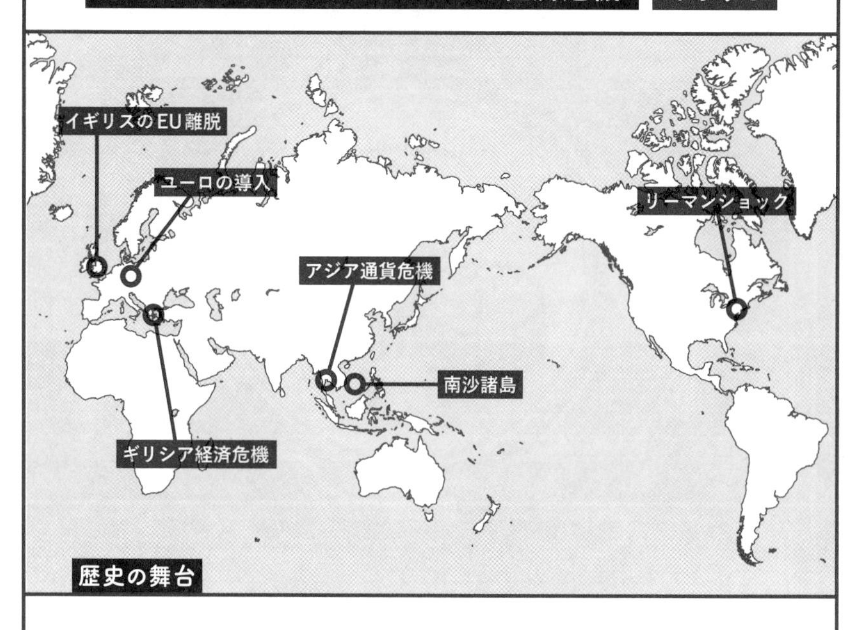

グローバル化の中の経済成長と経済危機

交通、通信などの発展に伴うグローバル化が、一層進展しました。ITなど新しい産業が次々と興り、発展途上国が経済成長を遂げるなど、世界経済は、拡大の一途をたどっています。しかし、グローバル化の一方で、アジア通貨危機やリーマン・ショック、ギリシア経済危機など、1つの地域の経済危機が他の地域に連鎖し、世界的な経済危機が頻繁に起こるようになりました。環境問題や貧困など、世界が積み残した課題も多く、現在、「持続可能な開発」が叫ばれています。

第10章 【グローバリゼーションと経済危機】の見取り図

17
18

第6章 オランダ・イギリスの繁栄と大西洋革命

19
20

第7章 産業の発展と帝国主義

第8章 2つの大戦と世界恐慌

1945

第9章 冷戦下の経済

1990

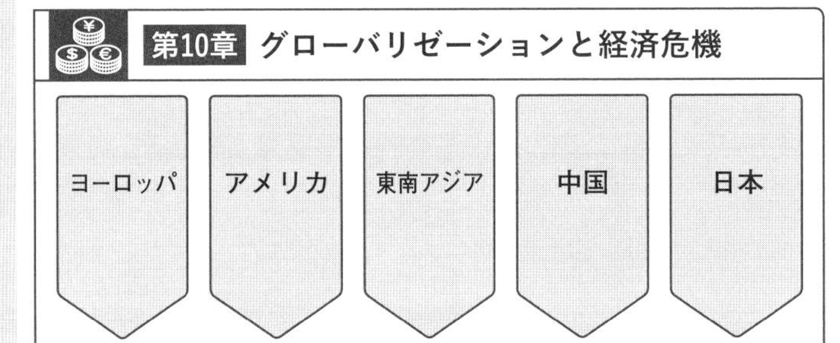

アメリカ

リーマン・ショックなどにより、世界経済における存在感が低下しつつも、多くのグローバル企業を生み出すIT大国であり続けています。

ヨーロッパ

「ヒト・モノ・カネ」の国家の利害を超えた枠組みを模索したヨーロッパは、EUを結成し、ユーロを導入して通貨統合に踏み切りました。

中国

共産党の一党独裁体制を維持しながらも市場経済を導入して経済成長を遂げましたが、経済の覇権をめぐってアメリカとの摩擦が高まっています。

日本

プラザ合意後の日本は産業の空洞化やバブル経済の崩壊に苦しみ、「失われた20年」といわれる景気低迷の時代に突入しました。

社会主義国の「盟主」ソ連が崩壊した

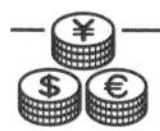

冷戦の終結とソ連の改革

「子分」の東ヨーロッパの国々が次々と民主化を果たし、市場経済を導入して資本主義に舵を切ったことで、ソ連は社会主義陣営の盟主としての国際的威信を失っていました。**ゴルバチョフはマルタ島でのアメリカ大統領ブッシュとの会談に応じ、冷戦の終結を宣言しました。**

ここから、ソ連は急速に崩壊に向かいます。ゴルバチョフが推進するグラスノスチ（情報公開）によって、新聞をはじめとする言論の自由が認められ、政府の政策についての批判や討論も可能になりました。その結果、ラトヴィア、リトアニア、エストニアの「**バルト三国**」が独立を宣言したのです。「ソ連」を構成する他の共和国も分離独立の方向に動き、「ソ連」の領域の大部分を構成する最大の共和国である、**エリツィン**大統領率いるロシア共和国も、ソ連共産党の指示に従わないようになりました。

ゴルバチョフは情報公開によって「ペレストロイカ」（改革）への協力を国民の議論の中でとりつけていこうとしたのですが、それが裏目に出て、連邦自体の分裂を加速したことになったのです。

改革の結果、「副業」としての手工業生産や商品の取引、個人のサービス業が合法化されました。ゴルバチョフはあくまでも社会主義国のソ連という枠組みの中で、許される範囲での私企業の経営を認めようとしたのですが、それがかえって、ガチガチの社会主義の保守派からは「体制の破壊者」として見られ、完全な資本主義への移行を目指す改革派からは「不十分な改革」と批判されるという、「板挟み」の状態になったのです。結果的に、経済的な統一感が失われるという悪い面だけが目立つようになり、物資の流れが寸断され、深刻な物不足に陥ったのです。

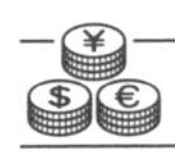

ソ連消滅の日

そして、いよいよソ連が消滅する日がやってきます。ゴルバチョフの改革に反対する共産党の保守派が、クリミアで休暇中のゴルバチョフを軟禁し、クーデタを企てたのです。

しかし、昔ながらのソ連共産党の強力な一党独裁状態と社会主義経済に引き戻そうとするこのクーデタは、モスクワの市民たちの共感を得られるものではありませんでした。

エリツィンは先頭に立ってこのクーデタへの抵抗を訴え、市民はクーデタ指導者を非難し、クーデタ内からも離反者が続出しました。クーデタは３日で失敗し、エリツィンは勝利宣言を行います。

ソ連共産党とゴルバチョフの権威は失墜し、実権を握ったエリツィンを中心にロシア連邦、ウクライナ、ベラルーシの３つの共和国が**独立国家共同体（CIS）**の創設に合意しました。独立国家どうしの緩やかな連合体への移行を宣言したことにより、ソ連の消滅が決まったのです。

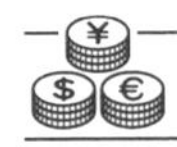

ソ連崩壊後のロシア

エリツィンはロシアの資本主義化を図りますが、一部の資本家がソ連時代の国有企業を手に入れ、個人的な利益の独占に走ったためにうまくはいきませんでした。折からのアジア通貨危機によって世界中の景気が後退し、石油や天然ガス、金属などの天然資源の輸出に頼っていた貿易が不振になると、ロシアの財政は極度に悪化し、国債の返済が不可能になるデフォルト（債務不履行）状態に陥りました。

エリツィンの後任の大統領となった**プーチン**は、秘密警察や軍隊による支配を強化し、政治権力を力で維持しつつも、特定の地域に重点を置いて市場による経済発展を促すという、中国の「経済特区」にも似た経済政策をとり現在に至ります。

ECからEUへ、一体化が進むヨーロッパ

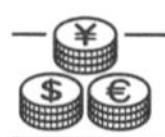

国の利害を超えた枠組みへの挑戦

前章でのニクソンショックとオイルショック、そしてその後の貿易摩擦はヨーロッパ経済に深刻な不景気をもたらしていました。国単位で見れば、ヨーロッパの国々はアメリカよりも経済規模が小さく、市場では安価で小型高性能の「売れ筋」の日本製品との競合になっていたからです。

また、ヨーロッパ各国は不景気からいち早く脱するために自分の国優先の経済政策をとったため、足並みをそろえて豊かになろうという動きが停滞していました。ECは「１つの市場」をうたっていましたが、工業製品の規格や税の制度など、まだまだ国家間には「壁」が残っていて、それがECの理想である人・商品・資本・サービスの自由移動を妨げていることも経済停滞の理由となっていたのです。

そこで、ECを主導するヨーロッパ委員会は、さらにヨーロッパの一体化を進めることを構想しました。**ヨーロッパ自体が１つの「大国」のようにふるまい、外国と強気に交渉したり、有利な協定を結んだりする利点を訴えたのです。**そのためには、工業国や農業国など、違った性格の国々が、１つひとつの国の利害をさらに超える協力をすることが必要で、各国の外交姿勢も足並みをそろえなければなりません。

そこでヨーロッパの各国は、さらに統合を進める**マーストリヒト条約**に調印し、ECを**EU（ヨーロッパ連合）**に発展させたのです。この条約締結の目標の大きな柱が「通貨統合」でした。ヨーロッパ諸国は、単一通貨「ユーロ」に向けて、大きく一歩を踏み出したのです。

並行する「グローバル化」と「地域統合」

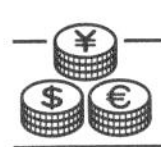

地域ごとの統合の動き

冷戦後の世界は、コンピュータやインターネットの普及により、金融や物流などの情報が瞬時に国境を飛び交い、一体化が急速に進みました。その一方でEUなどの大陸単位の広域な地域統合も進み、**「全体的には一体化するが、地域ごとのまとまりも深まる」という動きが並行して起きるようになります。**

戦後のアメリカは、GATTやWTOの発足に代表されるように自由貿易を推進し、経済面でのグローバル化を進めてきました。しかし、ヨーロッパ

図10-1 地域統合の進展

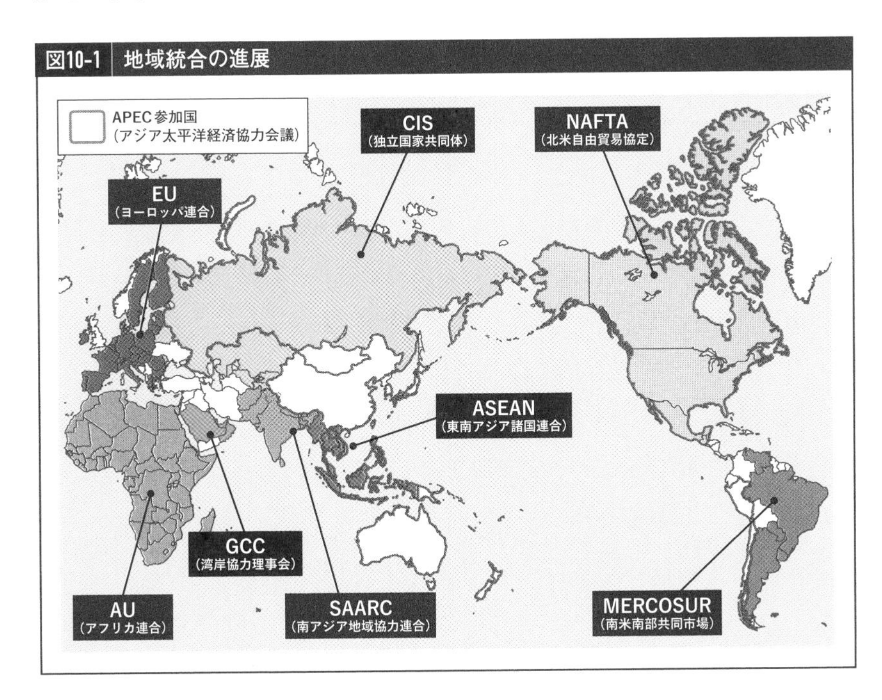

世界がEUの結成を進め、協調してアメリカの農作物などの輸入受け入れに消極的な姿勢を見せるようになると、アメリカも貿易自由化の姿勢はとりつつも、カナダ・メキシコと**北米自由貿易協定（NAFTA）**を結成し、経済的な共同歩調をとります。こうした、地域の大きな統合の動きは世界全体で見られるようになり、**ASEAN自由貿易地域（AFTA）**、**南米南部共同市場（MERCOSUR）**などが結成されました。その地域の中で国どうしの交渉や地域ごとの交渉が行われ、自由貿易が目指されるのです。これらの動きは世界恐慌のときの「ブロック経済」のような閉鎖的な性格とは違い、**サミット**や**APEC（アジア太平洋経済協力会議）**、**G20**のような国際協調の動きとも並行して行われていることに特徴があります。

また、各国にはそれぞれ保護したい産業があるため、加盟国が多いWTOの交渉はなかなかまとまりません。そこで、少数の国で**FTA**（自由貿易協定）や**EPA**（経済連携協定）を結ぶことがよく行われるようになりました。

IT革命とアメリカの変化

アメリカ国内に目を移すと、冷戦による巨額の軍事費はアメリカの財政赤字を招き、冷戦終結後もアメリカの財政赤字と貿易赤字という「双子の赤字」がしばらく続きました。レーガン大統領、ブッシュ（父）大統領の時代にアメリカ経済が停滞する中、クリントン大統領が経済政策の重視を掲げ、重化学工業中心のアメリカ経済の軸足をIT・ハイテク工業に移しました。Windows95の発売など、急速な**IT革命**の波がアメリカに好景気をもたらし、クリントン政権は巨額の財政赤字を解消しました。

この好景気はアメリカの社会構造にも大きな変化をもたらします。好景気に引き寄せられるようにメキシコやカリブ海諸国からスペイン語系の「**ヒスパニック**」と呼ばれる移民が流入したのです。クリントン政権は移民に寛容な政策をとったため、その割合は急速に上昇しました。

その一方で、アメリカ人労働者が人件費の安いヒスパニックに仕事を奪われて失業し、「**産業の空洞化**」も起きるようになります。

日本をとりまく産業構造の変化と停滞

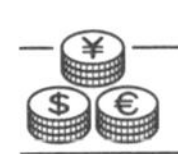

進む「産業の空洞化」

この時代の日本経済は、「プラザ合意」が日本にもたらした大幅な円高により２つの影響が拡大していました。

１つは「産業の空洞化」です。「プラザ合意」により円高になったので、日本の製品が海外で売れなくなります（１ドル＝240円のころに240万円の日本車が、アメリカで１万ドルで売られていたのが、プラザ合意後の１ドル＝120円の相場では、２万ドルになってしまいます）。

そこで、日本の製造業は工場を海外に移転して、人件費の安い地域で製品をつくり、そこから世界の各地に製品を売ることで生き残りを図ろうとしました。安い人件費を求めて、中国、そして東南アジアへ工場を移転していきます。**企業はこれで収益を確保できますが、日本国内の工場で働くはずの人々は仕事を失うことになります。こうして、国内産業が海外へ流出して衰退してしまう「産業の空洞化」が起きるのです。**日本のみならず、人件費の高い先進工業国は多かれ少なかれ、この産業の空洞化が発生することになります。

バブル経済から「失われた20年」へ

もう１つは、バブル経済です。プラザ合意によって輸出製造業が打撃を受けたことで、日本銀行は政策的に金利を引き下げ、企業にお金を借りやすくして運転資金を回そうとしたのです。

それと同時に、金利の引き下げは企業のみならず、誰でも低金利でお金を借りられることになったため、低金利でお金を借りて、土地や株式や債券などの資産を買い、値が上がったら売って借金を返すという「投機」が日本中で行われ、土地や株価が実際の資産価値以上に高騰しました。

最後に土地や資産を高値でつかみ、次の買い手が見つからなかった企業が損をかぶって借金を返せずに倒産し、貸金が返ってこない金融機関も倒産するという連鎖倒産が多発しました。「泡がはじけるように」見た目の好景気が消えてしまったので、これを「バブル経済」といいます。

その後、「失われた20年」ともいわれた景気低迷の時代に突入します。リーマン・ショックや東日本大震災も、景気の回復を滞らせました。

プラザ合意後に日本銀行が設定した金利は2.5%で、これでもバブル経済の原因となるほどの「超低金利」といわれたのですが、「失われた20年」を経た現在は、「マイナス金利」といわれる低金利時代になっています。それほどまでして企業にお金を借りやすくすることで、景気を刺激しようとしているのですが、少子高齢化や古い日本の企業文化など、日本の課題は山積しており、日本経済は伸び悩んでいます。

図10-2　日本のバブル経済

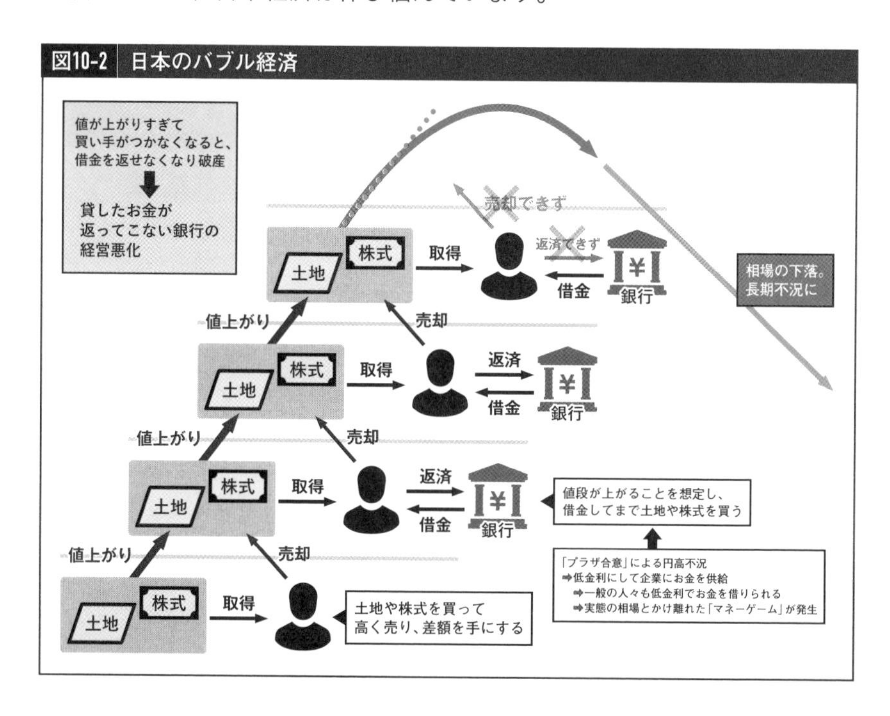

アジアの通貨がマネーゲームの餌食となった

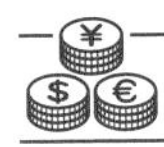

「成長神話」が止まったアジアの国々

アメリカや日本の産業の空洞化が進行していくことと反比例するかのように、東南アジア、東アジア諸国は目覚ましい発展を遂げます。アメリカに本社を置く多国籍企業の生産拠点が東アジアや東南アジアに置かれ、つくられた製品はアメリカへ輸出されるという、「アメリカの下請け」的な役割を果たすことにより、経済が拡大したからです。

ところが、その最中、順調な各国経済が危機に陥る「事件」が起きました。タイの通貨であるバーツの暴落をきっかけに、アジア各国で急激な通貨の下落が起きて経済危機が発生したのです。

この**アジア通貨危機**は、またたく間にインドネシア、フィリピン、マレーシア、韓国、シンガポール、台湾などに広がりました。各国の「成長神話」が止まり、深刻な不況がアジア、そして世界へ広がったのです。その１つの要因として、アジアの通貨が、アメリカの投資家たちの「マネーゲーム」の餌食になったことがあるのではないかと考えられています。

ドルと連動したアジアの通貨

アメリカドルと各国通貨は、金とドルの交換停止を決めたニクソンショック後、相場が絶えず変わる変動相場制をとっていましたが、アジアの新興工業国は自国の通貨とドルの相場を固定する「ドルペッグ」制をとっていました。アメリカドルは絶えず変動していますから、その上下に合わせて自国の貨幣を売り払ったり、買い支えたり、金利を操作してその動きとシンクロさせるのです。こうすることによって、アジアの企業は為替計算

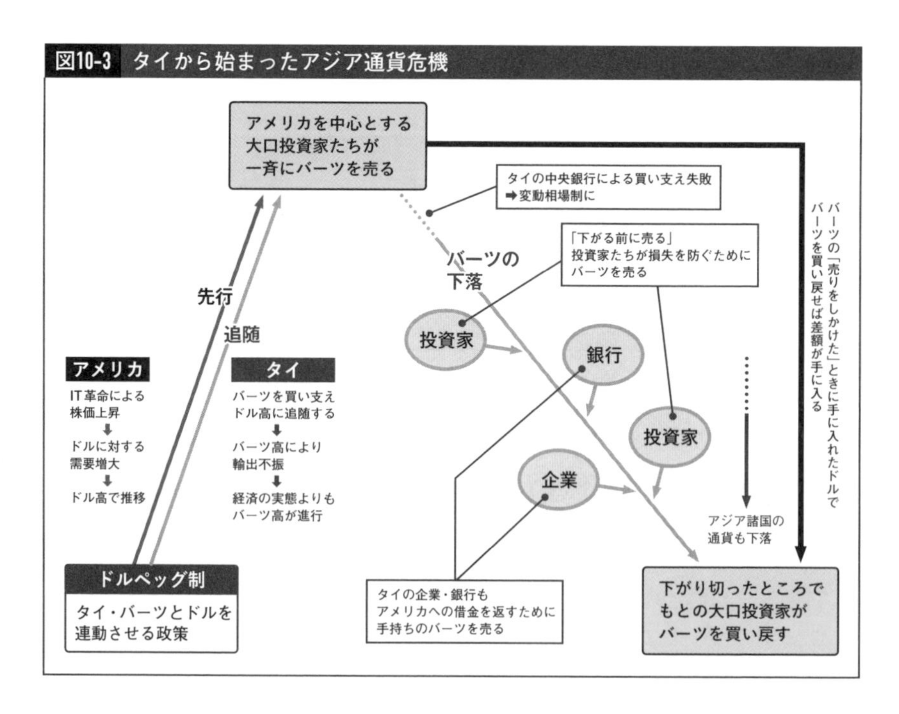

の手間が省け、アメリカに工業製品が売りやすくなり、アメリカよりも金利を高く設定しておけば、「同じ相場だったらドルじゃなくてこっちの通貨のほうが金利が高くてトクだ」と、アメリカからの投資を呼び込みやすくなる、という利点があるわけです。

狙われたタイのバーツ

アジア通貨危機の際も、タイのバーツがドルペッグ制をとっていました。一方、アメリカではIT革命により経済が好転していたため、株価や金利が上昇傾向にあったことからドルの需要が高まり、じりじりとドル高に動いていました。

このドル高に合わせて、タイの中央銀行などは手持ちのドルを売ってバーツを買い支えるなどの努力を見せ、ドルに合わせてバーツの相場を高くしていきます。アメリカとの相場は固定なので、バーツの相場が高くなってもアメリカとの貿易に影響はしませんが、他の国々に対してはタイの製品は割高となり、貿易不振に陥ります。この、「タイは実際にはあまり儲かっていないのに、バーツ高が進行している」という状況を見て、アメリカの大口の投資家たちは、一斉にバーツの「空売り」をしかけたのです。

当然、バーツの相場は下落しますが、「ドルペッグ制」の建前があるので、タイの中央銀行はドルから離れないように買い支えなければなりません。

しかし、その努力もむなしく、タイが準備していたドルは枯渇し、買い支えられなくなったバーツは下落し、「ドルペッグ制」から「変動相場制」に移行します。バーツがみるみる下がり始めると、バーツを保有している他の投資家たちもバーツが下がり切ってしまう前に売ろうと、どんどん売りが進んでいきます。

周辺国に飛び火した通貨危機

タイの企業や銀行はアメリカの銀行などから多額のドルの貸付を受け、タイの国民相手に商売を行ってバーツを稼ぎ、そのバーツを売ってドルで借金を返しているわけですから、バーツが下がり切ってしまうとドルで借りた借金を返せなくなります。

そこで、タイの企業や銀行もバーツが下がり切る前に手持ちのバーツをドルに換えておこうと、先を争うようにバーツを売ってドルを手に入れようとするのです。一部の銀行や企業はバーツを売るタイミングが遅れ、ドルが手に入らずに借金の返済ができず、経営危機に陥ります。企業は手持ちの株式も売却し始め、経営が悪化した銀行では預金者が自分の預金を守るために預金を引き揚げたり、銀行に殺到してお金をおろそうとしたりする「取り付け」まで起きてしまいます。

一方、アメリカの大口投資家たちは、タイのバーツが下落し切ったところを見計らい、バーツを買い戻します。この動きは、大きく見ると、「タイ国内のドルがアメリカの投資家たちに吸い取られた」という状況を生んだのです。タイの銀行は経営悪化によって十分にお金を貸し出すことができないようになり、市場に回るお金の供給量は減り、タイの企業の資金繰りが悪化するという大不況になりました。

タイの通貨危機は、ドルペッグ制をとっていたこと、また、外国（特にアメリカ）からの投資に依存していたことが大きく影響しました。同じように、ドルペッグ制をとり、外国からの投資に依存している度合いが大きかった韓国、インドネシアの通貨も同様に下落して混乱が発生しました。周辺国にも次々に飛び火し、日本の株価も大きく下落し、「アジア通貨危機」という事態にまで広がったのです。結果的にアジア諸国のドルペッグ制は香港を除いてすべて放棄され、タイ、韓国、インドネシアはIMFの資金援助を受け、IMFの管理のもとで構造改革が求められました。

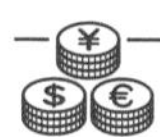

通貨危機を乗り越えた東南アジア

「アジア通貨危機」を乗り越えた各国は、再び順調に経済的成長を遂げます。経済成長に伴い、アメリカ輸出に依存する体質から脱却し、東南アジアや東アジア諸国どうし、あるいは地理的に近いオーストラリアやニュージーランド、インドとの輸出入の割合を伸ばし、経済危機に強い体質に転換しつつあります。アジア域内で相互に分業する態勢は、アジア新国際分業と呼ばれます。ASEAN内部の経済圏としては、インドネシア・マレーシア・シンガポールの「**成長の三角地帯**」や、インドシナ半島の「**大メコン圏**」などが唱えられ、経済発展で先行するシンガポールやタイを中核にし、人件費が安い周辺の国々との分業によってASEAN域内全体の発展が目指されています。

図10-4 「大メコン圏」と「成長の三角地帯」

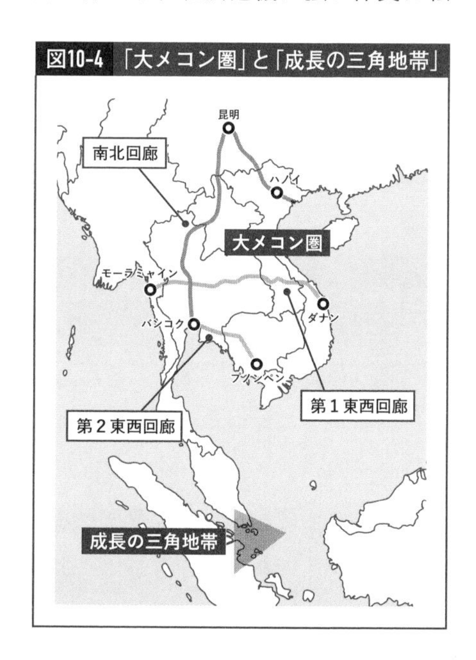

「小異を捨てて大同についた」ユーロの発行

一体化が進むヨーロッパ

EU発足の協議における1つの軸は、経済の一体化をより進める共通通貨の発行でした。通貨を共通にすることにより、為替相場の計算の手間を省けますし、輸入した原材料で製品をつくり輸出したところ、為替相場が変動して原材料の値段を下回ってしまう、というような「差損」の発生も防げます。共通通貨は、あたかも金本位制のもとで「金」を仲介させることによって為替の計算の手間を省き、スムーズな貿易ができるというような働きを加盟国内でさせることができるのです。

図10-5 ユーロ圏

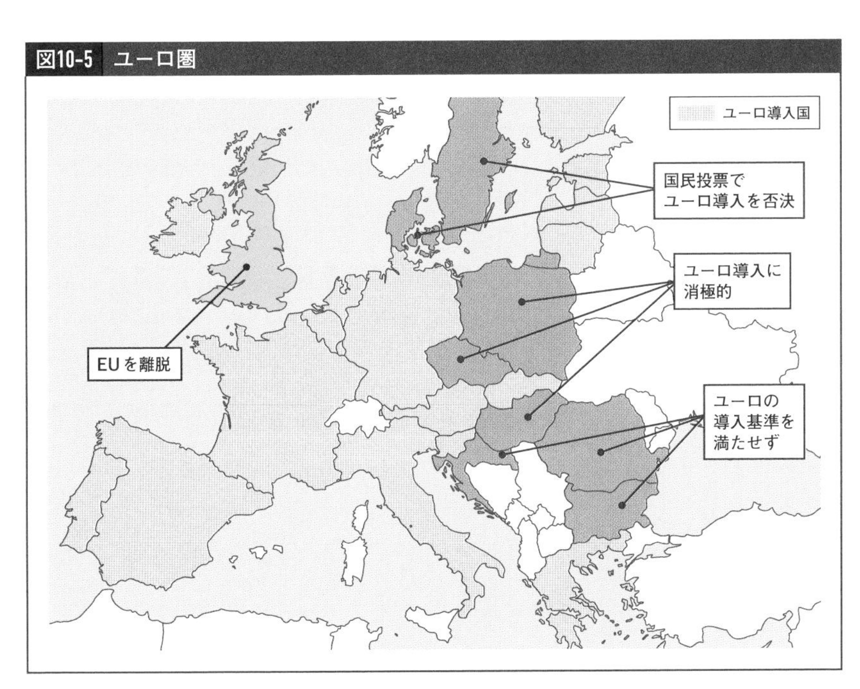

また、同じお金を使っているから、賃金の安い国の人が高い国に行って働き、そのお金を持ち帰って自分の国でそのまま使うことができます。雇用する国のほうでも、人件費がおさえられれば、より安い製品をつくることができ、輸出には有利になります。

共通通貨の発行は、こうした**「為替のコストダウン」や「人件費の抑制」に大きな効果を発揮し、「ヨーロッパ域内での分業」を促進させ、結果的に輸出が伸長すると期待されたのです。**また、企業にとっては、いい製品をつくればヨーロッパ全体でも売れるという可能性が広がります。

もちろん、通貨が統一されれば1つの国の勝手は許されなくなります。**国家にとって、「通貨が発行できる」という権利はとても大きなものであり、仮に共通の通貨をつくってしまうと、1つの国が単独で「不景気のときに自分の国だけお金を大量に発行して景気を刺激してやれ」「お金の量を絞って金融を引き締めてやれ」ということはできなくなります。**

議論の結果、主要なEUの構成国は自らの通貨発行権を捨てることを受け入れ、共通通貨の発行に踏み切ります。これが「**ユーロ**」です。

ユーロ圏に入れば、同じユーロ圏の国と貿易や取引がスムーズになり、フランスやドイツの経営が安定した大きな銀行から、低金利でお金を借りることが可能となり、産業の振興も見込めます。

EUの加盟国は基本的にユーロの導入が義務付けられていますが、東ヨーロッパの国々のいくつかは基準を満たせず、導入には至っていません。

ユーロと距離を置いたイギリス

EUの中にありながら、通貨統合の動きと距離を置いたのが、イギリスです。イギリスの通貨ポンドは変動が激しく、ユーロ加盟の基準に合わないことや、ユーロ圏に入るとどうしてもユーロ圏最大の経済大国のドイツの意向を汲むことになってしまうこと、また、かつての「大英帝国」の象徴であったポンドを捨てることに抵抗があることなどの複合的な理由があったと考えられています。

世界に広がった アメリカ発の経済危機

足元をすくわれたアメリカ経済

クリントン大統領のもと、アメリカはIT革命に助けられ、一時的に経済が好転しますが、次に就任したブッシュ（子）大統領のとき、アメリカ発の「**リーマン・ショック**」といわれた国際金融危機が世界を揺るがしました。この事件は、アメリカ第４位の投資銀行、リーマン・ブラザーズが経営破綻を起こしたことによって世界に経済危機が駆けめぐったというものです（「投資銀行」とは、プロの投資家や企業たちに「儲け話」を持ち込むための大口の金融機関で、2000年代の初頭、アメリカで相次いで設立されました）。

返済能力が低い人々に貸したローン

なぜ、リーマン・ブラザーズが破綻したかというと、それは「サブプライムローン」問題が起きたからです。サブプライムローンの「サブ」は「下位の」、「プライム」とは「優良な」という意味で、サブプライムローンは「優良さでは劣る人たちのためのローン」という意味になります。

すなわち、中・低所得者やクレジットカードの延滞履歴のある人（返済能力の低い人）に高い金利をとってお金を貸すローンというのが「サブプライムローン」です。返済能力の低い人に貸すので、貸し手であるローン会社も、金利を高くして「ひとりが返せなくなっても他の人の金利で穴埋めできる」ようにしているのです。

しかし、金利が高くても、サブプライムローンはどんどん利用されるようになっていきました。折しもアメリカでは「住宅ブーム」が起き、住宅が盛んに建てられ、売り買いされていました。住宅の価格は上がり続けていたため、住宅で「一儲け」したい人々がサブプライムローンを組んで住宅を買い、値が上がったら売って借金を返す、ということをねらい、サブプライムローンで借金をする人が急増したのです（じつはこの状況は「バブル」にほかなりません。いつかはサブプライムローンを最後に借り、返済ができなくなった人が「ババを引く」ことが見えていたのです）。

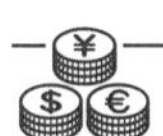

薄くばらまかれたリスク

高金利で貸している、とはいえ、お金を借りている人々には低所得者層が多いため、彼らが返済不能に陥れば、ローン会社は「貸し倒れ」になる恐れが付きまといます。

そこに、一枚噛んできたのが投資銀行です。ローン会社は貸し倒れのリスクを軽減するため、投資銀行にこのサブプライムローンの債券を売却したのです。ローンを組んだ借り手の返済相手は、この投資銀行になります。

図10-6 サブプライムローンとリーマン・ショック

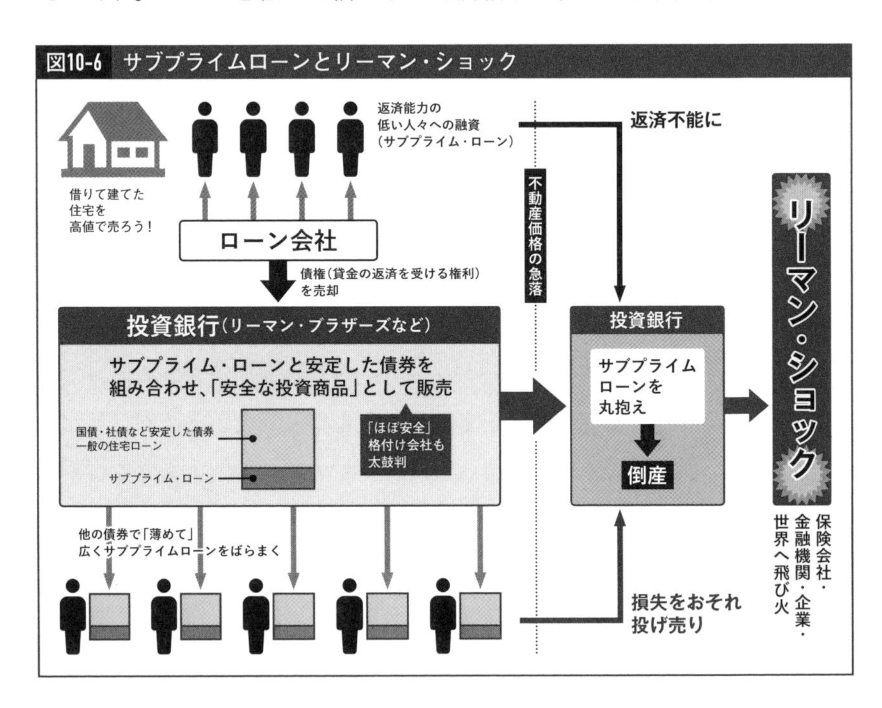

投資銀行もこのような「危なさ」を丸抱えするのは危険なので、さらに他の人にそのリスクを押し付けようとしたのです。それが、この債権の「証券化」です。リスクの高いサブプライムローンを他のローンや社債、国債などの安定した債券と組み合わせて（まぜこぜにして）、売買が可能な投資商品として販売しました。危険な投資商品であったサブプライムローンを薄めて、広くばらまいたのです。安定した国債や社債、一般のローンなどに「ちょっとだけサブプライムローンが混ざっている」だけなので、格付け会社もこの証券に高い格付けを与え、安全性を保障しました。

そして、この商品の販売に特に熱心だったのが、リーマン・ブラザーズだったのです。貸金が回収できれば問題ないのですが、サブプライムローンはつねに「貸金を踏み倒される」恐れがつきまといました。

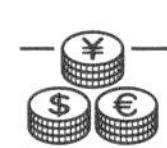

世界に広がった深刻な経済危機

そして、「リーマン・ショック」がやってきます。FRB（アメリカの中央銀行制度の理事会）が不動産バブルの引き締めを図ると、不動産価格が急落しました。サブプライムローンを借りて住宅を買い、値上がりを待っていた借り手の人々はもくろみが外れ、高額の借金が残ります。サブプライムローンは返済されることなく、焦げ付くようになります。

その焦げ付いた不良債権は「証券化」されて広く薄く、投資家たちにばらまかれているのです。投資家たちは「まぜこぜ」にされた自分の証券にどれだけサブプライムローンが混ざっていて、そのうちどれだけ焦げ付いたかがわかりません。不安に陥った投資家たちは、損失を避けるために少しでも早く証券を手放そうとして売却をし始めます。

リーマン・ブラザーズは貸金が返ってこないうえに、証券の払い戻しにも応じなければなりません。リーマン・ブラザーズは約64兆円という信じられないぐらいの負債を抱えて倒産し、企業の倒産保険を請け負っていたアメリカ最大の保険会社のAIGも経営危機に陥ったのです。その影響は全米に、そして世界に広がり、深刻な金融危機が引き起こされました。

経済の一体化は財政悪化の「連帯責任」も生んだ

一体化する経済の「問題点」

一方、ヨーロッパでは、ユーロの導入が順調に進んでユーロ圏が広がります。ただし、経済の一体化による問題点も現れました。その１つが、**ギリシア経済危機**です。

ギリシア政府は、国民の支持を獲得するため、公務員の数を過剰にして財政の裏付けのない高福祉政策をとるなど、いいかげんな財政運営を行っていました。この赤字を、ギリシアはドイツやフランスの大手銀行など、ヨーロッパの銀行にお金を貸し付けてもらう（国債を引き受けてもらう）ことでまかなっていたのです。ギリシアの膨大な借金の事実が明るみに出ると、各国の銀行は、ギリシアが「借りたお金が返せません」というデフォルト（債務不履行）の状態に陥るのではないか、とおそれ始めました。

ギリシアが破綻すれば、ギリシアにお金を貸している銀行の経営は悪化し、ヨーロッパ中の企業への「貸し渋り」が起こりますし、もし、「貸し倒れ」が起ころうものなら、企業や関連銀行も連鎖倒産の危機が発生します。

ヨーロッパはユーロにより一体化しましたが、１つの国の経済の悪化の「連帯責任」まで全部の国でとらなければならなくなったのです。

そこで、EUとIMFはギリシアに莫大な額の支援を行い、ギリシアは金融機関に借金の50％棒引きを懇願してその大半に受け入れてもらうなど、ギリギリのところで危機を回避することになります。

しかし、このギリシア経済危機によって、「第２のギリシアもあるのでは？」という不安が表面化していきます。

「第２のギリシア」になる可能性がある、財政状態が不安視されているの

図10-7 ギリシア通貨危機とPIIGS

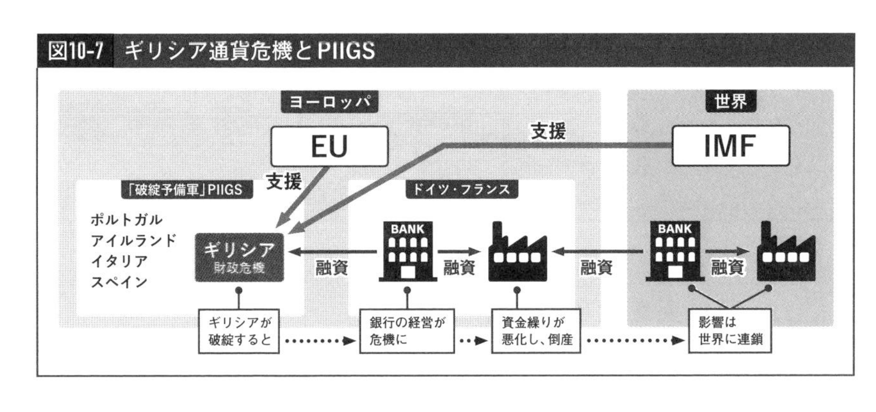

がポルトガル、アイルランド、イタリア、スペインです。この４か国にギリシアを合わせた５か国はPIIGS（ピッグス）と呼ばれています。

EUやIMFは、アイルランド、ポルトガル、スペインにそれぞれ10兆円近い規模の支援を行い、なんとか破綻しないようにしている状況ですが、この中で１か国でもデフォルトに陥り、借金を踏み倒すようなことがあれば、すぐにドイツやフランスの金融機関の「貸し倒れ」と、ヨーロッパ中の企業連鎖倒産の危機が再び発生してしまうのです。

EUを離脱したイギリス

もう１つの問題点は人口移動です。EUやユーロによるヨーロッパの一体化は、国境を越えた「出稼ぎ」を容易にしました。特にドイツ、フランス、イギリスなどのヨーロッパの中でも賃金水準の高い国には東ヨーロッパや南ヨーロッパからの出稼ぎ移民が集中します。また、この３か国にはEUの外からも外国人労働者が移民として流れ込み、その国で元から働いている労働者の雇用を奪うことになります。

労働力が国境を越えて移動する「グローバリゼーション」の進行に、EU、特にドイツは移民に寛容な姿勢をとっていますが、イギリスは慎重な姿勢をとります。もともと、イギリスはEUから距離をとってきたので、EU離脱論も議論されるようになりました。そして、その結果、国民投票が実施されて、イギリスはEUから離脱することになったのです。

市場経済を導入して伸びた中国経済

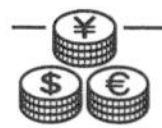

経済成長を続ける中国

改革開放政策に舵を切った中国は、市場経済を導入して、ある程度自由な経済活動を容認し、外国からの投資を呼び込んで経済が進展しました。一時は天安門事件の発生などにより政治的にも経済的にも引き締められ、経済が停滞したものの、総じて見れば「世界の工場」としての中国の経済発展はめざましいものがありました。アメリカをはじめとする外国企業も中国の「経済特区」にたくさんの工場を建てたり、中国企業に投資を行なったりしました。

ところが、リーマン・ショックが起こると、海外からの投資額が減少してしまいます。躍進する中国経済もついに停滞するかと思われましたが、巨額の公共事業を行い、内陸部の鉄道や道路をつくっていきます。この公共事業によって中国の見た目の経済成長は続き、GDPはアメリカに次ぐ2位となりました。しかし、経済発展によって中国の労働者の賃金が上昇したことで、外国企業はより人件費の安い国に工場を移転する動きを見せつつあり、「本業」である「世界の工場」としての生産と輸出は伸び悩みます。

シルクロードを経済圏にする「一帯一路」

そこで、中国は「**一帯一路**」構想を打ち出し、ユーラシア大陸各地への海外投資により、各国の企業や資源の儲けから利益を引き出そうとしています。「陸のシルクロード」を「一帯」、「海のシルクロード」を「一路」と称し、中国の経済圏とする構想です。そのための出資を広く募るためにアジア・インフラ投資銀行を設立し、外国からの出資も巻き込んで投資を行うという計画で、アフリカや中央アジアなどは次第に「中国経済圏」に取り込まれつつある状況があります。

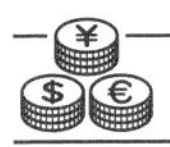

中国が狙う海域の結び目

この、「一帯一路」を唱える中国の構想の中で特に重視されているのが南シナ海の**南沙諸島**です。

南沙諸島の海域には海底油田やガス田などが確認されており、中国・ベトナム・フィリピン・マレーシア・ブルネイ・台湾の６つの国が領有権を主張しています。この中で特に領有権を強く主張しているのが中国なのです。中国は有数の資源大国ですが、巨大な人口を抱えるため、エネルギー資源の出どころを確保しないと産業が回せないという弱点があります。また、この海域は東アジア・東南アジア・南アジアの結び目であり、この場所の領有権を握ることは軍事的にも経済的にも大きな利益がもたらされるともくろんでいるのです。

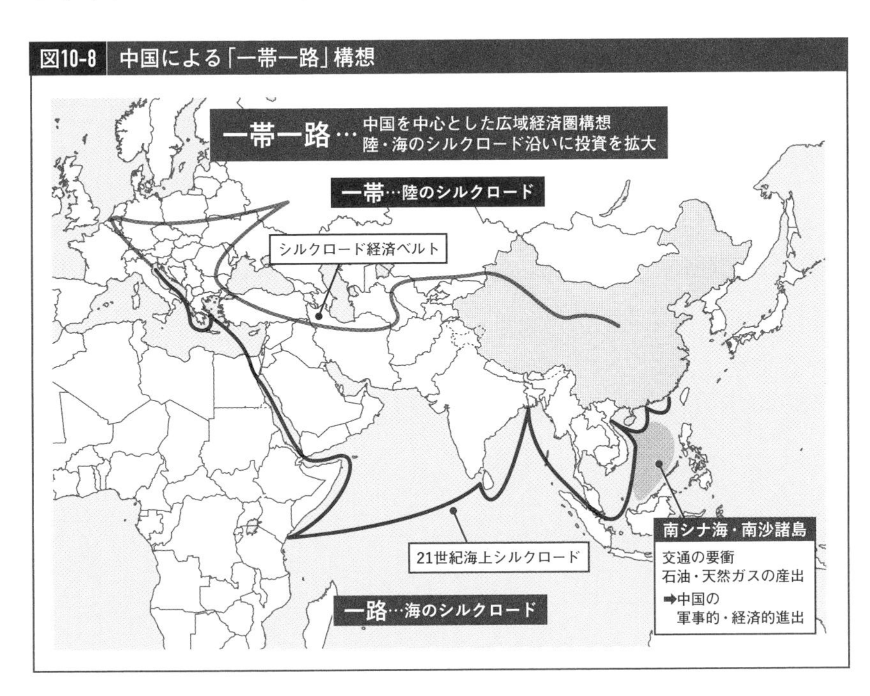

図10-8 中国による「一帯一路」構想

変化していく アメリカの「存在感」

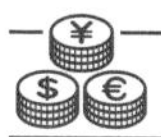

進む世界のグローバル化

アメリカは世界一の経済大国であることに変わりはありませんが、リーマン・ショックを引き起こしたこともあり、次第に世界経済の中での存在感は低下していきました。相対的にロシアや中国などの大国の存在感が増し、EUも地域内の結びつきを強めつつ、金属、航空機、自動車などの分野でアメリカとの競争を行っています。また、ASEANは経済発展により資産をもった中間層が増えてASEAN内部の経済圏が成長し、アメリカの下請けという性格は薄れていきました。**経済の「多極化」とグローバル化が進む中、アメリカの経済政策もまた、変化していきます。**

「大きな政府」寄りのオバマ政権

リーマン・ショック後に大統領に就任したオバマ大統領は経済の立て直しに努めます。数百兆円規模の公的資金を使い経済を安定させ、金利を引き下げて企業がお金を借りやすくし、所得税の減税を行って消費に向かうようにしました。

その結果、アメリカ経済はリーマン・ショックの危機を脱して回復に向かいますが、支出が増大して国の赤字が拡大し、オバマ大統領はその押さえ込みに苦慮するようになります。

また、オバマはシンガポールやニュージーランドが提唱するTPP（環太平洋パートナーシップ協定）の交渉に加わり、自由貿易を推進しようとしました。移民にも比較的寛容なオバマの政策は、どちらかといえばグローバリゼーションの枠組みの中でのアメリカの立場を模索したものです。

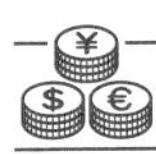

トランプ政権と米中貿易摩擦

一方、「アメリカ・ファースト」を唱えて当選したトランプ大統領の政策は戦後のアメリカの「基本姿勢」の1つといえる自由貿易政策を見直し、「保護主義」に転換しようというものです。オバマ大統領が「旗振り役」をつとめてきたTPPも早期に離脱し、関税によって自国の経済を守ろうとしているのです。

トランプは、アメリカにとって問題なのは、今や「世界の工場」となった中国がつくる安い製品がアメリカに流入していることと考えているのです。その分、アメリカでつくった自国製品が売れずにアメリカの工業が衰退し、労働者が失業することを問題として国民に訴えました。この考えを支持したのはアメリカ中西部の衰退が著しい、重工業地帯のいわゆる「ラスト・ベルト」の労働者です。彼らはアメリカ製造業の復活を期待してトランプを応援したのです。トランプは中国の鉄鋼、そしてロボット、半導体などに次々と関税をかけ、中国製品をブロックしようとしました。

中国もこれに折れずに、アメリカの農産物や自動車に「報復関税」をかけ、アメリカ製品をブロックします。こうして、アメリカと中国は「貿易戦争」ともいわれる激しいせめぎ合いを繰り広げています。

しかし、トランプのこの姿勢はアメリカ企業にとって必ずしも利益があるわけではなく、中国で生産されたiPhoneやナイキのシューズにも関税がかかり、アメリカを代表するアップルやナイキの損失につながるため、国内からも見直し要求の声が出ています。そのため、アメリカと中国は歩み寄りの交渉を行いますが、一時的な「休戦」のあとは再び「報復関税」のかけ合い、という状況が続いています。

トランプ大統領は、ヒスパニックの流入がアメリカの労働者の仕事を奪うとして移民の制限を行い、カナダ・メキシコとの自由貿易協定であるNAFTAの枠組みに反対するなど、グローバル化の流れに背を向けてアメリカの国益を守ろうという政策をとっているのです。

同時に進行する「格差拡大」と「平均化」

国に匹敵する経済規模をもつグローバル企業

本章では「アジア通貨危機」「リーマン・ショック」「ギリシア経済危機」などの大きな経済危機の話をトピックとして扱いました。このように見ると、世界は経済危機だらけのようにも思えますが、基本的には世界のGDPは拡大し、世界全体の富は増加する方向に向かっています。

「お金は天下の回り物」といいますが、グローバル化によって世界をお金がどんどん「回る」ようになり、開発途上国を含めた世界中の人が総じて豊かになっていくからです（逆に、経済危機もグローバルネットワークに

図10-9 成長する世界経済

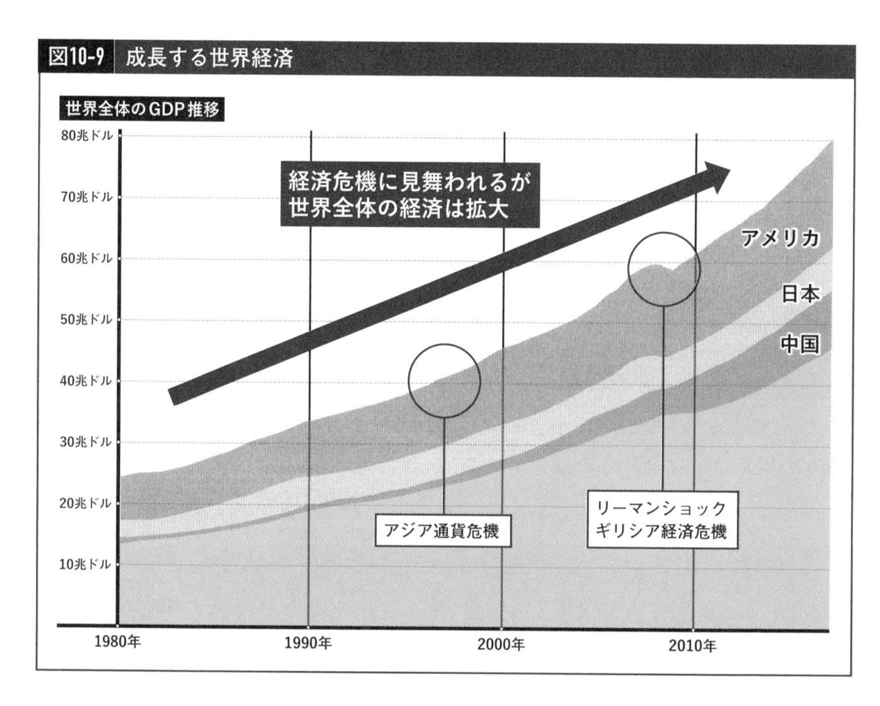

よって世界に「回る」ようになりましたが)。

この、お金を「回す」けん引役となったのがGAFA（グーグル・アップル・フェイスブック・アマゾン）などの「グローバル企業」です。これらの企業の経済規模は１つの国に匹敵するほどであり、居住する国や地域にかかわらずに情報を得たり、商品を売買したりと、世界中の人々がそのネットワークの恩恵を受けることができています。

広がるグローバル化の影響

よく、「世界のグローバル化は経済格差」を生む、といわれます。

たしかに、グローバル企業の経営者には世界の「長者番付」にリストアップされるような超富裕層がいて、低所得者層との差は拡大していますが、グローバル化の意味するところの本質は「世界の一体化」なので、基本的には「混ざって平均化」されるということです。貧しかった国は、その人件費の安さから外国の投資が集中して工場が建てられます。その一方で、そ

図10-10 グローバル化が進む世界経済

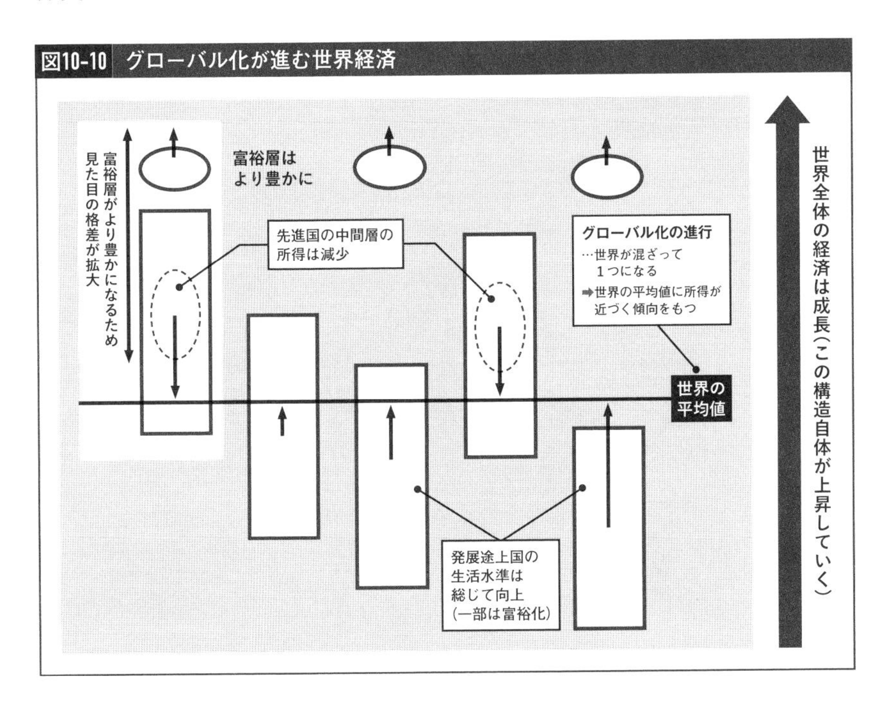

れまで「先進国」とされていた国々の中所得者層は仕事を人件費の安い国に奪われたり、自分たちが生み出すサービスがグローバル企業によって奪われたりして、どんどん所得が減少していきます（日本においても製造業が中国や東南アジアの企業との価格競争に敗れて衰退し、アマゾンに客を奪われた街の書店がどんどんつぶれている状況があります）。

また、世界にはAI（人工知能）や自動化技術の発達によって、人間の行っている仕事が機械に奪われる「第二の空洞化」も起こっています。

「世界はグローバル化によって急速に『平均化』され、貧しい国の人々はより豊かに、豊かな国の人はより貧しくなる。しかし、世界中の富を集める超富裕層が出現するため、見た目の『格差』は広がる。そしてその構造を保ったまま世界全体としての経済規模は拡大するが、ときおり過剰な生産や投資がバブルを生み、その影響が広がってグローバルな経済危機が起こる」というのが現在の社会の姿なのです。

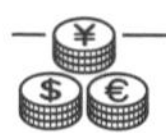

求められる「持続可能性」

グローバル化が進む現代の社会・経済を捉えるうえで欠かせない言葉の１つが「**持続可能な開発目標（SDGs）**」です。経済発展や技術の革新により、人々の生活は豊かで便利になりましたが、豊かさの裏で環境問題や貧困問題、人権問題など、人類に共通の「宿題」もまだ残されています。

これらの問題はグローバル化が広がるにつれ、発展途上国のみならず、すべての国の問題になっています。貧困問題は開発途上国のみならず先進国でも発生していますし、移民の人権問題も世界中で発生しています。環境汚染も国境を越えて広がり、国家間の摩擦を生んでいます。そこで、SDGsではすべての国にとって共通の課題である貧困、飢餓、エネルギー、人権、環境などの17の項目に対して2030年までの解決を目指し、その行動目標が掲げられています。SDGsでは国家、企業、NGO、教育の分野などその理想に向けてすべての人々が行動し、世界中の国が協力してこその「経済発展」だと訴えられています。

「データ」になりゆく新しいお金の姿

お金の歴史は「信用」の与え方の歴史

これまで私は、この本の中で、「お金」の姿について、度々扱ってきました。お金は「信用」が形を変えたものとよくいわれますが、まさに、お金の歴史は「どのようにお金に信用を与えてきたか」という歴史なのです。

はじめは、金貨や銀貨など、価値のある金属そのものの重さを量り、刻印することによって一定の重量であるという「信用」が与えられました。

貨幣が大量に必要になると、金や銀に他の金属を混ぜて「水増し」するようになります。当然、貨幣の価値は純粋な金属のもつ価値よりも落ちますが、国が発行しているという「信用」によって、その額面で流通するようになんとか「持ちこたえよう」としました。

そして、紙幣が登場します。紙幣は安価な紙でできていますが、金貨の額面と紙幣の額面が結びつけられる「金本位制」をとり、紙幣はいつでも金と交換できるという信用で、ただの紙切れに「価値」を与えたのです。

しかし、「ニクソンショック」以降、お金は金と完全に切り離され、「管理通貨制度」に移行します。政府がお金の流通量をきちんとコントロールしているという「信用」で、お金に価値を与える仕組みです。

キャッシュレス化から仮想通貨の時代へ

このように見てきたお金の歴史は、現在、もう１つ進んだ段階に突入しようとしています。１つは「キャッシュレス化」です。「現金」という存在をもなくして、「データ」のやりとりで決済を行うようにするのです。

考えてみれば、我々の生活でもすでに、給料も銀行口座に直接振り込まれ、家賃や光熱費も銀行口座から引き落とされ、クレジットカードや電子マネーでモノを買うのが普通のことになっています。キャッシュレス化は「現金を数える」という社会のコストを劇的に削減することができ、お金の流れが把握しやすいため、脱税もされにくく、犯罪の防止にもなるというメリットがあるため、今や、ほとんどの国がキャッシュレス化を推進しています。データで直接お金のやりとりをする習慣が進むと、従来の銀行の機能は大きく縮小され、社会のありかたも変わっていくでしょう。

こうした「キャッシュレス化」は、あくまでも「国が信用を与える『通貨』をデータに置き換えたもの」ですが、現在、もう１つの「信用」の与え方でデータ上のお金を「生み出す」技術が登場しています。それが仮想通貨（暗号通貨）です。この仮想通貨は、「ブロックチェーン」という技術でデータの改ざんやごまかしを防ぐことによって「信用」を生み出す仕組みです。この仮想通貨は広く流通するまでには至っていないものの、今や、１つの資産として認識されています。

図10-11 お金の歴史

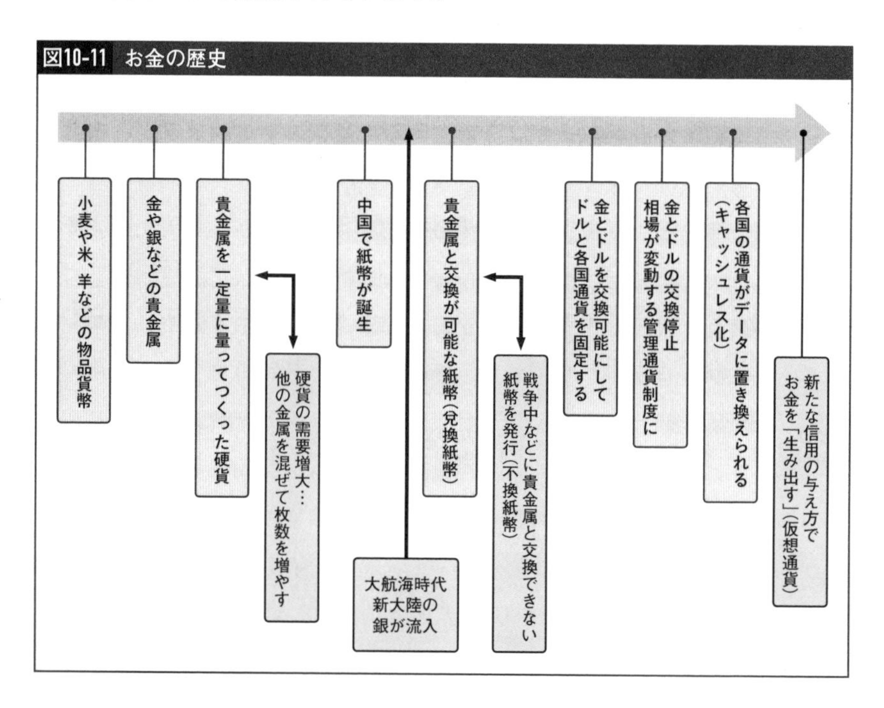

おわりに

ちょうど本書の執筆中の2020年春、新型コロナウイルスの流行により、世界に激震が走りました。世界の死者数は70万人に達し、日本でも1000人以上が亡くなりました。緊急事態宣言により全国的に外出の自粛要請が行われ、街の人出は大きく減少して、ライフスタイルも一変しました。

この流行は、経済の世界にも確実に影を落としました。企業の倒産のニュースや企業の業態の変化についてのニュースが連日報道され、「コロナ後の世界」を推測し、経済にどのような影響があるのか、様々な言論が飛び交っています。政府がすべての国民に一定額の給付を行うベーシックインカム実施の議論も世界中で行われています。「コロナ・ショック」ともいえるこの衝撃が一過性のものであるのか、それともその後の世界を一変させるのか、この本を書いている現在、いまだ不透明の状況です。この流行が、経済の歴史の１ページになる日がくるかもしれません。

こうした、大きな変化の中で思うことは、世界はつながっており、もはやすべての問題が１つの国の問題ではなく、地球規模で考えていかなければならない問題であるということです。１つの国の危機は世界全体の危機と直結します。その解決のためには、世界的な視野をもった、世界中の人々の協力が必要なのではないかと思います。本書が皆さんの視野を広げる一助になれば幸いです。

最後になりましたが、数々の勤務校で出会った教え子の皆さんに深く感謝します。皆さんとの日々の授業の中で、この本につながる様々なヒントをいただきました。広い社会に飛び出す皆さんにとって、この本が、資本主義社会を生き抜く１つの力になれば、という思いで書きました。深く感謝をするとともに、エールを送り、結びの言葉にしたいと思います。

2020年9月

山﨑 圭一

著者プロフィール

山﨑圭一（やまさき・けいいち）

福岡県公立高校講師。1975年、福岡県太宰府市生まれ。早稲田大学教育学部卒業後、埼玉県立高校教諭、福岡県立高校教諭を経て現職。昔の教え子から「もう一度、先生の世界史の授業を受けたい！」という要望を受け、YouTubeで授業の動画配信を決意。2016年から、200回にわたる「世界史20話プロジェクト」の配信を開始する。現在では、世界史だけでなく、日本史や地理の授業動画も公開しており、これまでに配信した動画は500本以上にのぼる。授業動画の配信を始めると、元教え子だけでなく、たちまち全国の受験生や教育関係者、社会科目の学び直しをしている社会人の間で「わかりやすくて面白い！」と口コミが広がって「神授業」として話題になり、瞬く間に累計再生回数が1800万回を突破。チャンネル登録者数も８万８千人を超えている。著書に『一度読んだら絶対に忘れない世界史の教科書』『一度読んだら絶対に忘れない日本史の教科書』（ともに小社刊）などがある。

公立高校教師YouTuberが書いた
一度読んだら絶対に忘れない世界史の教科書【経済編】

2020年10月25日　初版第１刷発行
2024年７月11日　初版第９刷発行

著　者　山﨑圭一
発行者　出井貴完
発行所　SBクリエイティブ株式会社
〒105-0001　東京都港区虎ノ門2-2-1

装　丁　西垂水敦（Krran）
本文デザイン・DTP　斎藤 充（クロロス）
本文イラスト　和全（Studio Wazen）
地図　斉藤義弘（周地社）
編集担当　鯨岡純一（SBクリエイティブ）
特別協力　有田光佑、大河内綾乃、尾崎康平、音野阿梨沙、金子将太、北里 光、隈元 諒、勢喜 恵、中村 光、藤原広太郎、藤村竜平、眞弓拓馬
印刷・製本　三松堂株式会社

本書をお読みになったご意見・ご感想を
下記URL、QRコードよりお寄せください。
https://isbn2.sbcr.jp/06176/

落丁本、乱丁本は小社営業部にてお取り替えいたします。
定価はカバーに記載されております。
本書の内容に関するご質問等は、小社学芸書籍編集部まで
必ず書面にてご連絡いただきますようお願いいたします。

ISBN 978-4-8156-0617-6